Jakob Arjouni

Magic Hoffmann

Roman

Diogenes

Die Erstausgabe erschien 1996
im Diogenes Verlag
Umschlagbild von
Michael Sowa

Veröffentlicht als Diogenes Taschenbuch, 1997

250/97/8/1
ISBN 3 257 22951 8

I

Die Tausendmarkscheine flatterten wie Schwalben am Himmel und drehten im Schwarm ein paar Kreise gegen die untergehende Abendsonne. Als Fred auf zwei Fingern pfiff, kamen sie und schlüpften zurück in seine Hosentasche…

»Ich find's Schwachsinn!« sagte Nickel und riß Fred aus seinen Träumen.

Sie lagen im Gras, zwischen ihnen ein Kasten Apfelwein, die Sonne schien.

Mit geschlossenen Augen brummte Fred: »Wir könnten unsere Schulden zahlen und nach Kanada – das willst du doch die ganze Zeit.« Er schlug die Augen auf und blinzelte gegen den blauen Himmel. »Und alles für 'ne halbe Stunde… Arbeit.«

Nickel lag seitlich auf den Ellbogen gestützt und sah über Felder und Weiden aufs Dorf hinunter. Dreißig Meter weiter stand Annette am Zaun, streichelte ein Kalb und flößte ihm Apfelwein ein. Dem Kalb schien es zu schmecken. Die anderen Kühe verfolgten das Geschehen neugierig.

»Könntest dir das Dingsda kaufen«, sagte Fred, »das Fotogerät, das… na, du weißt schon…«

»Das Objektiv.«

»…Genau! Und noch 'n Haufen Sachen. 'ne ganze Ausrüstung. Machst tolle Fotos von kanadischen Wäldern und Eishockeyspielern und was es dort sonst noch so gibt, wirst berühmt, und in zwanzig Jahren fragt keiner mehr, ob du mal in Oberroden 'ne Bank ausgeraubt hast.«

»Tolle Fotos... Vom Knast vielleicht.«

Nickel trank seinen Wein aus, stellte die leere Flasche zurück in den Kasten und angelte sich die nächste. Seine Bewegungen waren wie immer präzise und deutlich, als wollte er ein für allemal zeigen, wie Apfelweinflasche zurückstellen und neue nehmen auszusehen hat.

»Mit Rumhocken und am Wochenende Kellnern kommen wir jedenfalls kaum nach Kanada.«

Fred nahm sich ebenfalls eine Flasche. Das Kalb hatte die erste intus, und Annette setzte die zweite an.

»Und du«, fragte Nickel, »was willst du mit dem Geld?«

»Vermutlich wird auch in Kanada Essen und Trinken 'n paar Pfennige kosten.«

»Zweihunderttausend Mark sind eine Menge Pfennige.«

Fred zuckte die Schultern. »Mir reicht's, das Geld einfach nur zu haben.«

»Und dann?«

»Nichts dann.«

»Versteh ich nicht.«

»Von reichen Berühmtheiten hört man in Interviews doch immer, Geld wär ihnen egal, aber sie würden's zum Leben brauchen. Bei mir ist es umgekehrt: Zum Leben brauch ich nicht viel, aber ich hab's gern. Im Schrank oder unterm Bett. Ich faß es gerne an, zähl's, schau aufs Datum...«, er trank einen Schluck, »...abgesehen davon brauchen wir ja wohl was zum Wohnen, 'n Jeep, Bärenfallen und so was.«

»Bärenfallen...!«

Nickel lachte. Doch im selben Moment überlief ihn bei der Vorstellung, wie sie zu dritt in Kanada wären, ein sehnsüchtiger Schauer. Vancouver, ein Haus am Meer, endlose Wälder, Fotos für internationale Magazine...

Annette kam mit leeren Flaschen im Arm zurück. Sie trug ein rotes Sommerkleid mit gelben Tupfern und sah gegen die grüne Wiese wie eine große Blume aus. Eine leicht torkelnde Blume. Sie warf die Flaschen ins Gras und sich daneben. »Also?« fragte sie und sah von einem zum anderen.

»Möcht mal wissen«, brummte Nickel, »warum ausgerechnet ihr, ausgerechnet in Dieburg, ausgerechnet jetzt, den perfekten Banküberfall erfunden haben wollt. Immerhin probieren die Leute den schon seit Jahrhunderten.«

»Wenn Einstein so gedacht hätte, wäre er Kartoffelbauer geworden«, sagte Annette schnippisch, schloß die Augen und wandte ihr Gesicht genießerisch der Sonne zu. »Sobald ich richtig Englisch kann, geh ich in Kanada auf die Schauspielschule.«

Sie tranken Apfelwein und schmiedeten Pläne. Die Pläne wurden größer und bunter, der Banküberfall kleiner und einfacher, der Apfelweinkasten leerer. Während sie lachend zusahen, wie das Kalb über die Weide wankte und immer ausgelassener vor sich hin muhte, war Nickel irgendwann überzeugt: Ihnen gehörte die Welt, und der Welt gehörte die Bank!

Als Fred abends nach Hause kam und sich an den Tisch setzte, sagte Oma Ranunkel, während sie Kohlrouladen und Kartoffeln auftat: »Du siehst aus wie dein Vater, wenn er was im Schilde führte.«

Sie trug ihr grün-gelb gestreiftes Kleid, eine dunkle Schürze und die hundertmal gestopfte braune Strickjacke. Ihre grauen Haare waren wie immer streng nach hinten gekämmt und zu einem Knoten hochgesteckt.

»Ich hab Arbeit gefunden, Oma.«

»So?« Nicht sehr überzeugt.

Fred nickte. »Und was für eine: Spezialistenjob!«

Oma Ranunkel ließ den Löffel sinken, und ihre Augen hinter den dicken Brillengläsern betrachteten ihn skeptisch. »...Spezialist? Für was?«

»Für...weißt du, es gibt noch keinen richtigen Begriff dafür. Ich würd's nennen...«, er überlegte, »...im Lotto gewinnen, aber ohne Lotto.«

»Bitte...?!«

»Na ja...«, er schaute auf die dampfende Roulade vor sich, »...jemand träumt davon, Rockstar zu werden oder 'ne Weltreise zu machen. Nickel zum Beispiel würde gerne nach Kanada gehen und Fotograf werden, aber insgeheim glaubt er zu wissen, daß er's nie wirklich machen wird, und dann komm ich!«

Oma Ranunkel runzelte die Stirn. »Und?«

»Ich entwickle den Leuten Strategien, wie sie's wenigstens versuchen können«, und lässig fügte er hinzu, »gegen Bezahlung natürlich.«

Oma Ranunkels Gesicht bekam etwas Mitleidiges.

»Wer würde für so was Geld ausgeben?«

»Wirst sehen, nächsten Freitag hab ich meine erste Beratung, und von dem Honorar gehen wir beide ganz groß...«

»Aber«, unterbrach sie, »wer hat dich denn wo eingestellt?«

»Das läuft über Anzeige, erklär ich dir später.«

Kopfschüttelnd setzte sich Oma Ranunkel ihm gegenüber an den Tisch. »Kind, Kind, was ist das nur wieder für ein Unsinn!«

»Mach dir keine Sorgen, Oma, das is 'n Job für die Zukunft...«

Vier Jahre später wurde Fred aus der Jugendvollzugsanstalt Dieburg entlassen.

2

Weiße Turnschuhe, knöchelhoch, mit schwarzen Streifen. Ob man so was heute noch trug? Fred zog die Schnürsenkel fest und machte einen Knoten. Draußen gingen die anderen zur Werkstatt. Manche klopften gegen die Tür.

»Mach's gut, Magic!«

»Worauf ihr euch verlassen könnt!«

Fred hatte die ganze Nacht kein Auge zugetan. Übermüdet und euphorisch wie er war, kam ihm das Leben an diesem Morgen cowboyeinfach vor. Vier Jahre abgerissen, Tasche packen, Sonnenaufgang. Jetzt konnte ihm niemand mehr was! Und wenn die Schuhe außer Mode waren, würde er sie eben wieder in Mode bringen. Wäre schließlich nicht das erste Mal. Früher im Dance 2000...

Er schloß den Reißverschluß des blauen Overalls und betrachtete sich im Spiegel. Das breite, kantige Kinn, auf dem kein richtiger Bart wachsen wollte, die heraustretenden, immer leicht verdutzt wirkenden Augen, die abstehenden Ohren und die halblangen, dunkelblonden Haare, die er sich seit seinem vierzehnten Lebensjahr selber schnitt: Er nahm sie auf der Kopfmitte in die Faust und stutzte, was überstand. Er war der alte geblieben – keine Frage. Und er war stolz drauf. Sie hatten ihn nicht kleingekriegt. Weder Sozialisierungsversuche von oben noch kriminelle Mitmach-Angebote von unten hatten ihm etwas anhaben können. Das Gefängnis war nur ein Wartezimmer gewesen, in dem er die meiste Zeit mit geschlossenen Augen gesessen und sich die Ohren zugehalten hatte.

Die anfängliche Bewunderung seiner Mitgefangenen für den geschickt gemachten Banküberfall und Freds Weigerung vor Gericht, seine Kumpel zu verraten, war schnell der Gleichgültigkeit gewichen gegenüber einem, der sich aus allem raushielt und sich für nichts zu interessieren schien, außer für Fischfang und Blockhüttenbau. Einige hielten ihn für dumm, andere für ein Großmaul, manche für beides. Tatsächlich war Fred dumm ebenso wie klug. Sagenhafte Einfalt wechselte sich mit überraschender Schlauheit ab. So hatte er sehr schnell begriffen, welche Wärter er für sich gewinnen mußte, um in Ruhe gelassen zu werden, war aber lange Zeit nicht dahintergekommen, warum sein eigentlich sehr friedlicher Zellennachbar ihn in der Turnhalle immer wieder zum Ringkampf herausforderte, obwohl Fred viel kräftiger war. Einmal hatte Fred ihn zum Spaß gewinnen lassen und zum ersten Mal unter ihm liegend einen spitzen Druck am Bauchnabel verspürt. Was Fred nicht interessierte, kapierte er auch nicht, und dabei wurde er zum »Großmaul«. Denn Nichtkapieren tat er nicht still und heimlich, sondern laut und anmaßend, mit fliegenden Fahnen. So erklärte er den Jungs in der Gefängnisschreinerei, die alle besser waren als er: Sich mit Schwalbenschwanzverzinkungen und Furnier das Hirn zu verstopfen mache nur für Idioten Sinn. Nicht von ungefähr hatten sich seine Kontakte zu den Mitgefangenen bald auf Tischfußball und den Austausch von Sexheften beschränkt. Außerdem mochte Fred den Jammer oder die Wut der anderen nicht – im Knast durfte man keine traurige Figur abgeben, fand er. Frei, reich und gesund, da konnte man schon mal heulen. Aber gefangen, von Wärtern tyrannisiert, ohne Frauen und dann auch noch unglücklich...?!

Fred fuhr sich durch die Haare: Mit den Heften war es nun endlich vorbei! Er war nicht schön, hatte aber früher mit mehr oder weniger bewußt angewandtem Trottel-Charme und unbekümmerter Art jede Menge Erfolg bei Mädchen gehabt. Warum sollte es inzwischen anders sein?... Gleich würde er entlassen, würde er Blusen, Röcke, Hintern und Beine sehen, würde das Leben wieder anfangen – so wie es früher gewesen war, nur mit zweihunderttausend Mark anstatt Pfennigen in der Tasche!

Fred schloß den Koffer, hockte sich auf die Bettkante und rauchte eine letzte Zigarette.

Wenig später holte ihn der Gefängniswärter und brachte ihn zum Tor. Durch die Gegensprechanlage informierte der Wärter den Wachmann: »Fred Hoffmann zur Entlassung.«

Die erste Lage Stahl schob sich beiseite, und sie gingen in die Schleuse. Der Wachmann beäugte sie prüfend durchs Panzerglas, dann drückte er einen Knopf, und die zweite Lage öffnete sich.

»Viel Glück, Hoffmann.«

»Thanks, aber jetzt brauch ich keins mehr.«

»Gerade jetzt.«

Fred schüttelte den Kopf. »I have friends.« Und money, dachte er, aber das konnte er natürlich nicht sagen.

Der Wärter seufzte. »Und gewöhn dir das alberne Englisch ab. Damit hält dich jeder für schwachsinnig, und du kriegst nie 'ne Arbeit.«

»Im Gegenteil«, sagte Fred, »wo ich hingehe, krieg ich

nur Arbeit, wenn ich englisch spreche – falls ich überhaupt welche will, Mister.«

Sie gaben sich die Hand, und Fred trat auf die sonnenüberflutete, leere Straße. Hinter ihm schloß sich das Tor. Es dauerte einen Moment, bis er sich ans Licht gewöhnte. Gegenüber stand ein Kiosk, dahinter waren helle Wohnhäuser mit offenen Fenstern und bunt leuchtenden Blumenkästen. Es roch nach Flieder, und die Bäume längs der Straße waren grün. Blätter raschelten im Wind, Vögel zwitscherten, sonst war es still. Wenn das kein Frühlingstag, wenn das kein Anfang war, dachte Fred, what a wonderful world!

Er stellte den Koffer ab und zog die Jacke aus. Außer dem Kioskverkäufer war weit und breit kein Mensch zu sehen. Auf die Postkarten hatte er geschrieben: zwischen zehn und elf. Auf seiner Uhr war es kurz vor elf.

Er nahm den Koffer und schlenderte zum Kiosk. Der Verkäufer, ein Mann um die Vierzig mit schütterem Haar, döste über einer Zeitung.

»Morning!«

Der Verkäufer fuhr auf. »...Oh! Morgen.«

Fred lachte. »Frühjahrsmüdigkeit, was?!«

»Mhmhm. Was wünschen Sie?«

»Eine Flasche Sekt, und zwar vom besten!«

Seit seiner Verhaftung hatte Fred, bis auf heimlich in Zellennischen gebrannte Blindmacher, keinen Alkohol mehr getrunken. Eine lange Zeit für einen, dem er in jeder halbwegs genießbaren Form schmeckte.

»Vom besten?«, der Verkäufer kratzte sich am Kinn, »Faber?«

»Ist das Ihr bester?«

»Wenn man so will, ja, der einzige.«

Während der Verkäufer zur Kühltruhe schlurfte, sah Fred erneut links und rechts die Straße runter.

»Wieviel Uhr ist es?«

Der Verkäufer stellte die Flasche ab und sah auf seine Armbanduhr.

»Kurz nach halb zwölf.«

»Muß meine wohl stehengeblieben sein...«

»Möchten Sie 'n Becher?«

Anstatt zu antworten, klopfte Fred aufs Zifferblatt. Der Verkäufer gähnte. »Nicht mehr 's neuste Modell, hm?«

Fred sah auf und starrte den Verkäufer einen Moment lang ausdruckslos an. Dann wandte er sich wieder der Uhr zu. Der Verkäufer hob die Augenbrauen. Wie empfindlich die jungen Leute heutzutage in Modefragen waren! Freundlich fragte er: »Also 'n Becher?«

»Für Sie auch einen.«

»Für mich?«

Nickend zog Fred die Uhr vom Arm und warf sie in den Kiosk-Mülleimer. »Gibt was zu feiern!«

Der Verkäufer wollte schon den Kopf schütteln, als sein Blick auf Freds Koffer fiel. Er hatte den Kiosk gegenüber vom Gefängnistor lange genug, um zu wissen, was kleine schäbige Koffer hier zu bedeuten hatten. Ein Jugendknast, keine wirklich schweren Jungs, keine, die es einfach wegsteckten, nach Jahren plötzlich wieder auf der anderen Seite der Mauer zu stehen. Viele wollten dann mit ihm einen trinken, und meistens tat er ihnen den Gefallen. Wieder schlurfte er nach hinten, holte zwei Plastikbecher.

»Aber nur zum Anstoßen.«

Fred lachte. »Sure, und wie oft wir anstoßen, werden wir dann ja sehen.«

Den ersten Becher stürzte er in einem Zug runter und schloß kurz die Augen. »What a feeling!«

Danach tranken sie stumm. Fred beobachtete die Straße, und der Verkäufer musterte ihn. Dämliche Augen, dachte er, wie sie so herausglupschten. Andererseits hatte noch keiner der Jungs bei seiner ersten Flasche in Freiheit einen so bestimmten und zielstrebigen Blick gehabt. Keine Neugierde, keine Unsicherheit, nichts. Als hätte er für einen Boxkampf trainiert, zu dem jeden Moment der Gong ertönen konnte.

Tatsächlich war in Freds Kopf alles fast auf die Minute vorbereitet: Wiedersehen mit Annette und Nickel, dann ins Clash, später ins Dance 2000, er mit irgendeiner Frau, und am nächsten Morgen Kanada-Besprechung. Wenn das Gefängnis zu irgend etwas taugte, dann als eine Art höhere Schule fürs Pläneschmieden, und die hatte Fred mit Eins abgeschlossen.

Ein junges Paar bog in die Straße ein und kam schnell näher. Sie blond und rundlich, er dunkelhaarig und groß. Beide trugen etwas unterm Arm und schienen es eilig zu haben. Annette und Nickel, kein Zweifel. Fred wandte sich abrupt dem Verkäufer zu und griff nach der Flasche. »Trinken wir noch einen.« Sie sollten ihn nicht warten sehen.

»Danke, ich nicht mehr.«

Der Verkäufer leerte seinen Becher und warf ihn in den Müll. Als er danach aufsah, fuhr er leicht zusammen. Wieder starrte der junge Mann ihn an. Diesmal erinnerte ihn der Blick an die Verrückten vom Johanniterheim draußen am Wald.

»Ich muß noch arbeiten.«

»Dann reden wir...!«

Fred beugte sich vor und begann unvermittelt von einem Landstreicher zu sprechen, den ganz Dieburg kannte, und der, obwohl schon seit Jahren nicht mehr gesehen, immer wieder in Anekdoten auftauchte, die sich die Dieburger wie Witze erzählten. Je näher das Paar kam, desto lauter sprach Fred und desto wilder wurde die Geschichte. Dann war das Paar fast am Kiosk angelangt, und Fred drehte sich, während er weitersprach, wie zufällig um, die Straße, die Bäume und nebenbei auch die beiden jungen Leute anstrahlend... Doch es waren die falschen. Mit Waschmittelkartons, Katzenstreutüten und Windeln bepackt, gingen sie, mit einem kurzen Blick Richtung Kiosk, vorbei.

Fred verstummte.

»Und dann«, fragte der Verkäufer, »was hat er mit der Leiter gemacht?«

»Mit der Leiter?« Fred schaute abwesend. Die Schritte des Paares wurden leiser, bis sie im nächsten Hauseingang verschwanden.

»Wieviel Uhr ist es jetzt?«

»Viertel vor zwölf.«

Fred leerte den Becher und schenkte sich nach, den Blick auf die Straßenecke, hinter der das Paar aufgetaucht war, geheftet. Der Verkäufer wartete noch einen Moment, dann zuckte er mit den Achseln, setzte sich zurück auf seinen Stuhl und schlug eine Illustrierte auf.

»...Hat sie erst mal versteckt«, sagte Fred nach einer Weile, »da ist sie feucht und morsch geworden, und am Ende konnte er sie wegschmeißen. Woran man mal wieder sieht«, er gab sich Mühe, lässig zu grinsen, »Verbrechen lohnt sich nicht… Wieviel kriegen Sie?«

Der Verkäufer nannte den Preis, und Fred zog eine Rolle Geldscheine in einem Gummiband aus der Tasche. Hatte er im Fernsehen gesehen. Er löste das Gummi, legte einen Zwanzigmarkschein auf die Theke, ließ das Gummi zurückschnappen und nickte. »Stimmt so. Wenn Sie heute vorm Tor da drüben zwei warten sehen, könnten Sie ihnen bitte ausrichten, Fred feiert heute abend im Clash?«

Der Verkäufer meinte, er würde versuchen, ein Auge drauf zu haben. Fred nahm seinen Koffer auf, tippte sich an die Stirn, »Bye-bye«, und schlenderte die Straße hinunter. Ein warmer Wind streichelte ihm über den Nacken.

Nein, er war nicht wütend. Ein bißchen irritiert, aber nicht wütend. Vielleicht hatten Annette und Nickel den Zug verpaßt. Kein Grund zur Sorge. Jeder kam mal zu spät…

Im Anpassen an veränderte Umstände war Fred fast noch besser als im Schmieden unumstößlicher Pläne.

Oma Ranunkels kleines weißes Haus stand am Waldrand zwischen einer stillgelegten Vlieseline-Fabrik und einer Baumschule. Der Wald leuchtete im ersten hellen Grün, und einige Äste überwucherten Dach und Mauern. Ein Zeichen, daß das Haus schon seit längerem nicht mehr bewohnt war. Ungestutzte Äste waren in Dieburg nicht üblich.

Innen schlug Fred abgestandene, muffige Luft entgegen. Die Zimmer waren dunkel, der Strom abgestellt. Fred tastete sich durchs Wohnzimmer. Als er die Rolläden hochzog und die Fenster öffnete, erschienen billige Fünfziger-Jahre-Möbel unter dicken Staubschichten. Er blieb einen

Moment stehen und sah sich um... Da war er also wieder! Doch der Anblick der vertrauten Gegenstände rührte ihn nicht, oder besser gesagt, ließ er es nicht zu. Er würde ein neues Leben beginnen, und darin hatte dieses Haus keinen Platz. Er würde es verkaufen. Auch das hatte er schon lange geplant.

Er ging in die Küche, schaute in Schränke und Schubladen und durchstöberte die Speisekammer. Dann nahm er sich die anderen Zimmer vor, bis er in Oma Ranunkels Nachttisch eine angebrochene Flasche Dujardin fand. Er setzte sich mit ihr ans offene Küchenfenster und hielt Ausschau, ob Annette und Nickel die Straße entlangkamen.

Und wenn er die Postkarten zu spät abgeschickt hatte? Oder wenn Annette und Nickel erneut umgezogen waren?

Er trank, bis er einen Schwips hatte. Gegen vier verließ er das Haus und ging zur nächsten Telefonzelle.

Aus Vorsicht hatte er mit Annette und Nickel seit seiner Verhaftung weder telefoniert, noch hatten sie ihn im Gefängnis besucht. Aus den wenigen, bewußt belanglosen Briefen Annettes war hervorgegangen, daß sie sich von Nickel getrennt hatte und von ihm weggezogen war. Die neue Adresse hatte sie Fred zwar dazugeschrieben, doch der letzte Brief war ohne Absender gewesen und hatte einen weiteren Umzug angekündigt. Von Nickel, dem Ängstlichsten von ihnen, waren ohnehin immer nur Postkarten ohne Nachnamen gekommen. Kein Wort über Dieburg, geschweige denn über Annette – die Postprüfer vom Gefängnis mußten Nickels Karten für Routinegrüße eines entfernten Verwandten gehalten haben.

Trotzdem: Es war abgemacht, daß er ihnen Karten

schickte, sobald er seinen Entlassungstermin wüßte, und daß sie ihn abholten, und es war egal, wie lange die Abmachung her war, sie blieb eine Abmachung, und es hätte an Annette und Nickel gelegen, dafür zu sorgen, daß er ihre richtigen Adressen hatte...

Fred faltete Annettes Brief mit ihrer Berliner Telefonnummer auseinander. Dabei wurde ihm plötzlich mulmig. Er hängte den Hörer wieder ein und suchte nach Zigaretten. Vier Jahre hatte er auf diesen Moment gewartet, vier Jahre und achtzehn Tage. Wenn Annette nicht im Zug saß oder schon in Dieburg war, würde er jetzt ihre Stimme hören. Nicht die, mit der er sich die ganze Zeit in der Zelle unterhalten hatte, die ihm vertraut war und die meistens sagte, was er hören wollte, sondern ihre echte Stimme – eine Vier-Jahre-später-Stimme. Das Blut klopfte ihm in den Schläfen. Er rauchte zwei Zigaretten und versuchte, sich die Worte zurechtzulegen. Schließlich wählte er die Nummer und hielt den Atem an. Es tutete kurz.

»Zernikow?!« meldete sich eine Frau. Im Hintergrund lärmte ein Fernseher.

Fred räusperte sich. »...Guten Tag, ich hätte gerne Annette Schöller gesprochen.«

»Wat, wen?!« Sie schrie gegen den Fernseher an.

»Annette Schöller«, wiederholte Fred.

»Nie jehört! Wer soll dit... Ey, Jessica! Hau von det Pörsenell-Commputer ab! Ick hab dir hundert Mal jesacht, dit is keen Spielzeuch, dit is Deddis seins! Und Deddi hauta uffs Maul, wenna dit mitkricht! ...Hallo?!«

»Annette Schöller. Sie... Sie war wahrscheinlich Ihre Vormieterin.«

»Ja und?! Ha ick deshalb wat jewonnen?!«

»Wie? Nein, aber...«

»Wat denn nu?!«

»Also, wenn Sie mir die neue Adresse von...«

»Ick wes, ick wes: Annettchen! Aba Adressen von Vormietern is nun nich dit, womit ick mir belaste! Kieken Se doch ins Telefonbuch!«

»Okay, mach ich. Aber vielleicht können Sie mir sagen, ob Annettes Post nachgesendet wird?«

»Bin ick Briefträjer?«

Die Frau legte auf, und Fred drückte auf die Gabel. Einen Moment fühlte er sich wie in den ersten Tagen im Gefängnis, als alles an ihm vorbeigerauscht war und die Jungs ihn bei jeder Gelegenheit auf die Schippe genommen hatten. Eigenartig, der Berliner Ton.

Dann rief er die Auskunft an, ohne Erfolg: Annettes Name war nicht verzeichnet. Anschließend wählte er Nickels alte Berliner Nummer, doch niemand hob ab.

Er ging zurück zu Oma Ranunkels Haus und klebte einen Zettel an die Tür: *Bin im Clash*. Dann machte er sich auf, ein paar alte Freunde zu besuchen. Doch überall gab man ihm die gleiche Auskunft: Der oder die sei »seit zwei oder drei Jahren in München«, »in Frankfurt«, »Hannover«, »Berlin«, »Tübingen«...

3

Früher war das Clash eine verrauchte Saufgrotte gewesen, mit schwarzen Wänden, Sperrmüllmöbeln, Kerzen auf leeren Bierflaschen, einer winzigen Tanzfläche und krachender Musik. Dort hatte Fred seine halbe Jugend verbracht: Oft war das Clash tagelang sein Wohn- und Schlafzimmer gewesen, und es war der Ort, an dem er fast alles zum ersten Mal gemacht hatte – jedenfalls die Sachen, für die es noch ein erstes Mal gab, wenn Laufen und Sprechen schon eine Weile klappten.

Seit zwei Jahren hieß das Clash jetzt Coconut Beach und war eine Mischung aus griechischer Taverne und Karibikurlaub. Die Wände hatte man weiß gegipst, den Boden braun gekachelt, und über der Bambustheke drehte sich ein nachgemachter Dreißiger-Jahre-Ventilator. Korbsessel und -tische waren zu Grüppchen zusammengestellt, und auf den Tischen standen Cocktailkarten und Schüsseln mit getrockneten Bananenchips. Aus unsichtbaren Boxen wehte leise Gitarrenmusik.

Beim Hereinkommen hatte Fred gehofft, er habe sich im Haus geirrt. Langsam war er durch den frühabends noch fast leeren Saal gegangen und hatte nicht aufgehört, sich ungläubig umzusehen. Erst mehrere Biere und Schnäpse halfen ihm, mit der neuen Einrichtung zurechtzukommen. Das hieß, sie als Mist abzutun. Diese Art eleganter Hula-Hula-Schuppen, sagte er sich, war vielleicht zu Oma Ranunkels

Zeiten modern gewesen. Hier mußte er sich keine Sorgen machen, ob er irgendwas verpaßt hatte. Und daß es das Clash nicht mehr gab, na ja, er würde Dieburg sowieso bald auf Nimmerwiedersehen sagen.

Inzwischen war es kurz nach elf, Fred trank, was das Zeug hielt, und fühlte sich prächtig. Er saß mit zwei jungen Frauen am Tisch, die ihn aus der Zeitung kannten und ihn genauso angesprochen hatten, wie er sich ausgedacht hatte, daß Frauen ihn ansprechen würden: bewundernd. »Bist du nicht der, der damals die Bank überfallen hat?« Fred hatte das locker bestätigt.

Die eine, mit langen dunklen Haaren, Mittelscheitel und einem spitznäsigen, leicht zerknirschten Gesicht, erinnerte ihn an Joan Baez. Sie trug ein hauchdünnes, buntbesticktes Wallewalle-Kleid, durch das man ihre Unterwäsche sehen konnte. Die andere hatte ein rundes, pausbäckiges Gesicht mit eckiger Haarlackfrisur und klemmte in einem Matrosenkostüm. Bei Scherzen jeder Art quietschte sie begeistert, worauf sie jedesmal Ausschnitt und Busen zurechtrückte.

Immer öfter hob Fred sein Glas und krakeelte durch den mit Gästen halb gefüllten Saal: »He, Gerda, hasta la vista!« und winkte zur Theke, während es links neben ihm quietschte. Gerda, die schon damals im Clash gearbeitet hatte, hoffte, Fred würde bald verschwinden. Seit seiner Ankunft waren die Sprüche über Sonnenöl, Lambada und Pils mit Kiwistückchen nicht abgerissen. Vier Jahre Gefängnis entschuldigten zwar einiges, aber wie hoffnungslos man seiner Zeit hinterher war, mußte man darum noch lange nicht wie ein Marktschreier verkünden. Bier und Korn! Gerda schüttelte es. Der Korn war nur wegen der Handwerker da, die das Aquarium einbauten.

Fred lehnte sich zu Joan Baez. »Ich kenn Bowle, das da...«, er deutete grinsend auf ihren Melonen-Maracuja-Sundream mit Zuckerrand und Rosenblüte, »...läuft für mich unter Nachtisch!«

Wieder quietschte es begeistert. Joan Baez verzog keine Miene. Seit einer Stunde wollte sie etwas über das Gefängnis und die Ängste und Probleme eines Gefangenen erfahren und mußte sich statt dessen Halbstarkensprüche und plumpe Witze anhören.

»Scheint mir ziemlich sinnlos, abends wegzugehen, um sich mit Obstsalat vollzuschlagen! Als würde man 'ne Bank überfallen, um die Kugelschreiber mitzunehmen!«

Das Quietschen schwoll zu einem kleinen hysterischen Anfall, bis Joan Baez entnervt meinte, so lustig sei das nun auch wieder nicht. Augenblicklich verstummte die Matrosin. In der Parfümerie, in der beide arbeiteten, war Joan Baez ihre Vorgesetzte. Irritiert rückte die Matrosin ihren Busen zurecht, wobei Fred jedesmal einen leicht rindviechigen Ausdruck bekam. Dann langte sie nach ihrem Cocktail und verschwand hinter einem Busch aus Pfefferminzblättern und Orangenschalenkringeln.

Fred sah vergnügt zwischen beiden hin und her. Vielleicht war es gar nicht so schlecht, daß Annette und Nickel ihn nicht abgeholt hatten... Nachher würde er mit den Mädchen ins Dance 2000 gehen und dann... Es war seine erste Nacht in Freiheit – his first night in freedom! Er nahm einen Schluck Bier und winkte Gerda. Die süße Gerda! Schade für sie, daß sie jetzt in so einem Saftladen arbeiten mußte.

Joan Baez beugte sich vor. »...Ob man im Gefängnis was lernt?!« Sie stellte die Frage bereits zum dritten Mal, und die Matrosin mußte sich hinter den Pfefferminzblättern mächtig zusammenreißen.

Fred nickte, »Tischfußball«, und rief zur Bar, daß sich sämtliche Gäste nach ihm umdrehten: »He Gerda, wo is eigentlich der *Kicker?!«*

Gerda wandte sich ab.

Fred schaute verdutzt auf ihren Rücken. Dann murmelte er: »Na ja, hat's nicht leicht«, und erläuterte mit erhobenem Zeigefinger: »Früher war hier nämlich 'n *Kicker«,* als wäre das so was Ähnliches wie ein echter Rembrandt.

Joan Baez verdrehte seufzend die Augen zur Decke.

»...Aber damals war ich nur gutes Mittelfeld, jetzt bin ich unschlagbar! Magic Hoffmann haben sie mich im Knast genannt. Ich schieß gar nicht mehr, laß den Ball nur noch im Zickzack rollen. Like this...« Fred vollführte mit Armen und Händen links und rechts vom Bauch eine Bewegung, als würde er zwei unsichtbare Seile durch die Finger gleiten lassen.

»Ich meinte eigentlich eine Lehre, einen Beruf oder so was.«

»Ach das«, Fred winkte ab, »ich geh mit Freunden nach Kanada.«

»Das ist natürlich ein toller Beruf! Und was verdient man da so im Monat?«

Der Satz war noch nicht verklungen, da tauchte die Matrosin schon hinter den Pfefferminzblättern auf und ergriff die Gelegenheit, ihren Schnitzer wiedergutzumachen. Dabei steigerte sie sich Joan Baez zu Ehren in solche

Quietschdimensionen, daß alle anderen Gespräche im Raum verstummten. Wieder drehten sich die anderen Gäste nach ihnen um, doch diesmal erfreut über ein so ausgelassenes, lebenslustiges Persönchen. Manchen gefiel außerdem, daß der Spaß offensichtlich auf Freds Kosten ging. Durch seine geschmacklosen Brüllwitze schon ein Ärgernis fürs Ohr, war er ihnen mit seinen vorsintflutlichen Turnschuhen, dem abgerissenen blauen Overall und dem Idiotenhaarschnitt auch ein Dorn im »Eleganz« gewohnten Auge. Schließlich trug heutzutage in Dieburg jeder Müllmann ein rosa- oder türkisfarbenes C&A-Freizeithemd zur Arbeit.

Fred sah in Joan Baez' längliches, blasses, trotz ihrer Jugend schon von Überstunden und Neonlicht gezeichnetes Gesicht und fragte sich, was gerade sie am Thema Beruf interessierte.

»...In der Schreinerei hab ich gearbeitet«, sagte er dann, »aber wenn ich jetzt Sägespäne rieche, wird mir schlecht. Ist wie mit Kühen und Steaks: 'n Baum ist schön, 'n Tisch auch, alles dazwischen ist Scheiße.«

Joan Baez sah auf Freds klobige Hände am Bierglas und lächelte der Form halber. »...In diesen Zeiten sollte man wohl zu Kompromissen bereit sein.«

»In diesen Zeiten?«

»Arbeitslosigkeit!« sagte sie und guckte dabei, als beende dieses Wort endgültig den lustigen Teil des Abends.

»Arbeitslosigkeit...?«, Fred zuckte die Schultern, »ist mir gleich.«

»So...?«, Joan Baez hob die Augenbrauen, »und wenn du mit Millionen auf der Straße stehst...?«

»Wo?« fragte Fred und wandte sich zum Fenster. Joan Baez und ihre Kollegin wechselten einen Blick.

»Ich seh das so«, sagte er nach einer Pause, in der er auf einen, wenigstens kleinen, Quietscher gewartet hatte, »im Knast gibt's zwei Sorten von Typen: Die einen schaffen den ganzen Tag, während die andern auf'm Bett liegen und die Decke anglotzen. Der einzige Unterschied ist, die einen kriegen vom Aufenthalt weniger mit, und die anderen haben länger Zeit, sich über 'ne weiche Matratze zu freuen.«

»Und was hat das mit dem normalen Leben zu tun?«

»Na, alle kommen irgendwann raus«, antwortete Fred und zwinkerte der Kollegin aufmunternd zu. Doch die sah zu ihrer Vorgesetzten, und die betrachtete Fred ungerührt. Dann lachte Joan Baez kurz auf und griff nach ihrer Handtasche. »Ich denke, es ist besser, wir gehen jetzt«, und schnippisch fügte sie hinzu: »*Wir* müssen nämlich morgen früh arbeiten!«

Fred glaubte erst, nicht richtig verstanden zu haben, doch dann mußte er zusehen, wie Joan Baez aufstand, ihr Kleid zurechtzupfte und ihre Strickjacke nahm, und sein Mund öffnete sich verdutzt. Auch die Kollegin war überrascht und deutete zaghaft auf ihr halbvolles Cocktailglas.

Joan Baez winkte ab. »Das spendiert uns unser Magic doch sicher? Einer, der Geld verdient, indem er nach Kanada fährt! Und wenn's ihm ausgeht, überfällt er eben einfach wieder eine Bank...!«

Das leuchtete der Kollegin ein, und lustig fand sie es außerdem. Nachdem sie noch schnell einen Schluck genommen hatte und während sie sich ihre Zigaretten schnappte, brach ihr Mund auseinander, und ihr Quietschen tönte durch den Saal, machte Fred wie taub im Kopf, und klang erst wieder ab, als die Tür hinter ihnen ins Schloß fiel.

Stille. Alles guckte auf Fred. Er saß in den Sessel gedrückt, die Hände um die Lehnen geklammert, und starrte unverwandt zur Tür. Dann wurden die Gespräche wiederaufgenommen, und bald war der alte Geräuschpegel erreicht.

Fred sah sich vorsichtig um. Langsam wich das taube Gefühl. ...Was um Himmels willen war passiert?! Hatten sie nicht eben noch gelacht? Er ließ den Abend an sich vorbeiziehen. Mußte man sich heutzutage vielleicht vor Arbeitslosigkeit fürchten, um mit den Mädchen klarzukommen? Und dabei hatten sie doch abgemacht, ins Dance 2000 zu gehen, tanzen, feiern, Rock 'n' Roll...

Fred sah auf die Uhr. Jetzt würden auch Annette und Nickel nicht mehr kommen. Das Dance 2000 war gelaufen, alleine konnte er da nicht hin, wie sah das aus! Da mußte man mit Hoppla rein, so wie er's geplant hatte: Magic Hoffmann, der der Welt trotz vier Jahren Knast mehr Spaß rausleierte als alle anderen zusammen! ...Und so war's ja auch... oder würde es werden, nur heute nicht, jedenfalls nicht exakt.

Er steckte sich eine Zigarette an und sah sich erneut um. Niemand schien ihn zu beachten. Sollte er nach Hause gehen? Sollte das seine erste night in freedom gewesen sein...?!

Er trank sein Glas aus und winkte Gerda. Als sie sich endlich nach ihm umwandte, grinste er und rief: »Lokalrunde!«

Es dämmerte, als Fred auf einer Bank in der Fußgängerzone aufwachte. Er brauchte einen Moment, um zu begreifen, wo er war und daß er sich nicht in seiner Zelle befand, bis er erschrocken hochfuhr.

Dieburg schlief noch. Geschlossene Fensterläden, vergitterte Geschäftsauslagen, das verblassende Licht einer Straßenlaterne. Die ersten Vögel zwitscherten, sonst war es still.

Freds Kleider waren klamm. Er schüttelte sich, ließ die Füße aufs Pflaster plumpsen und rieb sich das Gesicht. Dann entdeckte er die Blutkruste, die sich über seinen rechten Handrücken den Unterarm hinaufzog. Langsam fiel es ihm wieder ein: Er hatte Gerda zum Abschied in die Arme nehmen wollen, aber irgendwas mußte schiefgegangen sein, denn im nächsten Moment hatte ihn jemand gepackt und auf die Straße geschmissen.

Er lehnte sich zur Seite und übergab sich in einen Blumenkübel. Schon immer hatte er einen schwachen Magen gehabt. Wenigstens das Saufen hatte am ersten Abend geklappt. Das klappte immer.

In seiner Tasche waren noch ein Zwanziger und Münzen. Er mußte über sechshundert Mark ausgegeben haben, fast alles, was ihm bei der Entlassung vom Gefängnisarbeitslohn übriggeblieben war.

Er rappelte sich hoch und wankte nach Hause. Die Straßen waren leer. Von weitem hörte er die ersten Autos über die Landstraße Richtung Frankfurt fahren. Ob Annette und Nickel inzwischen da waren?

Doch schon von weitem sah er, daß der Zettel *Bin im Clash* noch an der Haustür klebte. Damit schien klar: Seine Postkarten waren nicht angekommen. Oder aber…

Er lief schneller und vergaß seinen Kater. An der Tür angelangt, riß er den Zettel ab und knüllte ihn zusammen.

Konnte es sein, daß sie von seiner Entlassung wußten und ihn trotzdem nicht abholten? Wollten sie vielleicht erst am Wochenende kommen...?!

Er schloß auf und trat in den Flur. Bleiches Licht erfüllte den niedrigen, schmalen, mit Rosenmuster-Tapeten beklebten Schlauch. An der Garderobe hing noch Oma Ranunkels Wintermantel. Sollte er hier auf Annette und Nikkel warten? Zwischen diesen trostlosen Wänden, ohne Strom und Wasser, und ohne Clash am Abend...?

Er warf die Tür zu. Er hatte keine Zeit mehr zu verlieren, und schon gar nicht in Dieburg! Er würde sich ihre Adressen besorgen, nach Berlin fahren und die beiden abholen! Und wenn sie glaubten, nach vier Jahren käme es ihm auf ein oder zwei Tage nicht an, dann hatten sie sich geirrt!

4

Auf dem Weg zu Schöllers kaufte Fred im Supermarkt eine Flasche französischen Rotwein für Annettes Mutter.

Er kannte sie seit Sandkastentagen, und hätte er sich eine Mutter aussuchen können, wäre sie erste Wahl gewesen: groß und kräftig, mit prächtigem Busen, kecken grünen Augen und feinem, schmalem Gesicht. Zu Hause lief sie meistens barfuß, nur mit einem Bademantel bekleidet, herum. Nicht immer schloß sie den Gürtel, und es war ein kleines Wunder, daß Fred in früher Jugend keinen bleibenden Schielschaden davongetragen hatte. Zum Ausgehen schminkte sie sich, legte Parfum auf und trug feine, nach dem Empfinden der Nachbarn stets zu knappe Kostüme. Sie mochte die Leute um sich herum, lud zu Gartenfesten und Abendessen ein, und noch der muffigste Beamtenfreund ihres Mannes ließ sich von ihrem Charme und ihrer Lebenslust mitreißen. Daß sie Fred im Gefängnis nie besucht hatte, war für ihn nur eine Maßnahme gewesen, um keinen weiteren Verdacht auf Annette zu lenken.

Es war kurz nach neun, die Sonne stand hinterm Haus, und über Schöllers Vorgarten lag friedlicher Schatten. Nichts hatte sich verändert. Immer noch war der Garten eine Art mediterrane Oase im Vergleich zu seinen feinsäuberlich angelegten Nachbarn mit Stiefmütterchenbeeten und Tannenbäumchen. Bei Schöllers war das Gras nicht gemäht, Sträucher und Blumen standen wild durcheinander, und in braunen Tontöpfen wuchsen Salbei und Rosmarin.

Die Rama-Familie. Fred sah sie vor sich, wie sie fröhlich zusammen kochten und anschließend um den Eßtisch saßen, wie sie über dieselben Sachen lachten, sich für dieselben Themen interessierten und sogar über das, was in den Zeitungen stand, meistens derselben Meinung waren. Freds Vater hatte einmal gesagt, entweder hätten die Eltern einen Dachschaden oder die Kinder keinen Mumm – aber zu Schöllers war ihm sowieso nie Gutes eingefallen.

Fred stieß die Gartenpforte auf, ging zur Haustür und klingelte. Nichts passierte. Er klingelte weiter, bis sich der Vorhang im ersten Stock bewegte und jemand hustete. Dann kamen Schritte die Treppe runter, und Fred zog die Flasche aus der Tüte. Als die Schritte verstummten, krächzte es hinter der Tür, wer da sei. Fred schob die Flasche zurück.

»Fred Hoffmann. Ich wollte Frau Schöller sprechen.«

»Fred...?!«

Die Tür öffnete sich, und Fred stockte der Atem. Es war Frau Schöller – oder das, was von ihr übrig war: abgemagert bis auf einen kleinen spitzen, geschwulstähnlichen Männerbierbauch, das Gesicht ein aufgeschwemmtes Schlachtfeld aus eitrigen Pusteln, zerfurchten Lippen und rot unterlaufenen, glasigen Augen. Wie ein Höhlentier, das das Licht scheut, blieb sie im Halbdunkel des Hausflurs stehen. Freds Nase erreichte fauliger Schweißgeruch.

Er versuchte, sich seinen Schreck nicht anmerken zu lassen. Wie früher, wenn er etwas ausgefressen hatte, grinste er frech und rief: »Na, Frau Schöller?!«, als hoffte er, mit alten Tönen Frau Schöller auch ihr altes Aussehen wiederzugeben.

»Mensch, Fred... Bist du endlich draußen!«

»Seit gestern.«

»Komm rein.« Doch im selben Moment schaute sie beiseite, als fiele ihr etwas ein. Dabei raffte sie ihren Bademantel zusammen und fuhr sich durchs verklebte Haar. Als sie aufsah, war ihr Blick voller Angst. »...Ich meine, wenn du willst. Du siehst ja... Es hat sich einiges geändert...«

Fred zuckte die Schultern. »Na, wo ändert sich denn nix! Oder bekomm ich hier auch keinen Kaffee mehr?«

»Aber natürlich.« Sie zeigte eine Reihe gelber Zähne, und ein schwacher Glanz huschte über ihre Augen.

Fred folgte ihr ins Wohnzimmer. Die Vorhänge waren zugezogen, nur durch die Ritzen fielen vereinzelte Sonnenstrahlen. Es roch nach Schnaps und abgestandenem Rauch. Im Halbdunkel erkannte Fred immer noch dieselbe, auf Herrn Schöllers Mist gewachsene, evangelische Einrichtung: praktische helle Holzmöbel, orange Lampenschirme, waldfarbene Wandteppiche und ein Plakat für Völkerverständigung. Im Regal standen Fotos von Annette und ihren älteren Brüdern. Einer war Geigenbauer, der andere etwas Lobenswertes in Afrika, was, wußte Fred nicht genau. Daneben prangte Herrn Schöllers Kopf aus Gips. Ein befreundeter Künstler hatte ihm die Skulptur geschenkt. Sie ließ ihn wie ein griechischer Philosoph wirken.

Frau Schöller war stehengeblieben und klammerte nervös die Hände ineinander.

»Erkennst du alles wieder?« fragte sie, bemüht, heiter zu klingen. Fred wünschte, sie würde das lassen.

»Na klar. Und immer noch die Kummerlumpen an der Wand. Fressen Motten so was nicht?«

Frau Schöller mußte lachen. Sie mochte die Wandteppiche genausowenig wie Fred. Eine Weile fragte sie ihn übers Gefängnis aus, und er beschrieb eine Art munteres Ferienlager – für sie ebenso wie für sich.

»Es tut mir so leid für dich, Fred.«

»Ach was! Ich nehm's easy, Frau Schöller, ehrlich. Sie kennen mich doch: Wenn und Aber sind nichts für mich. Was war, war, und was kommt, bestimme ich!«

Frau Schöller lächelte. Dann machte sie ein paar ungelenke Schritte auf ihn zu und legte ihre Hand auf seinen Arm. »...Annette wird dir immer dankbar sein – und ich auch.«

»Wofür?« sagte Fred und versuchte, durch den Mund zu atmen. Sie mußte sich seit Tagen nicht gewaschen haben. »Fangen Sie nicht auch noch an wie die Polizei. Niemand weiß, wer beim Überfall dabei war, und dabei bleibt's. Aber weil wir gerade von Annette sprechen: Eigentlich bin ich gekommen, weil...«

Frau Schöller hatte sich abrupt von ihm abgewandt, und Fred sah verblüfft zu, wie sie an einer Stuhllehne Halt suchte und einen Moment wie hypnotisiert zu Boden starrte.

»Ich«, sagte sie dann unvermittelt, »habe mich fast völlig zurückgezogen. Bin eigentlich nur noch zu Hause. Na ja, ich...«, und plötzlich sah sie Fred mit seltsamen, leuchtend leeren Augen wie einen Heiligen an, »...ich male nämlich.«

Ihr Anblick war ihm peinlich. »Aha«, sagte er und wischte sich etwas Unsichtbares von der Nase. Was meinte sie? Wände streichen? »Und, ähm...wie ist das so?«

Sie nahm ihn bei der Hand und führte ihn ans Fenster zu

einer kleinen Staffelei, die Fred bis dahin nicht bemerkt hatte. Über der Leinwand hing ein schwarzes Tuch.

»Versprich mir, ganz ehrlich zu sein!«

»Aber ich kenn mich mit so was doch gar nicht aus.« Ihre Hand fühlte sich klamm an.

»Um so besser!« Mit einem Ruck zog sie das Tuch weg und schaute Fred erwartungsvoll an.

Fred sah auf die Leinwand, dann zu Frau Schöller, dann wieder auf die Leinwand. Sein Gesicht blieb ausdruckslos. Die Leinwand war weiß. Oder besser gesagt, leinwandfarben, frisch vom Händler.

Fred zwang sich, den Blick von der feingemaserten Fläche nicht abzuwenden.

Schließlich schob er die Stirn in Falten und sagte: »Tja... Ziemlich modern, was?«

»Mhmhm.« Frau Schöller nickte ehrfürchtig. Ob vor Fred oder vor ihrem Bild, war nicht klar.

»Also... ich würd's mir hinhängen. Es hat so was... Reines«, Fred deutete zur Wand, »auf jeden Fall besser als die Lumpen.«

»Das meine ich auch«, sagte sie leise.

So standen sie eine Weile stumm vor der Neunundzwanzigmarkachtzig-Leinwand, und Fred schwitzte bei dem Gedanken, Frau Schöller würde ihn nach seiner Meinung zu Farben und Technik fragen. Doch statt dessen schlug sie irgendwann offensichtlich zufrieden das Tuch zurück und sagte: »Dann mach ich uns mal Kaffee.«

Erleichtert sah Fred sie in der Küche verschwinden. Durch den Türspalt drang das Öffnen eines Schraubverschlusses, anschließend leises Gluckern. Fred hatte das Gefühl, einer Überschwemmung oder einem Erdbeben beizuwohnen. Einer dieser Naturkatastrophen, bei denen im Fernsehen ganze Städte relativ langsam, aber unaufhaltsam versinken.

Er trat zum Fenster und schob den Vorhang beiseite. Terrasse an Terrasse, Hollywoodschaukel an Hollywoodschaukel, Grill an Grill. In der Morgensonne leuchtete alles wie frisch lackiert. Er stellte sich vor, wie sich die Nachbarn über Frau Schöller die Mäuler zerrissen. Gerade als er den Wein aus der Tüte nehmen und auf den Tisch stellen wollte, schlug die Haustür zu. Kurz darauf trat Herr Schöller ins Zimmer. Professor Schöller. Stellvertretender Schuldirektor Schöller. Der laufende Meter Schöller.

Fast alles an ihm war klein oder kurz, bis auf die Lehrertasche und den Cordanzug. Über den Schuhen schlugen die Hosenbeine Falten, und aus den Ärmeln schauten nur Fingerspitzen. Um seinem schmalen Gesicht Fülle zu geben, trug er einen Backenbart; und damit niemand auf die Idee kam, dahinter könnte eitle Absicht stecken, ließ er ihn wild und ungepflegt wuchern. Ebenso die dunkelblonden, leicht gewellten Haare. Seine früher strahlend blauen Augen waren in den letzten Jahren stumpf geworden und sahen aus wie mit Wasserfarben bemaltes Pergamentpapier.

Die Geräusche aus der Küche verstummten. Im Zimmer blieb ein leises metallisches Klicken. Herr Schöller drehte den Ring seines Schlüsselbunds zwischen den Fingern und schaute Fred unbewegt an. Dann verzog er den Mund zu einem schmalen, sanften Lächeln, wie immer, wenn ihn etwas ärgerte. Er hatte den Jungen nie gemocht, was Fred erst spät klargeworden war.

»Da bist du also wieder.«

Fred nickte. »Tag, Herr Schöller.«

Das Klicken hörte auf, und Herr Schöller schob die Hände samt Sakkoärmeln in die Hosentaschen. Langsam tat er ein paar Schritte durchs Zimmer, ohne den Abstand zu Fred zu verringern.

»Seit wann bist du draußen?«

»Seit gestern.«

»Meinen Glückwunsch, oder was sagt man in so einem Fall?«

»Keine Ahnung, Herr Schöller, Hauptsache, es kommt von Herzen.«

Herr Schöller blieb stehen und musterte Fred wachsam. Immer noch lächelnd.

»Und was hast du jetzt vor?«

»Kaffee trinken.«

»Stell dich nicht an. Ich meine natürlich…«, er zog einen Ärmel aus der Tasche und ließ ihn vor sich in der Luft kreisen, »…auf längere Sicht.«

»Weiß nicht. Dies und das. Vielleicht Lehrer, dann könnte ich mein Praktikum bei Ihnen machen.«

»Das wäre sicher großartig.« Herr Schöller lachte trokken, dann sah er zu Boden. »Ich will wissen, ob du gedenkst, Annette wiederzusehen?«

Fred sparte sich die Antwort. So was Albernes! Das Lächeln verschwand, und Fred zählte automatisch einen Punkt. Einen Punkt, Herrn Schöller das Lächeln zu verderben, zwei, ihn rot anlaufen zu lassen, drei, ihn so in Wut zu bringen, daß er den üblichen Abstand aufgab und einen aus solcher Nähe anbrüllte, daß man seinen kleinen kahlen

Fleck von oben sehen konnte. Drei Punkte waren schwer. Fred hatte sie in seiner Schulzeit gerade fünfmal geschafft.

»Wenn dem so ist, möchte ich dich bitten, es sein zu lassen.«

»Das trifft sich schlecht. Ich bin gekommen, um Annettes neue Adresse zu erfahren.«

»Da bist du umsonst gekommen.«

»He, he...!«, Fred hob die Hand, »ich bin mit Ihrer Tochter befreundet. Und außerdem wollte ich die Adresse nicht von Ihnen, sondern von Ihrer Frau.«

»Du *warst* mit ihr befreundet – wenn man das so nennen kann.«

»Wie würden Sie's denn nennen?«

»Daß du sie in deine Schweinereien hineingezogen und ausgenutzt hast.«

Fred machte ein pustendes Geräusch. »Donnerwetter! Sie haben's aber auf'm Kasten! Vielleicht mach ich mein Praktikum doch lieber woanders.«

»Wird wohl besser sein«, sagte Herr Schöller und wies mit knapper Geste zur Tür.

Fred stutzte. Das meinte Gipskopf doch nicht ernst? Schließlich war er nicht irgendein dahergelaufener Trottel – er war Fred, Fred Hoffmann, seit zwanzig Jahren ging er hier ein und aus! Annettes bester Freund!

Fred sah zur Küchentür. Sie war angelehnt. Laut sagte er: »Frag mich, wie Ihre Frau das finden würde, wie Sie mich hier vollmotzen. Aber leider ist sie ja nun in die Kaffeemaschine gefallen.«

Im nächsten Moment setzten die Geräusche aus der Küche wieder ein. Herrn Schöllers Blick ging nun ebenfalls zu der angelehnten Tür, und seine Züge verkrampften sich.

Freds Daumen deutete zur Küche. »Noch mal davongekommen.«

Herr Schöller fuhr herum, und auf einmal schienen die Pergamentaugen zu glühen. Doch er war nicht wütend – jedenfalls nicht nur. »...Verschwinde!«

»Nicht ohne die Adresse.«

Als die Küchentür aufging, flutete Sonnenlicht in den halbdunklen Raum. Fred sah, wie Herr Schöller zusammenzuckte. Mit klirrenden Tassen und einer Kanne in den Händen erschien Frau Schöller im Türrahmen. Sie sah jetzt etwas besser aus und hielt sich einigermaßen gerade. Nach einem kurzen Blick zu den Männern balancierte sie das Geschirr zum Eßtisch.

»Schon zurück?«

Herr Schöller zögerte. »Der Unterricht ist ausgefallen.«

Die Tassen knallten aufs Holz und wurden an ihre Plätze geschoben. Frau Schöller kehrte ihnen den Rücken zu. »Trinkst du einen Kaffee mit?«

»Ich habe Fred gerade erklärt...«

»Ich weiß!«

»...Aber wir hatten doch ausgemacht...«

»Wir hatten eine Menge ausgemacht!« Sich an der Tischplatte festkrallend, warf sie den Kopf herum. »Na und?! Was starrst du mich hier an?! Geh deine Arbeiten korrigieren, deine Leserbriefe schreiben! Na los...!«

Fred sah auf die zwei mit lustigen Tieren bemalten Tassen und stellte sich vor, wie sie womöglich gleich zu dritt am Tisch säßen.

Frau Schöller wankte zurück in die Küche.

»Geben Sie mir Annettes Adresse, und ich hau ab.«

Doch Herr Schöller antwortete nicht. Den Kopf vorgekippt, den Blick am Boden, schien er Fred vergessen zu haben. Frau Schöller hatte den Jackpot gewonnen: Professor Schöllers kahler Fleck hätte bis in die hinterste Ecke des Klassenzimmers geglänzt.

Fred wandte sich zur Küchentür. »Frau Schöller, ich hätt gern Annettes neue Adresse!«

Als Frau Schöller mit Zucker und Milch zurückkam, sagte sie: »Was für ein wunderschöner Morgen! Wir sollten uns in den Garten setzen!«

»Frau Schöller, ich hab Sie...«

»Vielleicht spielen wir eine Partie Scrabble?«

Fred sah zu, wie sie Zucker und Milch abstellte, zum Regal ging, sich einen Strohhut auf den Kopf drückte und das Scrabblespiel nahm, sich an den Tisch setzte und begann, etwas in die Tassen zu gießen, was für Fred wie heißes Wasser aussah. Zu seiner eigenen Überraschung wandte er sich hilfesuchend nach Herrn Schöller um. Aber der Platz, wo er eben noch gestanden hatte, war leer.

»...Tut mir leid, Frau Schöller, aber ich glaube, ich muß jetzt gehen. Ich... Ich hab 'ne Verabredung mit meiner Bewährungshelferin.« Fred nickte ihr zu. »Ich schau die Tage noch mal rein.«

Frau Schöller saß vor den zwei dampfenden Tassen und lächelte. »Nimmst du Zucker?«

»Mh-mh«, machte Fred, während er sich langsam zur Tür bewegte, »zwei Löffel.«

»Milch...?«

Als die Haustür hinter Fred ins Schloß fiel und er an den Salbei- und Rosmarintöpfen vorbei zur Gartenpforte ging, fiel ihm ein, wie Oma Ranunkel gesagt hatte, man könne nicht in Dieburg leben und so tun, als wohne man an der Côte d'Azur; irgendwann wache man mit leeren Händen auf und fange an, sich und sein Getue zu hassen. Aber drehte man deshalb gleich durch? Und warum hatte ihm Annette nichts von Frau Schöllers Zustand geschrieben? Und überhaupt: Wo verdammt noch mal *waren* Annette und Nickel?! Warum ließen sie ihn durch diesen verrückt gewordenen Ort irren...?!

Ohne sich noch mal umzudrehen, warf er die Pforte zu und beeilte sich, von den Reihenhäusern wegzukommen.

In der nächsten Telefonzelle wählte er die Nummern einiger Freundinnen von Annette, bis schließlich eine abnahm und ihm Berliner Adresse und Telefonnummer nannte.

»Weißt du zufällig, ob sie die Tage nach Dieburg kommen wollte?«

»Bestimmt nicht. Ich hab letzte Woche mit ihr telefoniert, sie steckt bis zum Hals in Arbeit. Wie heißt du noch mal?«

»Tom.«

Fred legte auf. Mußte keiner wissen, daß er Annette suchte.

Wieder überkam ihn dieses mulmige Gefühl beim Gedanken, gleich ihre Stimme zu hören. Telefonieren war einfach nicht das richtige nach vier Jahren. Schon gar nicht, wenn man im Moment einen Haufen Fragen hatte. Immer wieder tauchte Frau Schöllers zerstörtes Gesicht neben der leeren Leinwand vor ihm auf. Und dann war da noch was: Annette stecke bis zum Hals in Arbeit... In ihren Briefen hatte gestanden, sie sei beim Film. Von Arbeit hatte sie nichts geschrieben. Aber falls es nun stimmte, wie lange sollte das gehen mit der Arbeit...?! Er jedenfalls hatte keine Zeit zu warten, bis sie sich da rausgebuddelt hätte!

Er steckte sich eine Zigarette an und sah durch die Scheibe auf einen Mann, der die Spitzen seines Jägerzauns nachfeilte. Nein, telefonieren war jetzt nicht gut. Und auch überhaupt nicht magic, kein Auftritt, kein Glamour. Trotzdem mußte er wissen, ob Annette in Berlin war.

Einige Zigaretten später hatte sich das Durcheinander in seinem Kopf gelichtet.

Er wählte Annettes Nummer.

»...Film- und Fernsehproduktion Megastars. Hallo?«

Fred wagte nicht zu atmen: Sie war es! Ihre Stimme hatte sich nicht verändert. Ihm wurde heiß, und selbst wenn er gewollt hätte, hätte er kein Wort rausgebracht.

Noch einmal tönte es »Hallo?!«, dann drückte er auf die Gabel.

Na also... Fred wischte sich den Schweiß von der Stirn. ...So einfach ging's! Jetzt mußte er nur noch nach Berlin fahren. Was würde das für eine tolle Überraschung! Und was konnten die beiden dafür, daß seine Karten nicht angekommen waren? Manchmal war er wirklich zu mißtrauisch...

Als er auf den im Sonnenlicht glitzernden Bürgersteig trat und den Weg zum Wald einschlug, freute er sich auf die große Stadt und ein paar schicke Tage bis zur Abreise nach Kanada. Wenn Annette und Nickel ihn nicht abholten, würden sie ihre Gründe haben. Er wollte jedenfalls keiner dieser typischen Knackis sein, die hinter allem und jedem Verrat witterten, nur weil die Leute draußen ihr Leben weiterlebten. Nein, er war Magic Hoffmann, und was war, war, und was kam, bestimmte er!

Zu Hause packte er seinen Koffer, ging zum Bahnhof und löste einen Fahrschein. Zum Glück hatte ihm Oma Ranunkel ein wenig Geld hinterlassen. Für die ersten Tage würde es reichen.

Er steckte den Fahrschein ein und ging zur Telefonzelle, um seine Bewährungshelferin anzurufen. Sie hatte ihn letzte Woche im Gefängnis besucht. Eine kleine, dicke, geschäftige Frau mit buntem Rock und Rüschenbluse, einem runden, rosigen Gesicht und Augen, die dauernd guckten, als wollten sie sagen: ›Lassen Sie sich von meinem netten Äußeren nicht täuschen, ich weiß, wie der Hase läuft.‹ Bei dem kurzen Gespräch hatte Fred ihr glaubhaft versichert, er wünsche sich nichts anderes als Arbeit und seinen Frieden.

»...Ich wollte mich für eine Woche Urlaub abmelden.«

»Aber wir haben übermorgen einen Termin.«

»Na, deshalb melde ich mich ja ab.«

»Tut mir leid, Herr Hoffmann, so einfach geht das nicht. Meine Zeit ist begrenzt, und außerdem sind Sie verpflichtet...«

»Hören Sie: Ich muß einfach mal raus, meine Ruhe haben, die letzten Jahre, äh... verarbeiten. Das werden Sie doch verstehen.«

»Verarbeiten – natürlich verstehe ich das, aber...«

»Ich bleib ja in der Nähe. Ich will nur ein bißchen durch die Wälder wandern, zelten, im See schwimmen – wissen

Sie, für einen Jungen vom Land ist die fehlende Natur im Gefängnis wirklich grausam. Ich sag's mal so: Die Seele verkümmert...«

»Ja, hmhm, das verstehe ich gut.«

»Ich wußte, daß Sie das tun. Sie sind sensibel, das sind nicht viele.«

»Tja...«, sie räusperte sich, »na gut, dann verschieben wir den Termin einfach auf nächste Woche.«

»Sagen wir, auf übernächste, dann habe ich Zeit, mich vorzubereiten. Ich finde nämlich nicht, daß die Bewährungshelferin wie ein Kaufhausregal sein sollte, aus dem man sich irgendwelche Angebote raussucht, sondern man muß sich am eigenen Schopf packen – das ist jedenfalls meine Meinung. Und deshalb hätte ich gerne schon so eine ungefähre Vorstellung von meiner Zukunft, wenn ich zu Ihnen komme. Oder finden Sie das einen falschen Ansatz?«

»Nein... natürlich nicht, aber... Also von mir aus, in zwei Wochen, aber das muß dann auch wirklich klappen!«

»Wer könnte das mehr wollen als ich? Es geht ja schließlich um mein Leben, nicht wahr? Also: Vielen, vielen Dank!«

Fred legte auf und sah auf seine neue Uhr. Bis zur Abfahrt des Zuges hatte er noch eine Stunde Zeit.

5

Der Friedhof lag unter einem dichten Blätterdach. Nur ein paar über Moos und Steine tanzende Sonnensprenkel unterbrachen das grünliche Halbdunkel. Es war angenehm kühl und bis auf Freds Walkman still. Er hörte Johnny Guitar Watsons *A real mother for ya,* und die Musik war so laut gestellt, daß ein leises Tschim-bum über die Gräber wehte.

Fred sah auf den Grabstein von Oma Ranunkel und erinnerte sich ihres letzten Besuchs im Gefängnis. Er hatte sich Zigaretten und Musik gewünscht, und sie war mit Keksen und Schlafanzügen gekommen. Eine Woche später war sie gestorben. Ihr Haus gehörte jetzt ihm. Freds Vater hatte es ihr gebaut, vor dem Unfall. Kurz nach Freds elftem Geburtstag war der Gasherd im alten Imkerhaus draußen im Wald explodiert, und das einstürzende Gebälk hatte seinen Vater erschlagen. Seit Freds Mutter weggegangen und Fred zur Oma gezogen war, hatte er dort alleine gelebt, Bienen gezüchtet, Klavier gespielt. Fred dachte nur noch selten an ihn. Schon als sein Vater noch lebte, hatte er sich daran gewöhnt, daß es ihn, bis auf einmal die Woche wandern und Rippchen essen, eigentlich nicht gab. Oma Ranunkel gab es. Oder hatte es gegeben. Nur manchmal malte Fred sich aus, wie er heute mit seinem Vater in dessen Garten gesessen und Schnaps getrunken hätte. Zeit für Vitamine, hatte er immer gesagt: Kirsch, Birne, Pflaume. Und es war oft Zeit für Vitamine gewesen. Eine Flasche Slibowitz auf ex auf dem Dach des zur Stadt hinausfahrenden Porsches, in dem Freds Mutter mit ihrem Schweizer Tiefbauingenieur saß und flennte, hatte Freds Vater über Dieburgs Grenzen hinaus legendär gemacht.

Die Kassette war zu Ende, und Fred drehte sie um. Als die Musik wieder lief, suchte er nach einem frommen Schwur, den er Oma Ranunkel zum Abschied leisten wollte. »Werde dich nie vergessen«, murmelte er probeweise und schüttelte den Kopf, »werde versuchen, mein Leben zu meistern.« Auch nicht. »...Hoffe, sie sind da oben nett zu dir und geben dir viele kleine Jungs, denen du das Schwimmbad verbieten, das Taschengeld streichen und am Wochenende Milliarden Kirschen zum Entkernen geben kannst!«

Während er so überlegte, näherte sich ihm von hinten der Friedhofsgärtner. Er war Anfang Zwanzig, ein großer, dünner Junge mit traurigen Augen. Seinen Laubrechen schleifte er wie ein blödes Spielzeug hinter sich her. Bei Fred angelangt, tippte er ihm zaghaft auf die Schulter. Fred wandte sich um. Erst auf den zweiten Blick erkannte er Ka-k. Überrascht nahm er den Kopfhörer ab.

»Karl!«

»F-f-fred...! D-d-du?!«

»Ja, bin draußen.«

»Seit w-w-wann?!«

»Gestern.«

»S-s-super!« freute sich Karl und hatte schon vergessen, daß er eigentlich gekommen war, weil einige Friedhofsbesucher sich über die Walkmantöne beschwert hatten. Sie waren in dieselbe Klasse gegangen, und er hatte Fred immer gemocht. Seit dem Banküberfall war er für ihn der unbestreitbar aufregendste Kerl zwischen Aschaffenburg und Darmstadt.

»...Wie g-g-geht's?«

»Gut. Ich fahr nach Berlin.«

»B-b-berlin?! S-s-super!«

Karl schaute bewundernd. Großes, spannendes, verruchtes Berlin! Einmal wäre er fast selbst hingefahren, doch nachdem ihm jemand gesagt hatte, daß die Leute dort furchtbar schnell redeten und es überhaupt dauernd eilig hätten, hatte er die Fahrkarte lieber zurückgegeben. Nun stotterte Fred zwar nicht, trotzdem bedeutete diese Reise für Karl, daß sie Fred im Gefängnis nicht untergekriegt hatten.

»U-u-und Annette?«

Fred sah in Karls leuchtende, erwartungsvolle Augen. »...Die wartet dort auf mich...Wird 'n großes Fest.«

»S-s-super!« Karl strahlte. Einer wie Fred sollte alles haben: Geld, Freunde, Spaß. Doch dann fiel sein Blick auf den Grabstein, und augenblicklich verschwand das Strahlen. »M-m-mensch, ich D-d-depp! T-t-tut mir leid mit d-d-deiner O-o-o-o...«

»Schon gut«, Fred winkte ab. Und während er auf seine Uhr schaute: »Und wie geht's dir?«

»Ganz g-g-gut. Seit einem J-j-jahr hab ich den J-j-job hier. Nur mit den N-n-nazis isses b-b-blöd.«

Karl fingerte am Rechenstiel herum. Normalerweise redete er nicht über die Bande Skinheads, die seit einiger Zeit durch Dieburg polterte und unter anderen ihn zum regelmäßigen Opfer ihrer Überfälle und Anpöbeleien gemacht hatte. Er schämte sich dafür. Doch vor Fred hatte er keine

Angst. Und ein bißchen hoffte er, Fred könne ihm einen Rat geben.

»Nazis?« Fred sah abwesend über die Gräber zur Straße. Zu Fuß brauchte er zehn Minuten zum Bahnhof.

»Sie k-k-kommen meistens am W-w-wochenende und trampeln alles k-k-kaputt und sp-p-p-pucken mich an. Der W-w-wolfgang aus der N-n-neun A ist auch dabei. Ich m-m-muß immmer Bier für sie d-d-dahaben.«

»Wolfgang?«

»Wolfgang Ich-sp-p-p-reng-d-d-dir-die-Vvvotze!« Karl gluckste vergnügt. Das waren Zeiten! Fred und andere hatten ein Mikrofon in der Schultoilette angebracht, und sämtliche Geräusche waren über Verstärker und Lautsprecher auf den Pausenhof übertragen worden. Wolfgang war mit einem Pornoheft auf der Toilette gewesen, und weil er schlecht lesen konnte, hatte er die Texte zu den Bildern laut entziffert.

»Tja«, sagte Fred und schaute wieder auf die Uhr, »ich muß los. Wenn ich zurück bin, kann ich am Wochenende ja mal vorbeikommen. Schütt ihnen doch Valium ins Bier.«

Karl schaute zweifelnd.

»M-m-meinst du w-w-wirklich?«

»Klar, und wenn sie schlafen, haust du ihnen aufs Maul.«

»Das wär natürlich s-s-super!« Bei der Vorstellung überlief Karl ein wohliger Schauer.

»Oder du läßt dich am Wochenende einfach vertreten?« Fred begann, sich langsam Richtung Ausgang zu bewegen.

»G-g-geht nicht. Der andere G-g-gärtner is A-a-araber, und das is noch b-b-blöder.«

Fred langweilte das Thema. Nazis interessierten ihn

nicht. Und Karl eigentlich auch nicht. Er überlegte, ob er im Supermarkt Reiseproviant kaufen sollte. Am Ausgang verabschiedete er sich von Karl, versprach, irgendwann vorbeizukommen, und hatte ihn ein paar Meter weiter vergessen.

6

Der Zug verlangsamte das Tempo, holperte über schlechte Gleise, und die Gläser im Speisewagen klirrten. Am Fenster zogen leere Felder vorbei, dann ein kopfsteingepflasterter Weg, der zu einer Gruppe kleiner windschiefer Häuser führte. Sensen neben den Eingangstüren, rostende Zäune, alte Autoreifen, ein Toilettenbretterhäuschen. Das einzig Neue an den Häusern waren riesige cremegraue Satellitenschüsseln, die auf den Dächern prangten wie Geschütze gegen Außerirdische. Dahinter erhob sich ein Getreidesilo, und gleich darauf tauchte eine Teerstraße auf, die sich, von Bäumen gesäumt, durch die karge braune Landschaft fraß. Der Himmel war grau, und alles schwamm wie in Haferbrei.

»Sie fahren wohl zum ersten Mal durch ’n ehemaligen Arbeiter- und Bauernstaat, was?«

Fred sah vom Fenster weg. Schon seit einer Weile spürte er, daß ihn der rotgesichtige Mann gegenüber beobachtete. Er trug einen schäbigen grauen Anzug mit grellbunter Krawatte, an den Fingern zwei dicke goldene Siegelringe, und seine blonden Haare waren luftig in die Höhe gefönt. Er war nach Fred in den Speisewagen gekommen und trank sein viertes oder fünftes Bier.

Er grinste breit, »...Oder besser gesagt, Arbeitslose und Hornochsen!«, und lachte schallend.

»...Also?« fragte er.

Fred nickte. »Zum ersten Mal. Warum?«

»Weil Sie die immer gleiche Landschaft und die abbruchreifen Käffer aufsaugen, als wär's von Monalisa.«

»Von wem?«

»Mensch, von dem Maler! Woher sind Sie denn!«

Er schüttelte amüsiert den Kopf und winkte der Kellnerin.

»Zwei Pils, zwei Wodka, für meinen jungen Freund und mich!«

Dann grinste er wieder. »Sie sind der erste Mensch, den ich kenne, von Japanern mal abgesehen, der noch nie durch 'n Osten gefahren ist.«

Fred wollte keinen Schnaps von dem Mann. Ähnlich wie Geizige, die sich über den Geiz anderer besonders aufregen, mochte Fred bei Fremden keine allzu forschen Töne. »Und Sie der erste, von Japanern mal abgesehen, der mich in so kurzer Zeit so oft angegrinst hat.«

Der Mann stutzte, um dann erneut loszulachen.

»...Tut mir leid, mein Freund, mir geht die Grinserei selber auf die Nerven, aber ich kann's nicht abstellen, gehört zu meinem Beruf. Bin Vertreter. Wollen Sie wissen, für was?« Sich Freds Antwort schenkend, beugte er sich vor und flüsterte: »Geldspielautomaten, Operationsgebiet Mecklenburg-Vorpommern! Der gewitzte Rudi!«

Fred schaute verständnislos. Rudi runzelte die Stirn.

»Was Geldspielautomaten sind, wissen Sie doch wohl?«

»Schon, aber...«

»Also! Warum lachen Sie nicht? Geldspielautomaten im Osten – ist doch zum Schießen! Ich hab denen schon Automaten angedreht, da war noch nicht mal der Anschluß sicher, und ’ne Westmark war für die meisten Metall vom anderen Stern. Wie wenn man in Indien Spiele aufstellen würde, wo die Leute Brotscheiben reinstecken müßten, verstehen Sie?«

Fred nickte, »Klar«, doch in Wahrheit war ihm das alles ziemlich unklar.

Mecklenburg-Vorpommern klang für ihn wie Swasiland. Er war nie in der DDR gewesen und hatte die Wiedervereinigung im Gefängnis nur als langweilige Fernsehserie mitbekommen: mit Plastikautos, Pfarrern und Betrunkenen. Am Morgen nach dem Mauerfall hielt der Direktor im Speisesaal eine kleine Rede, doch bis auf die üblichen zehn Prozent Immerinteressierten sah keiner der Insassen auch nur vom Teller auf. Um so mehr wunderte es Fred, als sie im Fernsehen zeigten, wie viele Leute aus BMW-Fenstern heraus in Freudentränen ausbrachen bei der Aussicht, demnächst zwanzig Millionen Arme einzugemeinden. In einer Sendung erzählte ein Bauer aus dem Vogelsberg, wie er in der Mauerfall-Nacht die Familie geweckt und mit Schnaps und Würstchen die Freiheit von Brüdern und Schwestern gefeiert habe. Na klar, dachte Fred, ein Grund zum Saufen findet sich immer. Doch dann wurde das Getaumel und Geschrei im Fernsehen immer lauter, und der Direktor hielt immer öfter Frühstücksreden, und auch in den Zellen wurde auf einmal von Stolz, Nation und Einigkeit schwadroniert, und Fred sah ein, daß die Leute etwas trieb, das er nicht verstand. Am neunten November im Jahr darauf fand in der Turnhalle ein Fest mit Musik statt, und am Ende stimmten alle unter der Leitung des Direktors die Nationalhymne an. Fred sang fröhlich mit, nur daß er das Wort

›Freiheit‹ wie einen Schlachtruf ausstieß. Der Gesang brach ab, und während Fred sich in seinem Knastinsassenscherz sonnte, drehten sich die anderen zu ihm um. Im Glauben, zum Spaßvogel des Abends aufgestiegen zu sein, wiederholte er, alleine singend: Einigkeit und Recht – und dann brüllte er – und Freiheit! Es hallte von den Turnhallenwänden wider, und er lachte… aber keiner lachte mit. Langsam begriff er, daß er sie bei irgendwas gestört haben mußte.

Vor ihnen auf dem Tisch landeten Bier und Wodka. Der gewitzte Rudi rief »Prost!«, und sie kippten die Schnäpse.

Draußen zogen Rapsfelder vorbei.

»Wie alt sind Sie, mein Guter?« trompetete Rudi.

Ohne von den Feldern wegzusehen, antwortete Fred: »Vierundzwanzig.«

»Da sind Sie ja noch ein richtiger Frischling!« Er lachte. »Und was haben Sie so vor im Leben?«

Am liebsten hätte Fred geantwortet, er wisse nur, was er nicht vorhätte: zum Beispiel Spielautomatenvertreter in Meckelburg-Dingsda zu werden. Aber dann fiel ihm plötzlich Oma Ranunkels ewiger Wunsch ein, er würde beim EDEKA um die Ecke im Lager anfangen und sich zum Verkaufsleiter hocharbeiten, und um ihr da oben eine Freude zu machen und weil es völlig ausgeschlossen war, einem wie Rudi von Kanada zu erzählen, sagte er: »EDEKA-Verkäufer«.

»EDEKA-Verkäufer…?« Rudi verzog das Gesicht. »…In Ihrem Alter muß man doch wenigstens…«, er überlegte, »…reich werden wollen!«

Als Fred darauf nichts erwiderte, rief er: »Darf nicht wahr sein…!«, brach ab und schien ehrlich enttäuscht.

Fred sah aus dem Fenster. Sie fuhren jetzt durch dichte

Birkenwälder. Der Schnaps begann zu wirken, und Fred streckte die Beine aus. Ob Schöllers Annette angerufen und ihr von seinem Besuch erzählt hatten? Ob sie überhaupt noch miteinander redeten? Die letzten zwei, drei Jahre vor dem Banküberfall war Annette aus dem Rama-Glück ausgeschert und hatte sich mit ihrem Vater fast nur noch gestritten, und jetzt, wo die Mutter quasi weg war... Fred malte sich aus, wie er mit Annette abends unterm Brandenburger Tor säße – in seiner Vorstellung saß man in Berlin ständig unterm Brandenburger Tor – und sie endlich über alles sprechen könnten.

Nach einer Weile fragte er: »Welcher Berliner Bahnhof ist der richtige zum Aussteigen?«

»Der richtige...?« Rudi legte skeptisch den Kopf zur Seite, dann wurde er wieder fröhlich. »...Ach was! Bleiben Sie einfach bei mir, ich zeig's Ihnen.«

Wenig später kamen sie nach Potsdam, und Rudi bestellte noch mal Bier und Wodka.

»Sehen Sie sich die Häuser an! Alles Müll! Natürlich wußten wir, daß wir nicht die Schweiz bekommen, aber so was wie Österreich hätt's doch wenigstens sein können!«

Verrußte Altbaufassaden glitten vorbei, staubgraue Fenster, verblichene Schilder für Bäckereien und Schusterläden.

Zwanzig Minuten später fuhren sie in Berlin ein. Fred drückte sich ans Fenster. Das war also die Stadt, die er so oft im Fernsehen gesehen hatte! Doch bald kam's ihm vor, als mache er eine Hessen-Rundreise im Schnelldurchgang. Zuerst tauchten riesige Blechhallen auf, grau und fensterlos, mit Autobahnen drumherum, die ihn an Mannheim oder

Offenbach erinnerten. Es folgten Fünfziger-Jahre-Halbhochhäuser neben teefarbenem Beamtenbau – Darmstadt –, danach Altbauten mit Stuckfassaden in diversen Pastelltönen – Wiesbaden. Wo waren Wolkenkratzer, Paläste, Fernsehtürme, Brandenburger Tore? Je weiter der Zug in die Stadt hineinfuhr, desto mehr mischten sich Mannheim, Darmstadt und Wiesbaden, schienen Backsteine, Chrom, Beton, altes Gemäuer, moderne Kitschtürmchen, Häuser wie Bunker und ufoähnliche Gebäude scheinbar wahllos aneinandergerammt. Fred erinnerte sich an die Lobeshymnen, die sein Geschichtslehrer auf die Berliner Trümmerfrauen angestimmt hatte – wahrscheinlich hatte er sich das Ergebnis nie angeschaut.

Trotzdem war Fred beeindruckt. So viele Häuser auf einem Haufen hatte er noch nie gesehen. Wie viele Provinzler schwankte er zwischen Ach-auch-nur-Steine! und Oh!-nur-Steine!

Rudi war aufgestanden. »Ich geh noch mal schnell zur Toilette. Bahnhof Zoo steigen wir noch nicht aus, erst Hauptbahnhof.«

Er zwinkerte Fred zu und ging zur Glastür, die zu den Erste-Klasse-Abteilen führte. Fred fragte sich, warum er seinen Mantel mitnahm, dann fiel sein Blick auf das mißtrauische Gesicht der Kellnerin. Im nächsten Moment sprang er von der Bank. Als er aus dem Speisewagen stürzte, schaute sich Rudi überrascht um und begann zu laufen. Eine Großfamilie versperrte den Weg, und bis Fred den letzten Enkel beiseite gestoßen hatte, war Rudi schon fast an der nächsten Tür. Doch plötzlich schoben sich zwei enorme Rucksäcke vor ihm in den Gang, gefolgt von einem

Pärchen. Rudi blieb stehen, und in vollem Lauf knallte ihm Fred in den Rücken. Gemeinsam fielen sie zwischen Rucksäcke und Beine.

Keuchend fragte Rudi: »... Müssen Sie ebenfalls?«

»Dringend. Und die Kellnerin hält's auch kaum noch aus, aber vorher will sie abkassieren.«

Rudi rieb sich die Schulter und seufzte. »Dabei sehen Sie eigentlich bekloppt genug aus.«

Die Frau zwinkerte ihrem Freund zu und lächelte. »Des isch des wilde Berlin!«

7

Fred schubste Rudi zurück in den Speisewagen, nahm seinen Koffer und ging zufrieden zum nächsten Ausstieg. Berlin hin, Großstadt her – Magic Hoffmann legte keiner so schnell rein! Da mußte so ein Clown schon früher aufstehen!

Ein alter Herr erklärte ihm, im nächsten Bahnhof sei er im früheren West-Berlin. Der Zug fuhr in die Kurve, und im Fenster erschienen zwei Kirchen, eine halbe und eine Mannheimer, inmitten von Kaufhaus- und Kino-Kästen. Kurz darauf hielt der Zug im Bahnhof Zoo. Von einem juchzenden und kreischenden Teenager-Klassenfahrtsrudel wurde Fred den Bahnsteig entlanggetrieben. Verwundert sah er sich um. Der ganze Hauptstadtbahnhof bestand aus vier Gleisen, zwei Bierbuden und einem Schaffnerhäuschen. Das Rudel drückte sich zusammen, und Schulter an Schulter ging es eine enge, urinfarben gekachelte Treppe hinunter in die Bahnhofshalle. Geschenkeshops, Frittenbuden, Stehcafés – unverwechselbar wie hundert andere Bahnhofshallen in Deutschland.

Durch eine Schwingtür trat Fred hinaus auf den Vorplatz und hielt nach einem Taxifahrer Ausschau, um nach einem billigen Hotel zu fragen. Auch wenn er bei Annette wohnen würde, mochte er nicht gleich mit Sack und Pack in der Tür stehen, es wirkte ihm zu rockzipfelig.

Um den Bahnhofseingang lungerte die übliche Großstadtschar von Fixern, Strichern und Besoffenen, und ein Gestank aus Volksfest und Verwesung waberte über den Platz. Gleich dahinter war der Taxistand. Fred bahnte sich einen Weg.

Gerade als er den ersten Fahrer ansprechen wollte, drückte ihn etwas beiseite, und zwei Kerle in Lederkluft schwangen sich laut schwatzend in den Wagen. Die Tür schlug zu, und der Wagen brauste davon. Der nächste Fahrer war schon auf dem Weg zum Kofferraum.

»Entschuldigen Sie...«

Der Mann schien ihn nicht zu hören. Stumm öffnete er die Klappe und wartete auf Freds Gepäck. Er war breit und untersetzt, trug die Haare vorne kurz, hinten lang, und hatte ein fleischiges Gesicht mit angeödeten Augen.

Fred trat näher. »Entschuldigen Sie...«

»Schon geschehn, Chef.« Die Stimme war wie seine Augen.

»Eigentlich...«, begann Fred, doch im selben Moment kreischte es hinter ihm auf. Er fuhr herum und sah, wie ein junges Mädchen einen Pappteller Wurst in roter Soße auf den Boden fallen ließ und schrie, in der Wurst wären Fingernägel.

Fred schaute entgeistert. »...Haben Sie gehört?!«

Kaum merklich hob der Fahrer die Augenbrauen, »Is nich jedermanns Sache, Currywurst...«, und als Fred noch mal einen Blick auf die roten Bröckchen warf, »steht auch nix geschrieben, daß da keine Fingernägel drin wär'n, oder keine Haare, oder Kippen. Und solange nix geschrieben steht, is alles möglich. Is auch möglich, daß ich mit meiner Taxe hier nur so rumstehe den lieben langen Tag, unsern tollen Bahnhof bewundere und mit Leuten quatsche, die's gewohnt sind, wenn se Wurst essen, das dazugehörige Schwein persönlich gekannt zu haben.« Er hob die Schultern. »Könnte aber auch sein, daß ich Kundschaft rumfahre, um Geld zu verdienen. Wie gesagt, geschrieben steht nix.«

Vorsichtig erklärte Fred: »Eigentlich wollte ich nur fragen, ob Sie wissen, ob es irgendwo in der Nähe...«

Peng! Die Kofferraumklappe war zu, und der Fahrer warf sich hinters Steuer. Zehn Meter weiter lud er eine alte Frau ein und sauste auf die Kreuzung. Fred stellte den Koffer ab und wartete. Er dachte an das Willkommensschild am Dieburger Ortseingang – Berlin schien zum Empfang den Müll rauszustellen.

Als das nächste Taxi hielt, riß er, so schnell er konnte, die Beifahrertür auf und herrschte den Fahrer an: »Nur eine Auskunft! Ein billiges Hotel in der Nähe!«

Der Fahrer nickte gelassen, nahm die Zigarette aus dem Mund und deutete in Richtung halbe Kirche. »Hotel Glück.«

Fred überquerte die Straße und lief über einen farblosen Betonplatz. Der Himmel war grau und reglos, als hätte jemand ein schmutziges Brett über die Stadt gelegt. Dumpfes Verkehrsbrausen und Baustellenhämmern erfüllte die Luft. Dann mischten sich Stimmengewirr und Musikfetzen darunter, und je näher Fred der halben Kirche kam, desto belebter wurde der Platz. Reisegruppen und Luftballonverkäufer kamen ihm entgegen, barfüßige Gitarrenspieler, Zigeunerkinder, Frauen mit Glatzen. Seltsame Sprachfetzen flogen ihm um die Ohren. Neugierig schaute er sich nach Männern mit Turbanen um.

An der Kirche stieß er auf eine Reihe Klapptische, die mit Flugblättern und Plaketten beladen waren. Hinter einem von ihnen sammelte eine Frau Unterschriften gegen zu hohe, Dackelrückgrat zerstörende Bordsteinkanten. Daneben warb ein junger Mann in Popenkleidung für Sexkuren. Fred las verwundert die Flugblätter. Als er merkte, daß der Pope ihm tief in die Augen sah, machte er, daß er weiterkam. Er bog um die halbe Kirche, und plötzlich tat sich ein überwältigendes Bild vor ihm auf: ein Boulevard, eine Avenue! Andere hätten vielleicht gesagt, eine normale Einkaufsstraße, ein bißchen breiter als üblich, ein bißchen häßlicher als nötig, aber die kamen auch nicht aus Dieburg und hatten vier Jahre Gefängnisruhe hinter sich. Wie ein gewaltiger Jahrmarkt kam Fred das bunte, glitzernde, laute, unübersichtliche Treiben vor: Cafés, Restaurants, Kinos, Kaufhäuser, Blechlawine, gelbe Doppeldeckerbusse, und dazwischen ein endloses Gewusel von Menschen. Er blieb stehen und schnalzte begeistert mit der Zunge. Here we are! That's Berlin! Fred is in town!

Zur richtigen Zeit am richtigen Ort, sagte er sich. Und als Großstädter, der er nun seit wenigen Augenblicken war, stieß er einen höhnischen Fluch Richtung Dieburg aus: gegen die Lackaffen im Coconut Beach, gegen Schöllers und alle anderen, die ihn wie einen Aussätzigen behandelt hatten. Was wußten diese Bauern schon von der großen, weiten Welt?! Fred spürte es: Hier tobte das Leben, und es würde mit ihm nach Kanada toben. Vancouver, Toronto, Montreal – wie groß mußten dort erst die Straßen sein!

Er tauchte in das Gewusel ein und ließ sich von ihm den Ku'damm hinuntertreiben. Vor manchen Bars blieb er stehen, warf einen Blick hinein, und alle kamen ihm sehr schick und modern vor. Über dem Eingang zu einer Halle mit Christbaumbeleuchtung, funkelnden Barhockern und der plakatierten Ankündigung einer ›Funny-Dance-Night mit den Spandau-Highway-Sisters‹ stand in großen roten Lettern JIMMIS. Fred wollte sich den Namen merken. Da bin ich kaum aus dem Zug raus, dachte er, und schon im wildesten Viertel Berlins.

Beim Weitergehen fiel ihm die große Zahl von Leuten aller Alters- und Verdienstgruppen mit Baseballmützen auf. Wird ein Turnier in der Stadt sein, schloß er und nahm sich vor, wenn die Zeit reichte, ein Spiel anzugucken – als Einstimmung auf Kanada.

Ein paar Ecken weiter verließ er den Trubel und hatte wenig später am Ende einer kleinen verlassenen Straße sein Ziel erreicht: TEL G ÜCK. Trüb leuchteten die Neonbuchstaben über einer gesplitterten Glastür. Dahinter führte eine dunkle Treppe in den ersten Stock. Fred gelangte in einen Flur mit Linoleumboden und verstaubten Rennwagenbildern an der Wand. Ein einziges Fenster sorgte für Licht. Normalerweise wären es vier gewesen, aber drei waren mit Brettern vernagelt. Am Ende des Flurs befand sich eine schmutzigweiße Theke mit Klingelknopf. Als Fred draufdrückte, schepperte es über ihm. Sonst passierte nichts. Die Hände in den Overalltaschen, schlenderte er den Flur entlang und betrachtete die Rennwagenbilder. Fred im Glück, dachte er feixend.

Irgendwann ging hinter der Theke die Tür auf, und ein

dünner grauhaariger Mann erkundigte sich in gebrochenem Deutsch, was Fred wolle. Als er antwortete: »Ein Zimmer für eine Nacht«, bedeutete ihm der Mann zu warten und verschwand wieder. Kurz darauf kam sein Sohn.

»Sie möchten ein Zimmer?« fragte er eilig und wischte sich über den Mund. Mit ihm wehte ein Geruch aus gebratenem Fleisch und Auberginen in den Flur. Schnell erledigten sie die Formalitäten. Fred zahlte die Nacht im voraus, nahm den Schlüssel und stieg das düstere Treppenhaus hinauf. Ein ausgefranster roter Läufer lag über den Stufen, Teile des Geländers fehlten. Niemand kam ihm entgegen, und aus den Fluren links und rechts drangen weder Stimmen noch andere Geräusche. Im vierten Stock ging er, die abgeblätterten Nummern entziffernd, langsam von Tür zu Tür, bis er vor der einunddreißig stehenblieb.

Im Zimmer roch es nach Mottenkugeln und alten Polstern. Fred warf den Koffer aufs Bett und öffnete das Fenster. Fast alles im Zimmer war braun: die Vorhänge, die Möbel, der Teppichboden, das Bettzeug, nur die Wände waren grau und die Lampenschirme rosa. Fred ging ins Bad, wusch sich Hände und Gesicht. Beim Abtrocknen sah er aus dem Fenster in einen Hof mit Holzpaletten und auf ein Hinterhaus, in dem Büros untergebracht waren. Zwischen Resopalmöbeln und Gummibäumen saßen dauergewellte Frauen mit Schulterpolsterblusen, hatten ihre Telefonhörer neben die Gabel gelegt und rührten im Kaffee. Eins der Fenster war voller Aufkleber: ›Freie AVUS für freie Berliner!‹, ›I love Müggelsee‹, ›Schultheiss Bier – det gönn ick mir!‹, ›Alabama-Jeep-Club, Neukölln‹, und ein gemalter Bär verkündete: ›Völker der Welt schaut auf diese Stadt: vom ersten bis fünfzehnten Februar Supersonderangebote bei Möbel Höpfner!‹

Fred sah sich die Frauen genauer an und stellte sich vor, wie er es zwischen den Gummibäumen mit einer nach der anderen trieb. Heute abend mußte endlich was passieren! Ob Annette einen neuen Freund hatte? Während sie mit Nickel zusammengewesen war, hatte Fred nie mit ihr – oder nur ganz selten. Aber davor natürlich. Annette war da immer sehr unkompliziert gewesen.

Er wandte sich vom Fenster ab, ging zum Koffer und nahm ein frisches T-Shirt. Wenn er mal einen Freund im Knast hätte, wüßte er jedenfalls, was er zur Entlassung arrangieren würde, und zwar gleich am ersten Tag. Denn wenn man zu lange damit wartete, fing man noch an zu glauben, man hätte wirklich was verlernt.

Auf dem Weg zur U-Bahn kaufte er einen Stadtplan und einen Blumenstrauß.

8

Annette trug eine Marilyn-Monroe-Maske, Fred war James Cagney. Während Annette am Schalter das Geld einsackte, hielt Fred dem zweiten Angestellten die Pistole an den Hals. Die Kunden lagen bäuchlings am Boden. Alles klappte wie am Schnürchen. Dann sagte der Mann hinterm Schalter: »Mehr haben wir nicht.«

»Unsinn«, rief Fred, »nachher kommt der Sohn vom alten Hoppe und holt 'ne halbe Million ab!«

Der Mann wurde rot. »Woher...?«

»Mach schon!«

Zögernd bewegte sich der Mann zu einem Tisch im hinteren Teil des Raums.

»...Aber ich muß einen Code eingeben, es dauert eine halbe Stunde, bis das Geld rauskommt.«

Fred drückte dem Kollegen den Lauf unter den Kiefer. »Hörst du, was er sagt? Er will 'n Code eingeben, damit das Geld erst rauskommt, wenn du tot bist!«

Der Kollege zischte: »Machen Sie schon, Herr Jürgs!«

Das Geld befand sich vorbereitet in einem Koffer in einer Schublade, die nicht mal abgeschlossen war. Annette steckte den Koffer in eine Reisetasche und schloß den Reißverschluß.

»Okay«, Fred holte den Sekundenkleber raus, »alle Mann zum Einzahlungsschalter!«

Er hatte eine große Dose voll besorgt, um mit einem Pinsel arbeiten zu können. Sorgfältig verteilte er den Kleber über die Hartplastik-Ablage und befahl den insgesamt sechs Personen, die rechte Hand zu heben.

»Und patsch!« sagte er, und nach einigem Murren und Zögern gehorchten alle. Annette und Fred warteten einen Moment, bis die Hände festklebten, dann rannten sie aus der Bank und sprangen in den Wagen. Nickel fuhr los. Ein paar hundert Meter nach dem Ortsausgang bogen sie in einen Feldweg ein, der in den Wald führte. An einem kleinen See hielten sie an. Nachdem sie ihre Kleider gegen Pfadfinderuniformen ausgetauscht und das Geld in Rucksäcke gestopft hatten, warfen sie alles übrige ins Auto und versenkten es.

»Deine Schuhe!« sagte Nickel.

Fred schüttelte den Kopf. »Behalte ich, die bringen mir Glück.«

Wenig später heulten Polizeisirenen auf. Kurzbehost und *Im Frühtau zu Berge* singend, marschierten Annette, Nikkel und Fred an mehreren Streifenwagen vorbei zurück in den Ort zum Bahnhof und nahmen fünf Minuten später den Zug nach Dieburg. Während die Regionalnachrichten am Abend Bilder von Annette und Fred mit den Filmstar-Masken brachten und der Sprecher den Überfall »teuflisch sadistisch« nannte, saßen sie mit einer Kiste Sekt vorm Fernseher und grölten.

Vier Tage danach klingelte es morgens bei Oma Ranunkel, und ein Polizist wünschte die Schuhe ihres wegen Drogenhandels vorbestraften Enkels zu überprüfen.

»Görlitzer Bahnhof!«

Fred zog die Tür der U-Bahn auf, die hier über der Erde fuhr, und reihte sich in den Strom gehetzter Leute ein. Im Laufschritt ging es die Treppe runter, vorbei an Hunden und bettelnden Teenagern, bis der Strom sich in die verschiedensten Richtungen ergoß und die Leute in Häusern, Läden, Kneipen und Hinterhöfen verschwanden. Sekunden später stand Fred alleine mit den Bettlern. Er faltete den Stadtplan auseinander und sah sich nach Straßenschildern um.

»Ma 'ne Maak...?«

Ein grünhaariger Kerl in Strumpfhosen und Motorradjacke schlurfte auf Fred zu, neben ihm sabberte ein Schäferhund. Ein reiches Viertel, dieses Kreuzberg, dachte Fred, wo sich die Bettler Hunde halten konnten. Er schüttelte den Kopf und lief los. Es war kurz nach halb acht, und der trübe Himmel begann sich zu verdunkeln.

Bald sah er, daß das Viertel alles andere als reich war. Die Häuser und Straßen waren verrottet, aus den Lokalen strömte ein zäher Geruch nach Kippen, Bier und ranzigem Fett, und alte Frauen waren mit Leiterwagen voll Brennholz unterwegs. Aber man war auch nicht wirklich arm: Immer mehr wohlgenährte Hunde kamen ihm entgegen, deren junge Besitzer zwar nur halb so gut genährt und auch sonst erbärmlich grau und verwahrlost aussahen, die sich aber aus ihrem Zustand nichts zu machen schienen. Im Gegenteil: Sie trugen einen selbstgefälligen Ernst zur Schau und wirkten stolz, als sei ihre Armut ein seltenes Handwerk. Freds Eindruck verstärkte sich, daß in Berlin gute Laune schlechtes Benehmen war.

Je näher er Annettes Adresse kam, desto renovierter wurden die Häuser, die Straßen sauberer und grünbepflanzter. Die Fußgänger sahen jetzt aus wie Studenten oder Klavierspieler, und aus den Lokalen roch es nach Essen. Als er vor dem Altbau Nummer vierzehn stehenblieb, war es dunkel geworden und hatte zu nieseln begonnen. Unten im Haus befand sich eine Bar mit verhangenen kleinen runden Fenstern wie Schiffsluken. Seltsamer Lärm drang heraus, der an das Stottern eines kaputten Kühlschrankmotors erinnerte. Oben aus den Fenstern hingen beschriftete Bettlaken: ›Nie wieder‹ oder ›Solidarität mit‹, den Rest hatte der Wind verschlagen.

Aufgeregt trat Fred in den düsteren Hausflur. Rechts an der Wand hingen Briefkästen, und Fred fand Annettes Namen neben drei anderen, die er nicht kannte. Aber wo war die Wohnung? Zwei Aufgänge links und rechts, dann ein Hof mit noch mal zwei Aufgängen an den Seiten und einem geradeaus. Kein Klingelbrett. Fred schaute im Hof in die Runde. Irgendwo tönte ein Staubsauger, und im ersten Stock lachte es hell. Es blieb ihm nichts anderes übrig, als Aufgang für Aufgang hinaufzusteigen. Berlin hieß einen nicht willkommen. Selbst die Türschilder schienen dazu da, es Fremden ja nicht leichtzumachen: Sie waren mit Malereien überpinselt oder mit Strohsternen zugehängt, manche getöpfert, eins sogar gestrickt. Im schwachen Flurlicht erkannte Fred beim ersten Hinsehen oft nur buntes Durcheinander.

Im dritten Aufgang, zweiter Stock, war die gesuchte Tür dann plötzlich vor ihm. Über Annettes und den anderen Namen prangte ein silberner Schriftzug: INTERNATIONALE FILMPRODUKTION MEGASTARS.

Fred atmete tief durch. Dann zog er aus einer Plastiktüte den leicht zerknickten Blumenstrauß, fuhr sich durch die Haare und drückte auf die Klingel. Es dauerte eine Weile, bis sich von weit her Schritte näherten.

Die Tür ging einen Spalt auf, und ein Cowboy steckte den Kopf raus. Spitze Stiefel, Jeans, buntbesticktes Wildlederhemd. Er trug eine schwarze Sonnenbrille und einen kleinen schwarz gefärbten Spitzbart. »Ja…?«, er hatte eine Fahne, »…was ist?«

Schnell verbarg Fred die Blumen hinter der Tüte. »Ist Annette da?«

»Nein. Worum geht's?«

»Tja, ich…«, komische Frage, dachte Fred, »…ich bin ein Freund von ihr.«

»So.« Der Cowboy musterte ihn. »…Sie kommt etwa in einer Stunde zurück.«

Die Tür bewegte sich nicht. Fred versuchte, den Sonnenbrillengläsern irgendein Zeichen zu entnehmen: Saloon für Fremde geschlossen. Er sah zur Treppe. »Ist das das Wartezimmer der Internationalen Filmproduktion?«

Wortlos zog der Cowboy die Tür auf. Erst jetzt bemerkte Fred die verkehrt rum aufgesetzte Baseballmütze.

Der Wohnungsflur war etwa so lang wie zwei Kegelbahnen. Über zehn Türen zählte Fred links und rechts, während der Cowboy stumm vorneweg lief. Einige Türen standen offen: Küche, Büros, leere Zimmer mit nur einem Sofa oder einer Matratze. Kurz vor einer riesigen Flügeltür fragte Fred: »Wo findet das Baseballturnier statt?«

Der Cowboy wandte im Gehen den Kopf und hob die Mundwinkel. »Guter Witz.« Dann schob er die Tür auf, und sie traten in einen großen dunklen Raum, in dem ein Fernseher lief, vor dem ein Haufen Leute am Boden saß. Die meisten trugen ebenfalls Sonnenbrillen und hatten Wodkaflaschen in der Hand. Der Cowboy bedeutete Fred, sich dazuzusetzen. »Nimm dir 'n Schluck, wenn du willst.«

Verwirrt von der Antwort auf seine Baseballturnierfrage und der Szene vorm Fernseher, stieß Fred gegen eine Flasche, die laut polternd übers Parkett rollte. Einige Sonnenbrillenträger wandten die Köpfe, und einer murmelte: »Laß mal besser mit dem Schluck.«

Fred wollte der Flasche hinterher, doch als das Parkett unter seinen Schritten aufknarrte, beeilte er sich, auf den Hintern zu kommen.

Sein Blick wanderte durch das hohe Altbauzimmer. Wieder gab es nur einen Gegenstand im Raum, den Fernseher. Die Wände waren weiß, ihr einziger Schmuck bestand aus neben dem Fernseher angepinnten Polaroidporträts von lustig grimassierenden jungen Leuten. Drei Türen und ein Fenster markierten die Zimmerecken. Unter dem Fenster erkannte Fred zwei schlafende Hunde. Warum die Berliner wohl Hunde so gerne mochten?

Im Fernsehen lief ein japanischer Videofilm mit schwedischen Untertiteln. Vorsichtig angelte sich Fred eine der herumstehenden Wodkaflaschen und achtete beim Trinken darauf, daß es nicht gluckerte. Nach einer Weile, als der Wodka zu wirken begann, beugte er sich zu einer Kurzhaarigen mit strengem Scheitel und Ohrringen wie Maschinengewehren hinüber. Er deutete von ihrer schwarzen Sonnenbrille zum Fernseher und flüsterte: »Optikertest?«

Ein kurzer, zweifelnder Blick, und die Kurzhaarige

wandte ihre Aufmerksamkeit wieder dem Film zu. Oder Blinde? schoß es Fred durch den Kopf, und er sah sich schon bis zum Hals im Fettnapf. Aber nein, Blinde würden sich kaum ausgerechnet einen japanischen Film aussuchen, jedenfalls wenn es keine Japaner waren. Beruhigt setzte er erneut die Flasche an. Vielleicht gehörten Sonnenbrillen einfach zum Filmgeschäft, auch wenn Fred das leicht unlogisch vorkam.

Im Fernseher gingen jetzt zwei Männer durch eine Höhle, die Bildfläche war schwarz. Man hörte ihre Schritte und zwischendurch einen kurzen japanischen Dialog. Die Sonnenbrillenträger schauten gebannt.

Das sind also Annettes Künstlerfreunde, dachte Fred. Na ja, so was Ähnliches würde sich auch in Kanada für sie auftreiben lassen.

Als der Film zu Ende war und das Licht anging, hatte Fred die Wodkaflasche halb geleert, und als er aufstand, schwankte er. Neben ihm zupfte sich die kurzhaarige Frau Fusseln vom Rock. Ein knapper Rock, aus dem klasse Beine ragten. Als die Frau aufsah, sagte Fred lächelnd: »Tag, ich bin Fred.«

»Tag...«, murmelte sie, während sie sich umdrehte und ihre Zigaretten aufhob, »...Silke.«

»Ah...!«, Fred hob die Augenbrauen, »...ein hübscher Name!«

Langsam wandte die Frau den Kopf und betrachtete ihn wie einen Teller glasige Pommes frites.

»Darf ich...?«, Fred pickte ihr etwas Unsichtbares vom Rücken, »...übrigens bin ich arbeitslos.«

»Na so was! Überqualifiziert?«

Die Frau ließ Fred stehen, und er sah zu, wie ihre Beine mit anderen Beinen den Raum verließen. Er zuckte die Schultern. In Berlin galten eben andere Regeln fürs Flirten als in Dieburg. Er würde schon noch dahinterkommen.

Er blieb alleine mit einem Pärchen, das am Boden saß und sich leidenschaftlich küßte. Einer davon war der Cowboy. Der einzige, wenn man so wollte, den Fred hier kannte. Fred wollte ihn fragen, wo Annette blieb.

Er ging zum Fenster und schaute in dunkle Baumkronen, dann wandte er sich zum Fernseher und betrachtete die Polaroids. Er beugte sich sogar zu den Hunden und tat, als ob er sie streichelte. Doch die Küsserei nahm kein Ende, und als Fred nichts mehr einfiel, räusperte er sich. Das Pärchen sah auf, und erst jetzt erkannte er, daß beide Cowboys waren. Er lachte wodkabeschwingt. »...Und ich hab schon gedacht, bei 'ner Frau sind vorne keine Haare irgendwie blöd!«

Worte und Lachen hallten von den Wänden wider und verklangen, während die Cowboys Fred unbewegt musterten. Er hatte Mühe, ihren Blicken standzuhalten. Hatten sie ihn falsch verstanden? Haßte der andere Cowboy es, auf seine Halbglatze angesprochen zu werden? Solche Typen konnten ja recht eitel sein. Fred winkte ab. »Man sieht's kaum. Von hinten gar nicht. Also, wenn ich mir die Haare zurückkämmen würde...«

Etwas in ihren Gesichtern ließ ihn verstummen. Unentschlossen blieb er in der Mitte des Zimmers stehen und kratzte sich die Hosennaht. Der eine Cowboy machte ein schmatzendes Geräusch, dann sagte er: »Mach das doch. Geh ins Bad, kämm dir die Haare zurück, und in vier bis fünf Stunden zeigst du uns, wie's aussieht. Okay?« Dabei lächelte er auf eine Art, die Fred für freundlich hielt.

»Okay«, antwortete er und lächelte zurück, »wenn euch Jungs so was Spaß macht…« Er warf ihnen einen Gruß zu und wandte sich zum Flur.

Nette Kerle, dachte er, als er die Tür hinter sich schloß und die Kegelbahnen hinuntertorkelte. Und lustig! Die Berliner lachten eben anders, mehr nach innen. Und im großen und ganzen kam er doch prima mit ihnen klar. Man mußte die Sache nur richtig anpacken. Annette würde sich umgucken: Nach vier Jahren Knast träfe sie ihn wieder, wie er mit zig super durchgedrehten, irre Sonnenbrillen tragenden, enorm schwulen Top-In-Oben-Cowboys Wodkaflaschen leerte, einen Witz nach dem anderen riß und innerhalb von Stunden zum Prince of Berlin geworden war! Yeah, the Prince of Berlin, the Prince of Canada, the world was open for him!

Der nächste Schritt in diese Richtung war die Suche nach weiterem Wodka. Der nächste Schritt im Flur ließ seinen Kopf gegen die Wand knallen.

Als er in die Küche stolperte, sahen sechs Augenpaare von einem mit Papieren bedeckten Tisch auf. Fred hob grinsend den Zeigefinger, »Hi!«, und erntete Gemurmel.

Über dem Tisch hing eine große weiße Pappe, auf der mit schwarzem Filzstift ›WAGNERMILCH‹ geschrieben stand; darunter Pfeile und Kästchen mit Texten.

Während Fred den Kühlschrank aufmachte und eine Flasche Wodka aus dem Eisfach zog, sagte eine der Frauen: »Ich denke, der entscheidende Moment ist, wenn der Busfahrer anfängt, was aus *Tristan und Isolde* zu pfeifen.«

Sie besprachen ein Filmdrehbuch: Ein Berliner Theaterensemble fliegt nach Afrika, um Erfahrungen und Sinneseindrücke für eine moderne Wagner-Inszenierung zu sammeln. Die Gruppe bleibt in der Wüste stecken, wird von einer Beduinenbande überfallen, schlägt sie mit Tricks und Bühnenzauber zurück und nimmt einen Beduinenjungen gefangen. Die einen meinen, man müsse ihn umbringen: Gefahr ginge von ihm aus, außerdem sei es die einzige Möglichkeit, nicht zu verhungern. Den anderen ist der Gedanke, sie könnten später einer solchen Handlung bezichtigt werden, unangenehm. Zwei junge Regieassistenten finden den Jungen außerdem süß. Während sie streiten, beginnt der Busfahrer und Dramaturg im Wageninneren nach einem Messer zu suchen. Dabei pfeift er ein Stück Wagner-Oper. Verblüfft registriert das Ensemble, wie der Beduinenjunge die Melodie mitpfeift, und herauskommt, daß seine Mutter Garderobiere und sein Vater Techniker an der Berliner Oper sind und der Junge während der Sommerferien vor vielen Jahren von einem Menschenhändler entführt wurde. Der Junge zeigt der Gruppe den Weg zu einer nahe gelegenen Oase, und zurück in Berlin, erhalten er und seine Eltern Premierenkarten.

»Herkunft ist Wahrheit, und nichts ist zynischer als die Wahrheit«, sagte einer der Männer am Tisch und schaute dabei sehr wahr und zynisch in die Runde.

Fred lehnte am Fensterbrett, nippte am Wodka und betrachtete die Leute, wie sie sich lässig gestikulierend über Sachen unterhielten, von denen er nichts verstand. The Prince of Berlin... but how get the kingdom? Es würde doch wohl besser sein, wenn er erst mal Annette wiedersähe

– Prince or not. Außerdem hatte er seit einer Bohnensuppe im Speisewagen nichts mehr gegessen und wäre gerne mit ihr in eins dieser verrückten Restaurants gegangen, die ihm auf dem Weg hierher aufgefallen waren: rosa Wände, Gipsbüsten, Kellner in Lederhemden, bemalte Unterhosen hinter Glas – in Dieburg wäre nur eins davon Grund für eine Bürgerinitiative gewesen.

Doch bis dahin blieb ihm nur Wodka. »Leerer Magen, große Not – volles Glas wie Abendbrot«, hatte sein Vater immer gesagt. Aber er hatte es auch gekonnt mit: »Viel zu essen, Not vorbei« und am Ende »heilt Völlerei«.

Eine der Frauen drehte sich nach Fred um. »Wer steht mir hier eigentlich die ganze Zeit im Rücken?«

Hastig nahm Fred die Flasche vom Mund, ein halber Schluck ging platschend zu Boden. Ehe er antworten konnte, fuhr die Frau fort: »Gehörst du zu Carlo?«

Fred schüttelte den Kopf, »Nein, ich...«

»Spielst du bei der Neonazi-Dokumentation mit?« fragte einer der Männer.

Wieder schüttelte Fred den Kopf. »Ich...«

»Oder bist du der Koch für die Party morgen? Aber sollte das nicht 'n Thailänder sein?«

»Ich weiß«, sagte ein anderer, »er ist der Fahrer für Saschas Nachtdreh, das Ding über die jüdischen Models vorm Führerbunker, wo sie dieses verbotene Lied über abgehackte und gefickte Kinderköpfe singen – ihr wißt schon.«

»Ach das.«

Sie brachen ab und sahen Fred an.

»...Ich bin ein Freund von Annette.«

»Ach so«, sagte einer, und ein zweiter: »Das sind viele«, worauf eine der Frauen ihm einen neckischen Klaps gab.

Sie fuhren fort, über den Film zu sprechen, und um in niemandes Rücken mehr zu stehen, verzog sich Fred zur Spüle. Das kurze Gespräch hatte ihm, was seinen Berliner Einstand betraf, wieder Auftrieb gegeben, und er wartete auf einen günstigen Moment, es fortzusetzen. Außerdem machte ihn der Wodka von Schluck zu Schluck klüger. Bestimmt würde er bald den richtigen Draht zu ihnen finden. Zum Beispiel wenn er ihnen Zeit und Geld sparen half, indem er sie aufklärte, daß sich kein Mensch ihren Film anschauen würde. Mit Kino kannte er sich nämlich aus: Eddie Murphy, Clint Eastwood, Julia Roberts, Christopher Walken – kein Problem. Und darum wußte er, daß diese Art Geschichten mit Wagenburg und Indianerhalbblut seit mindestens fünfzig Jahren keine zehn Mark mehr aus irgendeiner Hosentasche in die Kassen geleiert hatten...

Vor Freds Augen begann die Küche zu verschwimmen.

»He, du! ...Wie heißt du eigentlich?«

Fred sah auf. Meinten sie ihn? Er wollte antworten, aber irgendwas hinderte ihn daran. Seine Lippen klebten plötzlich so komisch aufeinander.

»Wie du heißt«, wiederholte der Mann.

Fred fuhr sich mit der Hand über den Mund. »...Fffred«, bemühte er sich deutlich zu sprechen.

»Schön«, sagte der Mann und zeigte ein Lächeln wie aus Gummi, »...Also, Fred: Wir haben da 'n kleines Problem. Ich würde gerne von dir als Außenstehendem mal hören, was du dir unter deutscher Kultur vorstellst.«

Fred ließ die leere Flasche in die Spüle plumpsen, und

während er, um Gleichgewicht bemüht, mit den Armen durch die Luft ruderte, machte er zwei Schritte Richtung Tisch. Der Alkohol ließ ihn schielen, und er brauchte einen Moment, um herauszufinden, wer mit ihm redete.

»...Aber k-ar!« Jetzt ließ ihn auch noch seine Zunge im Stich. Sie hatte Schwierigkeiten, über die unteren Schneidezähne hinauszukommen. »Deusche Ku-ur...«, wiederholte er und wußte noch genau, daß damit eine Frage verbunden gewesen war.

»Gar nicht lange nachdenken«, sagte der Mann, »einfach aus'm Bauch raus.«

Fred nickte. Dabei tat es einen Ruck durch seine Brust, und es kam ihm vor, als stiege sein Magen. Er merkte, wie die Leute ihn anstarrten. Wenn ihm doch bloß die Frage wieder eingefallen wäre!

Er stützte die Hände gegen die Tischkante, beugte sich vor, und seine Lippen formten den ersten Buchstaben der Bitte, die Frage zu wiederholen, als es ihm plötzlich heiß in die Kehle schoß, und ehe er den Mund zubekam, ergoß sich ein heller Strom über Tisch, Papiere und sämtliche Umsitzenden. Während sie schreiend aufsprangen, schloß Fred die Augen, kippte vornüber und krachte ohnmächtig in die Stühle.

9

Fred suchte seinen linken Arm. Er fand ihn unterm Bauch. Er zerrte ihn vor und sah auf die Uhr. Halb sieben. Gefängnisweckzeit. Vorsichtig hob er den Kopf. Er lag angezogen auf einer nackten Matratze, und ein grauer Morgen warf fahles Licht durchs Fenster. Quer im Zimmer prangte ein alter, ausrangierter Tresen mit Fünfziger-Jahre-Barhockern drum herum. An den Wänden hingen Filmplakate und Fotos von einem Kerl, der so guckte, als wolle er sich duellieren.

Fred hatte einen üblen Geschmack im Mund. Beim Aufsetzen sah er halbverdaute und angetrocknete Bohnenstückchen an seinem Overall kleben. The Prince of Berlin... Dem Prince war schlecht.

Fred stand auf und tapste in den dunklen Flur. Kein Laut. Sich an den Wänden abstützend, gelangte er zur Küche. Gewischt und aufgeräumt lag sie im Morgenlicht. Fred seufzte. Schnell wandte er sich zum Kühlschrank. Er durchsuchte die Fächer, doch außer Senf und seltsamen, scharf riechenden Wurzeln war nichts Eßbares zu finden. Er nahm eine Flasche Orangensaft, schloß die Tür, kehrte noch mal um, packte ein Bier dazu und ging zurück ins Zimmer.

Am Tresen sitzend, leerte er die Flasche Orangensaft und stierte aus dem Fenster. Kinder mit Schulranzen und Frauen mit Kopftüchern und Einkaufsnetzen bevölkerten die Bürgersteige. Er verfolgte, wie ein junger Mann zwei hübsch angezogene, lachende kleine Mädchen über die Straße führte, und kratzte sich nachdenklich eine Bohne vom Overall. Dann schlug er die Bierflasche an der Tresenkante auf und legte sich mit ihr zurück auf die Matratze. Kurz darauf war er wieder eingeschlafen.

»...Mich hat mal 'ne Schulfreundin aus Nürnberg besucht, als ich noch bei Ralph gewohnt hab. Mann, war das peinlich. Abends wollten wir ins Fuck Off gehen, und was hat sie angezogen? So 'n ganz eng anliegendes rosa Stretchkostüm mit dem Schriftzug *Enjoy Sex!* Ich sag dir, die Leute, die mich kannten, haben mich den ganzen Abend angeschaut, als sagten sie mir adieu. Drei Tage mußte ich telefonieren, um die Sache wieder in Ordnung zu bringen.«

»Fred war vier Jahre im Gefängnis. Normal, daß er sich einen zuviel einschenkt.«

»Na ja, Annette, einen...! Und dann die Frisur...«

Unterdrücktes Lachen.

Fred öffnete die Augen einen Spalt und nahm verschwommen zwei Paar Beine am Tresen wahr. Das Fenster stand offen, und kühler Wind strich durchs Zimmer. Er stellte den Blick scharf, sah Jeans und viereckige Schuhe. Langsam drehte er den Kopf. Zwei Frauen. Eine breit und dunkelhaarig mit einer Masse klirrender Ketten und Amuletten vom Dekolleté bis zur Hüfte. Die andere blondgelockt und mollig. Zwei pralle runde Backen drückten sich über den Barhockersitz, und Fred schoß es wie warmes Öl durch die Adern. Seine Annette! Seine kleine dicke Annette!

»Hey...!« röchelte er. Annette drehte sich um, und er sah in ein leichenblasses Gesicht. Fred fuhr zusammen.

Doch als sie vom Hocker sprang und sich lachend über ihn warf, vergaß er den Schreck. Und als sie sich in den Armen lagen und Fred die lang vermißten Schultern drückte und Annette sagte: »Du stinkst wie 'n Hauseingang zum Pennerasyl!«, schloß er die Augen und war glücklich.

»...Ich hab deine Karte bekommen, und eigentlich wollte ich gleich nach Dieburg fahren, aber dann...«

Sie hatte es wirklich gewollt, und sie freute sich auch wirklich, Fred wiederzusehen, obwohl sie wußte, daß es schwierig werden würde: Ihr Leben hatte sich in den letzten vier Jahren völlig verändert. Fred war Dieburg, und Dieburg war weit weg. Selbst der Banküberfall – immerhin das wegbahnende Ereignis für den Schritt nach Berlin und eine Zeit sorgloser Zukunftsplanung – tauchte in ihren Gedanken nur noch selten auf, und wenn, als ein schlimmer, törichter Ausrutscher, der ihr Leben hätte zerstören können und den es zu vergessen galt. Den Zusammenhang zwischen diesem Ausrutscher und dem Geld, mit dem sie bis heute Miete und Brötchen bezahlte, nahm sie nur noch verschwommen wahr. Und nun Fred! Ob er wollte oder nicht, durch ihn war der Überfall gegenwärtig, als sei er gestern gewesen. Dazu kam seine spezielle Art. Annette war alles andere als sicher, ob sie damit heute noch klarkäme. Früher war er einer der aufregendsten Kerle in Dieburg gewesen, aber erstens war dort die Konkurrenz nicht groß, und zweitens war Freds Hau-drauf-Charme mit achtzehn etwas anderes als heute. Sachen wie Haschisch auf dem Schulhof als teure Lakritze zu verkaufen, oder mit dem Mercedes des Gemüsehändlers ohne Führerschein nachts nach Frankfurt zu fahren waren inzwischen bestenfalls langweilig. Wenn sie wollte, konnte sie sich von morgens bis abends mit Koks vollpumpen und mit dem türkisen Chevrolet ihres Freundes sonstwohin schaukeln. Doch auch das interessierte sie nicht mehr: Wichtig waren Filme – und die Leute, die sie machten. Und in diesem Bereich war Fred noch nie eine Leuchte gewesen und würde es in den letzten vier Jahren wohl auch kaum geworden sein.

Ja, sie freute sich, aber es war eine anstrengende Freude, gemischt mit der Aussicht auf vertane Zeit.

»...Ich konnte doch nicht wissen, daß du sofort nach Berlin kommst. Ich dachte, du rufst erst mal an...«

Fred hörte es klirren und die Tür zugehen. Seine Hände glitten unter Annettes T-Shirt.

»Du hattest ja nicht mal die Adresse...«

»Hab sie mir besorgt«, murmelte Fred. Er spürte ihre Haut, ihr Becken, ihren Busen. Sein Gehirn war wie vernebelt. Vier Jahre und neunzehn Tage... Noch einen Moment, und er würde verrückt...

Doch plötzlich hob Annette den Kopf, lächelte ihn an und rollte zur Seite. Fred hatte das Gefühl, in Eiswasser zu fallen.

»...Ehrlich! Ich hab keine Ahnung, wie ich mich bei dir bedanken soll...!« Sie langte nach einer Packung Zigaretten.

»Na ja...«, Fred grinste verstört, dann breitete er linkisch die Arme aus, »...ich hätte da schon 'ne Idee...«

Doch Annette lachte nur. »...Du glaubst nicht, wie oft ich daran gedacht habe, was du für uns getan hast. So wäre keiner gewesen!« Sie zupfte eine Zigarette aus der Packung und schnippte ein Feuerzeug an. »...Und ich konnte nicht mal damit angeben...«, sie blies den Rauch zur Decke und blinzelte verschmitzt, »...einen echten Helden zum Freund zu haben!«

»Ach, Held...« Fred sah auf ihren spitzen Busen, der sich durch das enganliegende T-Shirt drückte. Er langte nach ihrem Arm und wollte sie zurück auf die Matratze ziehen. Doch wieder lachte Annette nur und blieb, wo sie war. »...Ich freu mich so, daß es vorbei ist, daß du endlich draußen bist!«

»Ja...«, Fred kratzte sich am Kopf, dann fiel ihm der bekotzte Overall wieder ein, und während er kurz an sich heruntersah, mußte auch er lachen, »...Mann, I understand! Das sieht ja wirklich widerlich aus!«

»Ich hab dir frische Kleider besorgt«, Annette deutete zur Fensterbank, »wie wär's, du duschst erst mal, und ich mach uns ein tolles Frühstück?«

»Mit 'ner tollen Flasche Sekt?«

»Wenn du willst.«

»Ich hab 'ne Menge nachzuholen!«

Sie standen auf, und während Fred den Overall abstreifte, legte ihm Annette ein Handtuch auf die Matratze, ging zum Tresen und nahm ihr Portemonnaie. Über die Schulter fragte sie: »Möchtest du was Bestimmtes? Schinken, Cornflakes, irgendwelche Brötchen?«

Fred trat hinter sie und schlang seine Arme um ihren Oberkörper, daß seine Hände auf ihrem Busen landeten. In einem Ton, der lustig sein sollte, sagte er: »Pfirsiche...«

Doch diesmal lachte Annette nicht. Genervt machte sie sich von ihm los. Fred erschrak.

»...Hey, it's me: Fred – der mit den schlechten Witzen!«

Fred lächelte vorsichtig. So schlecht, daß sie schon wieder gut waren! Früher war das sein Markenzeichen gewesen.

»...Muß ich wohl vergessen haben.« Annette lächelte zurück, aber es kostete sie offensichtlich Mühe.

»Ich zeig dir jetzt das Bad. Das Wasser ist hier übrigens manchmal ziemlich kalt...«, und versöhnlich, »aber kalt duschen soll ja hin und wieder gut sein...«

Während Fred das lauwarme Wasser über den Kopf sprudelte, überlegte er hin und her. War Annette beleidigt? Sicher, er war etwas unverschämt gewesen, aber nicht mehr als früher. Hatte sein Gestank sie von ihm abgehalten? Oder der Typ auf den Fotos...? Irgendwie lief dauernd vieles anders, als er es sich gedacht hatte. Dachte er falsch, oder lief es falsch? Oder hatte er einfach ein anderes Tempo? ...Wahrscheinlich. Annette brauchte eben 'ne Weile. Und wenn sie erst mal gefrühstückt und ein bißchen geredet hätten... Reden war wichtig, wußte man doch...

Er drehte das Wasser ab, warf sich das Handtuch über und trat zu einem Regal, in dem unzählige Rasierwasser- und Parfumflaschen standen. Normalerweise benutzte er so was nicht. Sein bißchen Bart schnitt er sich hin und wieder mit der Schere, und bei Parfum dachte er an schwarzhaarige alte Weiber mit blondierten Haaren. Aber heute war ein besonderer Tag, und was seinen Duft betraf, hatte er was gutzumachen.

Er schnüffelte an verschiedenen Flaschen und entschied sich für etwas Süßes, Blumiges, wie Pudding und Rosen – wenn schon, denn schon. Ungeübt im Dosieren, kippte er sich fast die halbe Flasche über. Wenn Annette jetzt nicht verrückt nach ihm wurde! Und schnell gab er noch einen Schuß zwischen die Beine.

Mit dem Handtuch um die Hüften lief er ins Zimmer zurück. Annette war noch einkaufen. Er zog die Kleider an, die sie ihm hingelegte hatte: braune Cordhose und buntkariertes Hemd. Er betrachtete sich kurz in der Fensterscheibe und fand, er sah aus wie einer dieser Gefängnispsychologen, die ihn immer mit »Mensch, Freddi« angesprochen hatten.

Dann setzte er sich an den Tresen und steckte sich eine Zigarette an. Abwarten, sagte er sich, abwarten und die Dinge auf sich zukommen lassen. Was kam, kam, und was danach kam, bestimmte er...

Annette stellte die Einkaufstüten auf den Tresen und wandte sich schnüffelnd um. »Ist hier irgendwas ausgelaufen?«

›Na, ich jedenfalls nicht‹, dachte Fred, doch für die Art Bemerkung fehlte ihm im Moment der Mut.

»...Ich hab gedacht, ich mach mich 'n bißchen frisch.«

»Bißchen...?! Und außerdem ist das Damenparfum.«

»Ach, ja? ...Ehrlich gesagt, für mich riecht das alles ziemlich gleich. Just a sweety smell.«

Annette lachte und gab ihm einen Kuß auf die Stirn.

»Warum sagst du dauernd irgendwelchen Quatsch auf englisch?«

»Mach ich das?« Fred tat überrascht. Was ihn wirklich überraschte, war das Wort Quatsch. »...Muß mir wohl schon so in Fleisch und Blut übergegangen sein... Hab's im Knast gelernt. Ganz allein, nur mit Büchern. Kannst dir ja denken, wofür.«

»Natürlich, Fremdsprachen sind immer wichtig.«

»...Ja, sicher.«

Er überlegte kurz, ob er jetzt von Kanada anfangen sollte, entschied sich aber, damit noch zu warten. Zeit lassen, nur nichts überstürzen. Dabei legte sich ein leichter Druck auf seinen Magen, mußte wohl vom Hunger kommen.

Er sah zu, wie sich Annette über die Tüten beugte und anfing auszupacken. Hörnchen, Schinken, Lachs und allerhand anderes Zeug landete auf dem Tresen – ein richtiges Festmahl. Fred erzählte vom Essen im Gefängnis und daß es ihm gar nicht schlecht geschmeckt habe, jedenfalls nicht schlechter als bei Oma Ranunkel. Annette fragte, ob sie ihm fehle, und Fred erklärte, das Gefängnis habe in so einem Fall sein Gutes, weil man ja die hinterlassene Lücke nicht sähe und es eigentlich wenig Unterschied mache, ob draußen gelebt oder gestorben würde. Annette schaute ihn eigenartig besorgt an. Fred wechselte das Thema.

»...Was ist eigentlich mit deinem Gesicht?«

»Was soll damit sein?«

»Es ist so... na ja, ziemlich blaß.«

»Puder, was denn sonst?«

»Wegen Pickeln?«

»Bist du dumm?«, Annette sah von einer Packung Lachs auf, »das ist mein Stil.«

»Ach so...?« Fred hatte das Wort Stil bisher nur im Zusammenhang mit Malerei gehört. Aber damit hatte Annettes Gesicht ja auch irgendwie zu tun. Schien inzwischen ein Familienhobby zu sein.

Annette ging in die Küche und kam mit Geschirr und Besteck zurück.

»Ich hab übrigens deine Mutter gesehen...«

Annette warf ihm einen kurzen Blick zu, dann arrangierte sie den Lachs auf einem Teller.

»Ich weiß, mein Vater hat mich angerufen.«

»Ah...« Fred wartete. Sollte das alles gewesen sein? Nach einer Weile sagte er: »Na ja, besonders gesund sah sie nicht aus.«

Wieder warf Annette ihm einen kurzen Blick zu, während sie den Teller beiseite schob und zum Schinken griff. Hatte sie in seinen Augen einen leichten Triumph gesehen? Ihre Familie war immer eine der beliebtesten in Dieburg gewesen. Im Gegensatz zu Freds.

»Glaub ich.«

»Tja...«, Fred zögerte, »...war 'ne ziemliche Überraschung.«

»So.«

»Ich meine, sie hat ja schon immer ganz gerne getrunken, aber... Ist denn irgendwas Schlimmes passiert?«

Annette legte den Schinken auf ein Holzbrett, dann stützte sie die Hände auf den Tresen und sah Fred in die Augen. »Ich möchte nicht darüber sprechen, okay?«

Fred nickte. Nicht über etwas reden wollen, was einem nicht paßte, kapierte er gut.

»Tut mir leid, wollt's nur gesagt haben.«

Annette verteilte das Besteck. Dabei hatte sie die Lippen zusammengekniffen, und Fred überlegte, wie er die Stimmung wieder aufheitern konnte. Schließlich sagte er lachend: »Dafür war Gipskopf ganz der alte!«

Bei diesem Thema konnte er nichts falsch machen: Je fester auf Herrn Schöller, Annette um so lieber.

»Ich kann mich zwar nicht dran erinnern, aber irgendwann muß ich ihm mal was wirklich Schlimmes angetan haben. Vielleicht stand er hinter mir, und ich hab ihm aus Versehen ins Gesicht gefurzt.«

Fröhlich schob er sich eine Lachsscheibe in den Mund, doch zu seiner Überraschung blieb Annettes Miene unverändert. Er hielt im Kauen inne, dann schluckte er den Lachs langsam runter und fuhr sich über den Mund. »...Darüber auch nicht?«

»Jetzt hör mal zu«, Annette wischte sich die Finger an der Hose ab und griff nach Zigaretten, »ich weiß nicht, warum du glaubst, es ginge dich so viel an, aber wenn du schon über meine Eltern reden mußt, dann solltest du wenigstens darauf Rücksicht nehmen, daß mein Vater es jetzt bestimmt nicht einfach hat!«

Fred starrte sie mit offenem Mund an. Was war denn nun los?

»...Hat er doch noch nie gehabt.«

»Sehr witzig! Jedenfalls habe ich in den letzten Jahren gelernt, was er für ein großartiger Mensch ist.«

Worin Gipskopf nicht alles Unterricht gab.

»...Wahrscheinlich verstehst du das nicht, aber er hält die Familie zusammen. Ihm ist es zu verdanken, daß wir uns wenigstens zwei-, dreimal im Jahr sehen.«

Fred verstand tatsächlich nicht.

»Und was macht ihr dann? Mit der Mutter einen heben?«

Annettes Ausdruck verhärtete sich kurz, dann griff sie mit resoluter Bewegung in die Tüte und zog ein Netz Orangen raus.

»...Reden wir über was anderes!«

Eine halbe Stunde später hatte Annette Kaffee gekocht und Eier gebraten, sie saßen am Tresen, und Annette erzählte, wie ihr Nickel bald nach der Ankunft in Berlin auf die Nerven gegangen war.

»...Ihm wär's am liebsten gewesen, wir wären ins Studentenwohnheim gezogen und hätten unsere Abende bei Peter Weiss und Kerzenlicht verbracht. Und einmal die Woche 'n verpupstes Ratatouille-Essen mit seinen Kommilitonen...«

Fred rührte im Kaffee und machte sich so seine Gedanken. Bisher hatten sie weder über Kanada noch über sein Geld geredet, und noch mal ins Bett gehen würden sie wohl auch nicht. Auf seine Frage, ob der Typ auf den Fotos ihr Freund sei, hatte sie so getan, als sei die Frage Unsinn.

Trotzdem war er glücklich, bei ihr zu sitzen... so glücklich, wie schon lange nicht mehr. Fast, als wäre es egal, wie Annette sich verhielt, denn er hatte auch immer noch seine Annette, die, mit der er vier Jahre in einer Zelle gelebt hatte, mit der seit langem alles geklärt war, die auf gepackten Koffern saß und mit ihm ins Bett ging, wann er wollte.

Er nahm einen Schluck Kaffee und sah zu, wie sich ihr Mund bewegte. Immer noch hatte sie die Angewohnheit, nach jedem Satz kurz die Lippen zu schließen. Vor allem wollte er nicht pampig werden. Und die Wahl der Gesprächsthemen würde er vorerst ihr überlassen.

Zwischendurch steckte immer öfter einer der Sonnenbrillenträger den Kopf durch die Tür und gab Annette Anweisungen, irgendwen anzurufen. Dann verschwand sie für zehn Minuten und kam mit einem jedesmal nervöser werdenden Zug um den Mund zurück.

»Tut mir leid, aber wir stecken mitten in der Vorproduktion, und ich kann mir jetzt nicht frei nehmen.«

»Ist doch klar.« Fred nickte ihr zu, während sie am Tresen vorbei zum Regal ging. Wenn sie weg war, sah er aus dem Fenster oder spielte mit Essensresten, wenn sie kam, steckte er sich Zigaretten an und schaute aufmerksam.

»Was denn für 'ne Vorbereitung?«

Annette nahm einen Aktenordner und begann, suchend darin zu blättern. »Ein Film über Identität und Herkunft.«

»Hmhm... Klingt spannend. Und um was geht's da?«

»Um einen Jungen, der in einem fremden Land aufgewachsen ist und trotzdem seine deutschen Wurzeln behalten hat. Das Volk als Familie. Ein philosophischer Film, aber mit viel Handlung.«

»Aha«, Fred erinnerte sich vage, daß er diese Geschichte schon mal irgendwo gehört hatte, »das scheint ja jetzt 'ne Mordssache zu sein... Sogar im Knast haben viele auf einmal angefangen, von Volk und, äh... I-den-ti-tät zu reden. Sehr wichtig – fand ich auch...«

Er zog an der Zigarette und suchte nach einem schlauen Satz, einem, der Annette von ihrem Ordner aufschauen ließe, vielleicht sogar bewundernd. Wenn sie das Thema nun mal interessierte.

»Aber irgendwie komisch, daß oft dieselben Leute nicht mal das bißchen Volk ausstehen konnten, was ihr Zellennachbar war. Ich meine, das ist doch unlogisch?«

»Hm-hm«, machte Annette, während sie einige Seiten aus dem Ordner löste.

»Aber wahrscheinlich«, fuhr Fred fort, »ist das im Knast

auch was anderes. Da redet man über so was mehr aus Langeweile. Nation, Heimat – man muß sich ja mit irgendwas beschäftigen. Also, wenn Frauen dagewesen wären, ich glaube nicht, daß sich dann noch wer um Deutschland geschert hätte...«

Er blies den Rauch geräuschvoll aus und linste erwartungsvoll zu ihr rüber. Doch Annette blieb mit dem Ordner beschäftigt.

»Ich finde«, sagte er mit bedächtiger Stimme, »Volk ist so 'n präziser Begriff wie Obst.«

Und tatsächlich: Annette sah auf. »In der Küche sind Weintrauben, wenn du magst.«

Immer mehr und immer neue Männer und Frauen schauten herein, redeten in seltsamen Kürzeln, baten, befahlen, scheuchten, und bald kam Annette nur noch ins Zimmer, um zu sagen, sie werde gebraucht und in der Ecke lägen Zeitungen.

Mittags schlug sie vor, einen Kebab essen zu gehen. »Kennst du das?« fragte sie, und Fred schüttelte den Kopf: Normal, daß sie als Neuberlinerin ein bißchen angeben wollte. Ebensogut hätte sie ihn fragen können, ob er wisse, was ein Paßbildautomat sei.

Während Annette ihm am Imbißtisch über das »Berliner Flair«, über das »interessante Menschengemisch« und über ihr immer wiederkehrendes »urbanes Lebensgefühl beim Biß in einen Kebab« erzählte, betrachtete Fred die rosa Preßfleischstreifen und dachte an Fingernägel. In der Konsistenz erschien ihm der Unterschied zur Currywurst gering. Ob Berlin eine einzige Sättigungsmasse hatte, aus der jeder schnipselte, was ihm gefiel? Das Kebabfleisch im

Frankfurter Bahnhofsviertel hatte jedenfalls anders ausgesehen. Er kaute mißtrauisch.

»Als ich letzte Weihnachten in Dieburg war, habe ich zum ersten Mal gemerkt, wie wenig Ausländer dort sind. Es hat mir richtig was gefehlt.«

Der Wirt, ein junger Kraftprotz mit Muskel-T-Shirt und Ohrring, lehnte sich über die Theke und rief: »Sach mir, wenn ick die Dinger zum Mitnehmen fertich machen soll, okay?«

Annette nickte lächelnd, und der Wirt verzog sich mit einer Heavy-Metal-Zeitung in einen Sessel.

»So nett«, sagte Annette leise. Und Fred, ebenso leise: »Aber komisch, daß sie nach so langer Zeit immer noch kein richtiges Deutsch sprechen...«,. worauf Annette ihn verständnislos ansah.

Eine unangenehme Pause entstand. Fred überlegte, ob er den Witz erklären sollte, und wunderte sich. Wenn sie seine schlechten Witze nicht mehr mochte, kein Problem, die waren auch in Dieburg nicht immer angekommen – aber die guten nicht mehr kapieren...?

»...Ich wollte nur sagen, was so alles unter Ausländer läuft...«

»Schon gut, Fred!« Annette sah ihn scharf an. »Damit das klar ist: solche Scherze nicht in meiner Gegenwart!«

Fred schaute verblüfft. »...›Solche Scherze‹? Was für ›solche‹?«

»Du weißt genau, was ich meine. Kann mir schon denken, wie im Gefängnis darüber geredet wird.«

»Über was?«

»Stell dich nicht dumm! Über Ausländer natürlich.«

»So? Wie denn?«

»Weiß man doch. Türkenwitze und so.«

»Aber ich hab doch was ganz...« Fred brach ab. Verwirrt wich er ihrem Blick aus.

»Du hast ja wohl mitgekriegt, was zur Zeit in Deutschland los ist – und natürlich nicht nur in Deutschland. Solche Witze gehören sich einfach nicht, in Zukunft solltest du damit etwas vorsichtiger sein.«

Fred hatte das Gefühl, Irrsinn regne über ihn.

»Du hast mich nicht verstanden: Ich hab...«

»Bitte«, Annette beugte sich vor und zischte, »laß uns nicht ausgerechnet *hier* darüber streiten!«

Fred sah sie mit großen Augen an, dann nickte er leicht und murmelte kaum hörbar: »Da hat man schnell 'n Dolch im Rücken, hier im original Kameltreiber-Zelt.«

Und diesmal mußte Annette doch lächeln. Sie hatte nur ›Dolch‹ und ›Kameltreiber‹ aufgeschnappt, und trotz – oder gerade wegen – besserer Vorsätze übten diese Worte nach wie vor einen sinnlichen Reiz auf sie aus.

Jetzt verstand Fred endgültig gar nichts mehr. Die schlechten Witze nicht mögen, die guten nicht kapieren, aber sich über Blabla amüsieren...?

Er wollte weg, raus aus dem Imbiß.

»Zahlen wir?«

»Ich zahle«, sagte Annette, und Fred stellte sich vor, sie hätte Angst, er könne als Bezahlung sein Einwegfeuerzeug zum Tausch anbieten.

Der Wirt packte die Kebabs in Silberfolie, sagte »Byebye«, und sie machten sich auf den Weg zurück in die Wohnung. Der Himmel war grau, und erste vereinzelte Tropfen kündigten Regen an. Annette fragte Fred übers Gefängnis aus. Er erzählte ihr erfundene Geschichten von Knastrevolten, selbstgebastelten Pistolen und verführten Sozialarbeiterinnen, und blieb seinem Motto, keine traurige Figur abzugeben, treu. Mit den Gedanken war er woanders. Bei bestimmten Witzen verstand Fred keinen Spaß. Sie waren sein – wie hatte das im Chemieunterricht geheißen? – Lackmuspapier. Bei Annette hatte es sich grau verfärbt.

»...Da müßtest du mal mit Carlo drüber reden. Gefängnis und solche Themen interessieren ihn sehr. Vielleicht macht er 'n Film draus«, sagte sie und nickte Fred aufmunternd zu.

Inzwischen war es für Annette beschlossene Sache: Sie würde sich von Freds Auftauchen nicht aus dem Rhythmus bringen lassen. Wenn er wollte, konnte er einige Tage bei ihr bleiben, sich Berlin angucken, und sie würde ihm abends ein paar Tanzclubs und Bars zeigen. Mancher von ihren Freunden würde ihn für eine Weile vielleicht sogar originell finden.

Am Nachmittag saß Fred auf einem Barhocker am Fenster, trank Bier und sah durch die regenverlaufene Scheibe. Aus dem Nebenzimmer tönten Opernarien. Annette arbeitete. Am Abend, hatte sie gesagt, finde ein Fest statt, und sie müsse sich um einige Leute kümmern, aber zwischendurch habe sie Zeit für ihn.

Fred hatte sich vorgenommen, noch vor der Party über Kanada und sein Geld zu sprechen. Dabei hütete er sich vor jeder Vorahnung.

Im Gefängnis hatte er gelernt, auf Ahnungen nichts zu

geben. Ebensowenig wie auf Hoffnungen, Erwartungen oder sonstwas in der Richtung. Zu oft war er damit in der ersten Zeit auf die Schnauze gefallen. Solange etwas nicht gemacht, unter Zeugen gesagt oder unterschrieben war, brauchte man keinen Gedanken daran zu verschwenden, im guten wie im schlechten. Bis jetzt, und solange nicht klipp und klar etwas anderes gesagt würde, stand die Abmachung, daß Annette, Nickel und er zusammen nach Kanada gingen. Sollte es einen Haken an der Sache geben, würde er sich erst damit beschäftigen, wenn er nicht mehr zu übersehen war.

Um sich die Zeit zu vertreiben, hockte er sich neben den Stapel Zeitungen in der Ecke und blätterte Theatermagazine und Filmillustrierte durch. Dabei fiel ihm ein Brief in den Schoß. Er las den Absender, dann horchte er einen Moment zur Tür und zog vorsichtig das gefaltete Papier aus dem Umschlag.

Mein liebes Annele,

Mutti geht es besser. Manchmal sitzt sie schon wieder im Garten. Beide sind wir sehr stolz auf Dich und Euren Film. Das ist wirklich ein äußerst interessantes Thema. Und nun zu Deinem Geld: Solltest Du Dich tatsächlich mit einem Teil an den Filmkosten beteiligen wollen, müßten wir irgendwann im Sommer zusammen in die Schweiz fahren, anders geht es nicht. Überleg es Dir noch mal gut – Du weißt, ein Film ist immer ein Risiko. Bis bald, Dein Dich liebender Vater, der immer wieder glücklich ist, daß wir uns nach dornigen Zeiten endlich so gut verstehen.

PS: Hoffmann kommt demnächst frei. Sieh Dich vor!

Fred starrte auf die säuberliche Tintenschrift. Sieh dich vor! – die Worte schienen sich aus dem Text zu lösen und ihm entgegenzuspringen. Sieh dich vor, sieh dich vor... Etwas schnürte sich um seine Brust.

Er stand auf und ging, den Brief in der Hand, zum Tresen. Er steckte sich eine Zigarette an und las ihn noch mal. »Donnerwetter!« sagte er leise. Der glückliche Herr Schöller, das liebe Annele... Jetzt verstand er Annettes Wandel. Gipskopf verwaltete ihr Geld – da fing die Freundschaft an! Wie hatte Gipskopf gesagt? Er, Fred, würde Annette in Schweinereien reinziehen. Aber den Lohn der Schweinereien auf ein Schweizer Konto schaffen! Und noch mal sagte Fred leise und fassungslos: »Donnerwetter!«

Er las den Brief ein drittes Mal, dann schob er ihn zurück in den Umschlag und steckte ihn in seine Hosentasche. Eine Weile lief er manisch im Zimmer auf und ab und begann, sich mit neuen Umständen vertraut zu machen, noch ohne zu wissen, was sie genau bedeuteten. Nur eins war klar: Annette ließ sich von ihrem Vater vor ihm warnen und schwieg darüber. Und das war keine Vorahnung, das war Tatsache.

Fred blieb am Fenster stehen und sah hinaus auf Regenschirme und verschwommene Leuchtreklamen. Familie Schöller erschien ihm plötzlich wie eine einzige Verschwörung, wie Verräter, Feinde, ein gegnerisches Team. Und sein Team...? Ihm fiel sein Vater ein.

»Leute, die eine Doppelhaushälfte, fünf Zeitungsabonnements und ein griechisches Stammlokal mit Duz-Kostas haben – da gibt's kein Erbarmen. Mich hassen sie, weil ich mir den Namen unseres Bürgermeisters nicht merken kann und mir saurer Regen Wurscht ist – jede Art von Regen ist beschissen.«

Tatsächlich war Freds Vater für Schöllers immer wieder

Anlaß zur Aufregung gewesen. Einmal hatte er Frau Schöller im Supermarkt vor allen Leuten angeherrscht, was ihr einfiele, Fred Kästner vorzulesen, schließlich seien Bücher in diesem Alter prägend, und er wolle kein moralinsaures Muttersöhnchen zum Sohn. Ein andermal hatte er ihnen zehn Kilo Honig geschickt und dazu geschrieben: »Für Fred, der sich ja oft bei Ihnen aufhalten soll. Wenn er Ihnen etwas abgeben will, ist es mir recht.« Woraufhin Herr Schöller seinen Vater ein unsoziales Subjekt genannt hatte, und unsozial war im Hause Schöller so ziemlich das schlimmste Schimpfwort gewesen.

»Mach dir nichts draus, Kleiner, unsozial ist nur so ein Wort, wenn sie nicht mehr weiterwissen.«

Aber Fred hatte sich was draus gemacht. Am meisten hatte ihn Vaters Meinung über Frau Schöller geärgert. Die sei die Schlimmste, hatte er gesagt, weil sie klüger sei als das, was sie lebe. Von intelligenten Leuten könne man wohl verlangen, daß sie sich ein wenig breitmachen.

»Aber das erlaubt der Verein nicht. Wer zu groß wird, kommt in den Spucknapf.«

Fred sah zu, wie ein Auto hielt, und hörte es hupen. Er wischte die Erinnerungen an seinen Vater beiseite und überlegte, wie er mit Annette reden sollte. Er ging zum Tresen und öffnete ein Bier. Dabei merkte er, wie seine Hände zitterten.

Plötzlich öffnete sich die Tür einen Spalt, und Fred fuhr zusammen.

»Süße, kommst du mal bitte!« rief eine männliche Stimme. Dann wurde der Spalt breiter, und einer der Sonnenbrillenträger steckte den Kopf herein. Fred seufzte.

»Keiner da?« fragte der junge Mann, dann erkannte er Fred. »Ach...«, er grinste, »den letzten Abend gut überstanden?«

Fred zuckte die Schultern. Der Mann trat ins Zimmer. Er war um die dreißig, trug einen hellen Anzug und braune Schuhe mit Lochmuster. Sein Gesicht war glatt und sauber wie eine Badezimmerkachel.

»Ich fand's lustig«, sagte er, »wie war noch mal der Name?«

»Fred.«

»Tag, Fred.«

»Tag, Süßer.«

Der Mann stutzte.

»...Bist du Annettes Freund oder so was?«

Fred antwortete nicht. Der Mann rollte die Lippen ein und musterte ihn interessiert. Plötzlich schien er eine Erleuchtung zu haben. Er beugte sich vor und ließ mit großer Geste den Zeigefinger auf Fred zuschnellen.

»Meeensch! Du bist doch genau der Richtige für den traurigen Neonazi! Na klar!« Der Mann kam auf ihn zu und polterte mit eisenbeschlagenen Sohlen um ihn herum. »Spitze! Du spielst den Rüdiger!«

»Bin kein Schauspieler.«

»Völlig egal...« Er blieb vor Fred stehen, bildete mit den Fingern beider Hände ein Quadrat und sah Fred durch das Loch mit einem Auge an. »...Das machen wir schon. Beim Film ist das nicht so wichtig.«

»Ich meine, ich will auch keiner sein«, sagte Fred und fragte sich, was Brille da spielte.

Der Mann ließ die Hände sinken, »Was...?«, und obwohl

Fred durch die schwarzen Gläser keine Augen sah, spürte er ihren ungläubigen Blick.

»...Du weißt nicht so genau, wie's beim Film zugeht, und hast 'n bißchen Angst, hm?«

»Ja«, knurrte Fred, darum bemüht, den Kerl wieder aus dem Zimmer zu bekommen, »Aids zu kriegen!«

»Bitte...?!« Der Mann legte überrascht den Kopf zur Seite, und Fred fragte sich, ob er die Brille vor einer Prügelei abnehmen würde.

Doch statt dessen sagte der Mann fröhlich: »...Noch besser: Du mußt Rüdiger gar nicht spielen, du *bist* Rüdiger! Erzähl mal 'n bißchen: Schwule kannst du nicht leiden, Ausländer raus – genier dich nicht. Bist aus 'ner Kleinstadt, oder? Seh ich dir doch an. Bist ein durchschnittlich begabter junger Mensch, denkst vor allem an dich und dein kleines Leben, willst nicht viel, aber das unbedingt... Unterbrich mich, wenn ich was Falsches sage.« Er hielt kurz inne und machte eine einladende Geste. Fred rührte sich nicht. Was Ausländer betraf, schien er heute ja ein beliebter Ansprechpartner zu sein.

»...Jedenfalls bin ich der letzte, der das nicht versteht. Im Gegenteil: Ich halte eine rechte Einstellung in den meisten Fällen für völlig natürlich, um nicht zu sagen: zwangsläufig. Links sein ist was für reiche Schnösel, die sich's leisten können, ›Ausländer rein‹ zu rufen, weil sie außer ihrer polnischen Putzfrau gar keine Ausländer kennen – nicht wahr? Ich weiß, was du denkst: Du denkst, ich will dich aufs Glatteis führen, denkst, ich wär selber so 'ne linke Zecke. Keine Sorge: Ich bin gar nichts. Ich beobachte nur und versuche zu begreifen. Alles Menschliche interessiert mich. Und was ist menschlicher, als ein paar Dahergekommene zu hassen, die einem das Leben schwermachen?«

»Da is was dran«, sagte Fred, »wie wär's, Sie verschwinden jetzt mal?«

Der Mann spitzte die Lippen, dann schüttelte er enttäuscht den Kopf. »Ich würd's mir an deiner Stelle überlegen: Vielleicht ist das deine Chance!«

Jetzt schüttelte Fred den Kopf. »Es ist Ihre Chance – zu verschwinden, meine ich.«

Der Mann kniff amüsiert ein Auge zusammen. »Du hältst dich für 'n harten Jungen, was?«

»Für Sie reicht's.«

»Na, na! Wir sind doch nicht mehr auf'm Schulhof!«

»Scheint mir aber gerade so. Sind Sie Lehrer?«

Zum ersten Mal geriet der junge Mann aus der Fassung. »Wieso Lehrer?!«

»Nur Lehrer quatschen so.«

»Lehrer – so ein Unsinn!«

So plötzlich der Mann Fred in Beschlag genommen hatte, so plötzlich wandte er sich jetzt von ihm ab. »Von wegen Lehrer!« Es schien ihn wirklich zu kränken. Kurz vor der Tür drehte er sich noch mal um: »Du hättest die Rolle haben können! Immer wieder schade, wie wenig die Leute im Leben wollen!« und polterte hinaus.

Also doch 'n Lehrer, dachte Fred.

Die Tür blieb offen, und in unregelmäßigen Abständen liefen Leute mit technischen Geräten oder Aktenordnern vorbei. Satzfetzen schwappten ins Zimmer.

»...Würd gerne mal einen Film machen, wo gar nichts drin vorkommt, aber gut geschnitten...«, »...höchstens zwanzig, mehr Freunde habe ich nicht...«, »...Kunst und Leiden gehören nun mal zusammen...«, »...Ich stell mir eine irre Geschichte über einen Mann vor – etwa so alt wie ich –, der beim Film arbeitet und sich in die Assistentin verliebt...«, »...Säßen wir mal wieder zwischen allen Stühlen...«, »...Wie eine große Familie...«, »...Ich finde, niemand hat die Tragik einer Sechs-Zimmer-Wohnung so erfaßt wie Botho Strauß...«, »...Nicht umsonst haben Kunst und Mut fast dieselben Buchstaben...«, »...In der Volksbühne machen sie jetzt eine Performance, daß auch Nazischeiße im Winter gefriert...«, »...Donnerwetter!...«, »...Und geil riecht...«, »...War Auschwitz nicht auch nur Rock 'n' Roll? Gegen die Väter, die Reichen, die Mächtigen? Und gleichzeitig die Suche nach Wärme und Geborgenheit?...«, »...Ich hasse nun mal weiße Strümpfe, und ich hab ihn nur gebeten, beim nächsten Dreh dunkle Strümpfe anzuziehen...«, »...Bist eben ein Querdenker...«

Irgendwann kam Annette um die Ecke gefegt. Ihre Locken hingen ins Gesicht, und die Blusenärmel waren hochgekrempelt.

»Alles in Ordnung?« fragte sie, während sie zum Regal lief und ein Buch herauszog. »Ich bin bald fertig, dann gehen wir mit Carlo und den anderen was trinken, okay?«

Fred rutschte vom Hocker. Er schüttelte die Beine aus und ging zögernd um den Tresen herum. Er räusperte sich. »...Hör mal, Annette, ich glaube, wir sollten mal 'n paar Dinge klären.«

Sie klappte das Buch zu und lächelte. »Versteh schon, ist nicht besonders lustig für dich, aber dann...«

»Nein, nein, ich meine...« Fred blieb stehen und legte die

Hände auf den Tresen. Sein Herz pochte. »...Sag mal, erinnerst du dich noch an Kanada?«

»Kanada?«

»...Ja, wir hatten doch geplant...«, Fred fuhr sich mit der Zunge über die Lippen, »weißt du noch, vor dem Überfall?«

»Ach das...«

Doch plötzlich weiteten sich Annettes Augen, und einen Moment verharrte sie sprachlos. Dann legte sie, ohne den Blick von Fred abzuwenden, das Buch langsam zurück ins Regal.

»...Das meinst du doch nicht ernst?!«

»Na ja... Immerhin war's so abgemacht, oder?«

»Aber Fred...!« Annette schüttelte den Kopf, als wolle sie einen Albtraum verscheuchen. »Das ist Jahre her!« Sie ging zur Fensterbank und rupfte eine Zigarette aus der Packung.

»Hmhm.« Fred sah auf seine Hände. Sein Gesicht war bleich geworden. Verzweifelt versuchte er einen Gedanken zu fassen. Sein Gehirn war wie Marmelade. Wieviel er auch in der letzten Stunde kapiert, oder zu kapieren geglaubt hatte, die Möglichkeit eines so klaren und eindeutigen Endes war in seinen Überlegungen nicht vorgekommen.

»...Wie hast du dir das vorgestellt? Ich meine... Wie kommst du auf die Idee, ich könnte nach Kanada wollen? Siehst du nicht, wie ich lebe, wie ich arbeite?« Sie ließ ihr Feuerzeug aufschnappen.

»Ja... aber...« Fred preßte die Hände gegen die Tresenkante.

»Und meine Arbeit macht mir Spaß, sie ist genau das, was ich mir immer gewünscht habe.«

Fred nickte, ohne sie anzusehen. Ja-aber, Ja-aber kreiste es durch die Marmelade. Was konnte er sagen? Daß sie trotzdem mitkommen müsse? Daß er vier Jahre an sie geglaubt und auf sie gezählt habe? Daß er für sie in den Knast gegangen sei und sie darum jetzt für ihn ihre Arbeit aufgeben solle...? Und wie würde sich das anhören? Wie Magic Hoffmann...?

»Also, Hoffmann: Dir ist doch wohl klar, daß jeder in Dieburg weiß, wer deine Kumpel waren, und ob du den Mund hältst oder redest, macht für die beiden keinen Unterschied – wir kriegen sie sowieso. Aber für dich macht es einen Unterschied. Und zwar etwa zwei bis drei Jahre...«

Der Kommissar blieb am offenen Fenster stehen und deutete hinaus auf die Straße. Die Sonne schien auf kleine Geschäfte und Konditoreien, auf Leute in hellen Kleidern und eine Caféterrasse mit fröhlichen Gesichtern über Bier und Eiscafé.

»...Schau's dir genau an, Hoffmann. Im Gefängnis wirst du so was lange Zeit nicht zu sehen kriegen.«

Fred zuckte die Schultern. »Wenn's nur darum geht, die Dieburger Fußgängerzone nicht mehr zu sehen, nehm ich gerne noch 'n Jahr extra.«

Der Kommissar schüttelte seufzend den Kopf. »Du weißt nicht, was du redest. Wie alt bist du? Zwanzig!«

Er ging zu Fred und beugte sich zu ihm hinunter. »Das sind deine besten Jahre, die du hier einfach so wegschmeißen willst! Und warum? Weil du mal in irgendeinem alten Film von so was Idiotischem wie Gaunerehre gehört hast! Diese Ehre wirst du dir sonstwohin stecken, wenn du erst mal ein paar Monate hinter Gittern gewesen bist, und zwar vierundzwanzig Stunden am Tag, während deine sogenannten Kumpel irgendwo in der Sonne sitzen, deinen Anteil ausgeben und sich über deine alberne Treue kringelig lachen!«

»Ich glaub eher, Sie haben den alten Film gesehen, Kommissar.«

»Du versaust dir dein Leben!«

»Davon verstehen Sie was, hm? Wie lange hängen Sie denn schon in Dieburg rum?«

Der Kommissar schloß die Augen, dann wandte er sich ab und begann erneut, im Zimmer auf und ab zu gehen.

»...Ich weiß nicht warum, aber ich mag dich, Hoffmann. Und ich würde es schade finden, dich vier Jahre lang Wäscheklammern oder irgendeinen anderen Dreck zusammenbauen zu sehen... Was könnte aus dir alles werden!«

»Sie meinen zum Beispiel 'n Verräter?«

Der Kommissar blieb wütend stehen. »Ich meine einen jungen Mann, der Spaß am Leben hat! In ein, höchstens eineinhalb Jahren wärst du wieder draußen!«

»...Außerdem merkst du doch selbst, daß wir uns...na ja, verändert haben.«

»Ja...«, Fred sah auf und lächelte verstört.

Er mußte sich zusammenreißen! Jammern und Schimpfen nützte nichts, das würde die Sache nur schlimmer machen. Er mußte Annette zeigen, wer er war! Und wenn die Welt zusammenkrachte, er würde nach Kanada fahren!

Er gab sich einen Ruck und sagte viel zu laut: »Okay! Bleibt noch mein Geld.«

Annette schaute einen Moment, als wisse sie nicht, wovon er sprach. Mit einem Schlag war das Verstörte aus Freds Augen verschwunden. Ehe Annette antworten konnte, wiederholte er: »Mein Geld!«, in einem Ton, der sie zusammenzucken ließ.

»Aber das weißt du doch, Nickel hat's.«

»Woher soll ich das wissen?«

»Ich dachte, Nickel hätte es dir geschrieben.«

Fred dachte kurz an Nickels Wie-geht's-dir-mir-geht's-gut-Postkarten.

»...Er wollte es gewinnbringend anlegen – kennst ihn ja. Er hat bestimmt das Beste für dich rausgeholt, und er hat gesagt, er macht es so, daß du's jederzeit abholen kannst...«, und mit bemühtem Lächeln und einer Geste gen Zimmerdecke, »Wer weiß, vielleicht bist du jetzt schon Millionär!«

Fred öffnete den Mund, als wollte er etwas loswerden, behielt es aber für sich. Er starrte Annette verbissen an, und eine Weile standen sie sich schweigend gegenüber, jeder an einem Tresenende.

»...All right«, sagte er schließlich, »dann ist ja alles klar. Wo wohnt Nickel?«

Annette betrachtete ihn immer noch ungläubig. Langsam löste sie sich vom Tresen, ging zum Schreibtisch, drückte seufzend die Zigarette aus und nahm einen Stift. Während sie Nickels Adresse und Telefonnummer aufschrieb, ging Fred zum Bett und rollte seinen bekotzten Overall zusammen.

»...Willst du nicht wenigstens zu unserem Fest heute abend bleiben?«

»Keine Zeit.«

»Aber Fred... Wir haben uns doch noch gar nicht richtig gesehen und...« Sie hielt inne.

»Kannst mich ja in Kanada besuchen kommen. Jetzt muß ich mich beeilen.« Fred nahm ihr den Zettel mit Nickels Adresse aus der Hand, steckte ihn ein und zupfte an seinem Hemd. »Die Kleider bring ich vorbei, bevor ich fahre.«

Als er sich zur Tür wandte, hielt Annette ihn am Arm fest. Fred widerstand dem ersten Impuls, ihre Hand abzuschütteln. Ihr Blick war jetzt fast zärtlich und gleichzeitig traurig. Offenbar wollte sie Fred nicht einfach so gehen lassen – oder jedenfalls nicht, daß es so aussah, als würde sie ihn einfach so gehen lassen. Fred ließ ihr seinen Arm wie ein Stück Holz.

»Warum hast du denn dann nie etwas von Kanada geschrieben?« fragte sie.

»Auch das war abgemacht: kein Wort über unsere Pläne.«

»Aber während der ganzen vier Jahre!«

»Ich hab mir die Anzahl nicht ausgesucht.«

Annette ließ seinen Arm nicht los. Fred kannte das von Sozialarbeitern und kleinen Dealern. Wenn sie merkten, daß sie nicht mehr weiterwußten, tatschten sie einen an. Dabei wurde Annettes Miene immer gefühlvoller. Wahrscheinlich überlegt sie, was sie heute abend anziehen soll, dachte Fred.

»...Und du meinst das wirklich ernst mit Kanada?«

»For sure.«

»Und was willst du dort machen?«

»Mal sehen. Erst mal hab ich Geld, und später... Vielleicht kauf ich mir 'ne Apfelplantage und mach Wein. Glaub nicht, daß Apfelwein besonders bekannt ist in Kanada.«

»Apfelwein…?!«, Annette starrte ihn mit offenem Mund an, »…du willst nach Kanada, um Apfelwein zu pressen?!«

»Ist das verboten?«

»Aber, Fred… Apfelwein! Und ausgerechnet jetzt! Ich meine, wo hier so viel los ist?«

»Wo ist was los?« Fred zog seinen Arm weg.

»Aber alles ist doch neu: das Land, die Leute, die Politik – alles ist im Umbruch. Willst du denn davon nichts mitkriegen? Deutschland ist der Mittelpunkt der Welt!«

Ging das schon wieder los!

»Für wen?« fragte Fred.

»Na, für… für viele – für uns jedenfalls…«

Fred erwiderte nichts. Annette lächelte mütterlich. Dann schüttelte sie den Kopf. »Also wirklich: Apfelwein in Kanada! Das ist doch verrückt! Halb Hessen macht Apfelwein, da kannst du genausogut in Dieburg bleiben.«

»Kann ich deshalb eben genau nicht. Aber das verstehst du nicht«, Fred wandte sich ab, »also, dann…«

Auf dem Weg zur Wohnungstür schoben sich zwei mit riesigen Töpfen und Kellen beladene Asiaten an ihnen vorbei. Aus dem hinteren Teil der Wohnung tönte Geschirrklappern und Country-Musik: *Texas is my baby, and if you don't like her, I'll shoot you – maybe…* Annette blieb im Türrahmen stehen, während weitere Asiaten mit Koch- und Putzinstrumenten vorbeiliefen.

»Ruf mich nachher an, wenn du bei Nickel bist.«

»Mach ich«, sagte Fred.

Sie verabschiedeten sich mit einem Kuß auf die Wange, dann drehte sich Fred abrupt um und lief an den buntbemalten Namensschildern vorbei die Treppe hinunter. Zwei Männer in Golfanzügen kamen ihm entgegen, die Sonnenbrillen auf die Stirn geschoben. Ihr Parfum begleitete ihn bis ins Erdgeschoß.

Vor dem Hauseingang prasselte der Regen aufs Pflaster. Aus der Bar mit den verhangenen Schiffsluken drang wieder das Stottern des Kühlschrankmotors, inzwischen hatte sich eine Luftschutzsirene dazugesellt. TANZMASCHINE leuchteten Neonbuchstaben über einer Eisentür.

Noch einmal sah Fred zu Annettes erleuchtetem Fenster hinauf. Er spürte, wie ihm die Tränen kamen. Schnell trat er hinaus in den Regen und beeilte sich, zur U-Bahn zu kommen.

10

Das Café Budapest lag gegenüber vom Bahnhof Zoo. Ein großer, in kleine Sitzrunden aufgeteilter Saal mit stämmigen Holztischen und grün gepolsterten Bänken. Über den Tischen hingen gelbe Lampenschalen. Aus einer Musikbox ballerten Techno-Schlager und vermischten sich mit Gläserklirren, Gemurmel und Spielautomatengeratter. Leute kamen und gingen. Mit ihnen strömten Straßen- und Imbißgerüche ins Café. Durch die verregneten Scheiben sah man im Licht von Neonreklamen und Autoscheinwerfern Reisende zum Bahnhof eilen. Auch an den Tischen saßen viele mit Koffern und Rucksäcken.

Es war kurz nach neun, Fred hatte sein drittes Bier vor sich. Grübelnd saß er über das Glas gebeugt und starrte in den weißen Schaum.

»...kann man den Überfall nur teuflisch sadistisch nennen. Sämtliche unschuldig Beteiligten trugen schwere Handverletzungen davon. Ihnen konnten Teile der Schalterbank erst im Krankenhaus aboperiert werden. Für Hinweise auf die Täter ist eine Belohnung von zehntausend D-Mark...«

»Lächerlich!« Fred wälzte sich vom Fernseher zur Sektkiste. »Zehntausend! Könnten wir ’ne Anzeige schalten, zwanzigtausend für keine Hinweise!«

Nickel fuchtelte mit seinem leeren Glas durch die Luft.

»Weißt du, wieviel Land wir mit dem Geld in Kanada kaufen können?«

»Keine Ahnung.«

»'n paar hundert Quadratkilometer bestimmt. Mit allem Drum und Dran: Seen, Tieren, Wald! Da bauen wir uns 'n Haus drauf und kaufen uns 'n kleines Wasserflugzeug, mehr brauchen wir nicht!«

»Na dann…«, Fred ließ den Korken knallen, »…auf Kanada!«

Fred nahm einen Schluck und wischte sich den Schaum vom Mund. Nickel würde mitkommen! Er hatte Kanada nicht vergessen, auf ihn war Verlaß! Darum hatte er auch seinen, Freds, Anteil aufbewahrt. Annette hätte ihn womöglich in irgendeinen Film gesteckt. ›Freu dich, Fred, Carlo hat mit deinem Geld einen tollen Streifen über gar nichts gedreht.‹ Kein Wunder, daß Nickel von ihr weggezogen war. Er ließ sich von solchem Plunder nicht beeindrucken. Nein, er mußte sich keine Sorgen machen, Nickel hatte Prinzipien, und was er einmal gesagt hatte, galt…!

Zum vierten oder fünften Mal ging er zur Telefonkabine und wählte Nickels Nummer. Wieder nahm keiner ab.

Zurück am Tisch, bestellte er ein weiteres Bier und starrte aus dem Fenster. Der Regen fiel unvermindert. Er sah zu, wie von den Autoreifen Pfützen aufspritzten. Fußgänger sprangen zur Seite. Einen Vorteil hatte die Großstadt: In Dieburg hätte er sich kaum mehr auf die Straße getraut, geschweige denn in eine Wirtschaft. ›Hey, habt ihr schon Fred gesehen? Was 'ne traurige Figur!‹ Und am nächsten Tag hätte es der ganze Ort gewußt…

»Auf Bolle! Prost!«

Gläser klirrten. Fred wandte sich um. Am Nebentisch saß eine heitere Runde zwischen zwanzig und fünfzig. Eine Menge Stiernacken, Lippenstift, Polohemden, Goldkettchen, bunte Brillen und Lackleder-Handtaschen. Alle trugen weiß-rot karierte Baseballmützen mit dem Schriftzug: ›Mein schönster Supermarkt‹.

Ein gebräunter junger Mann, der einzige mit Anzug und Krawatte, stellte das Glas ab und sagte: »Liebe Kolleginnen und Kollegen, ich möchte Sie alle herzlich zu der zwölfprozentigen Umsatzsteigerung im letzten Quartal beglückwünschen. Ich denke, unser Konzept ›Ich bin stolz, ein Bolle-Mitarbeiter zu sein‹ ist voll aufgegangen.«

Einige klatschten, andere klopften auf den Tisch.

»Dieser Abend geht selbstverständlich auf Spesenrechnung. Würstchen und Bier, soviel Sie wollen.«

Wieder Klatschen und Klopfen, einige riefen: »Bravo!«

»Dabei vergessen Sie nicht«, der junge Mann hob den Zeigefinger und lächelte verschmitzt, »Sie laden sich quasi selber ein, denn unser Motto lautet…«, und alle brüllten: »Ob Wurst, ob Milch, ob Suppentüten – mein Anteil steckt drin, den muß ich behüten!«

Die Eingangstür schlug auf, und Fred wandte den Kopf. Seine Augenbrauen hoben sich überrascht: Der gewitzte Rudi, im Schlepptau ein naßgeregnetes junges Pärchen mit Seesäcken. Da hatte sich Rudi die Richtigen ausgesucht! Der Junge mit halblangen leuchtendblonden Haaren und naivem, dicklichem Gesicht wie ein aufgepumpter Engel; das Mädchen mit einem Vorhang buntbeperlter Zöpfchen, aus dem eine beringte Nase und ein unschuldiges, rundes Kinn lugten. Beide steckten in kiloschweren Wanderstiefeln und karierten Stoffjacken mit aufgestickten Herzchen. Tapsig folgten sie Rudi zu einem Tisch in der Ecke und bestellten Bier.

Das Mädchen legte die Beine auf einen Stuhl, und während sich Rudi mit ihr unterhielt, zog der Junge ihre Stiefel aus und begann, ihre Füße zu massieren. Dabei sah ihr Kinn schon weniger unschuldig aus.

»Hier, Kleener! Uff Bolle!«

Ein Glas Schnaps knallte vor Fred auf den Tisch, und einer aus der Feierabendsause gab ihm einen Klaps auf die Schulter. Fred drehte sich um, und sie zwinkerten ihm zu.

»...Sollste doch nich so alleene hocken!«

Fred bedankte sich und stieß mit ihnen an. Eine Frau rief: »Ein Dieb...!« Und alle fielen ein: »...Ein Furz, ein Mohr – bei Bolle bin ick davor!«

Sie kippten die Schnäpse, und der junge Mann im Anzug beugte sich vor. »Nennen Sie mir einen Supermarkt, wo so eine Stimmung herrscht. Das sind keine Angestellten oder Lohnempfänger – das ist eine familiäre Schutz- und Schicksalsgemeinschaft!«

Fred verstand kein Wort, nickte aber höflich. Nicht zuletzt, weil der junge Mann im Rollstuhl saß.

Inzwischen lachten Rudi und das Mädchen in Socken laut, und der Junge zog seinen Gürtel aus. Rudi nahm den Gürtel und betrachtete ihn amüsiert. Dann schaute er auf, und ihre Blicke trafen sich. Rudi winkte freundlich, und Fred nickte zurück.

»...Sacht mir doch neulich so 'ne Alte, dit Datum von sona Würstchendose wär abjeloofen. Sach ick, dit Datum von ihrer Dose is ooch abjeloofen – paßt doch!«

Die Runde lachte, bis der Erzähler, den Blick auf den jungen Mann im Anzug gerichtet, eilig hinzufügte: »Jekooft hat Se natürlich trotzdem. Muß man sich keene Sorjen machen, dit olle Jemüse kann ja nich zur Konkurrenz humpeln.«

Fred zog eine Handvoll Münzen aus der Tasche und suchte nach fünf Mark für den Zigarettenautomaten. Als er dem Kellner ein Zeichen geben wollte, ihm zu wechseln, stand auf einmal Rudis Seesackpärchen vor ihm. Bleich deutete es auf einen Geldgürtel, aus dessen offenem Reißverschluß Klopapier quoll. Die Zöpfe des Mädchens waren jetzt streng hinters Ohr gezurrt und gaben ein schmales, knochiges Gesicht mit fast lippenlosem, giftig gebogenem Mund frei. »Wo ist dein Freund?!« Ihre Stimme war wie klingendes Eisen.

Fred sah zu dem Tisch, an dem sie gesessen hatten und der jetzt leer war.

»Er ist nicht mein Freund.«

»Hat er uns aber gesagt, und du hast ihn gegrüßt!«

Fred schüttelte den Kopf. »Hab im Zug Bier mit ihm getrunken. Ich weiß nicht mal seinen Namen.«

Hinter Fred kam Bewegung auf. Glasschmuckgeklicke, Gläser, die auf Holz landeten, Stühlerücken.

»Du bist sein Partner!« stellte das Mädchen fest.

Fred betrachtete die beiden wie Straßenclowns, »Sein Partner...?«, und winkte an ihnen vorbei dem Kellner, »...Für was?«

»Wir können auch die Polizei rufen!«

Fred verdrehte die Augen. Leute, die an das Wort ›Polizei‹ glaubten wie andere an den lieben Gott, kannte er von früher genug.

Lässig sagte er: »Warum nicht gleich die Armee?«, und vergaß, daß er auf Bewährung war.

Mit einer einzigen schnellen Bewegung trat das Mädchen vor und knallte Fred die flache Hand ins Gesicht. »Gib unser Geld her, du Schwein!« keifte sie, und sämtliche Köpfe im Raum fuhren herum.

Ehe Fred den Schlag noch richtig registriert hatte, packten ihn mehrere Hände von hinten und hoben ihn in die Luft. Seine Arme wurden auf den Rücken gerissen, und jemand nahm ihn in den Schwitzkasten. Fred spürte die feuchte Achsel an der Schulter, und ein sämiger Schweißgeruch stieß ihm in die Nase. Völlig verdattert, wehrte er sich nicht.

»So«, sagte eine Männerstimme hinter ihm, »jetzt mal der Reihe nach.«

»Sein Partner hat sich unseren Geldgürtel angeguckt und war dann plötzlich verschwunden. Im Gürtel war nur noch das da!« Sie riß ein Stück Klopapier ab und warf es Fred ins Gesicht. Langsam geriet er in Panik.

»Wieso Partner?« fragte die Männerstimme.

»Sie haben sich heimlich zugewinkt!«

Zu allem, was das Mädchen sagte, nickte der blonde Junge, als folge er einer Parteitagsrede.

Fred bewegte den Kopf hin und her, bis er seine Kehle einigermaßen freibekam, und röchelte: »Warum bin ich denn dann hier sitzengeblieben?«

»Um unschuldig zu wirken!« fauchte sie ihn an, »das ist ja das besonders Geschickte!«

»Ja, ziemlich geschickt. Aber noch geschickter wär's vielleicht gewesen wegzugehen?«

Der Druck am Hals verstärkte sich.

»Wolln wa ma nich frech wern, junger Mann!«

Fred, der die aufgehobene Bewährung samt Gefängniszelle inzwischen deutlich vor sich sah, brach der Schweiß aus.

Im nächsten Moment trat der Kellner hinzu. Seine barsch gestellte Frage, was passiert sei, entzog Fred für eine Sekunde der Aufmerksamkeit. Mit einem Ruck riß er sich los und rammte seinem Würger den Ellbogen zwischen die Beine. Ein Aufschrei. Fred tauchte nach unten weg und robbte auf eine Lücke zwischen den Beinen zu. Schon fast durch, mußte er nur noch aufstehen und rennen, als sich plötzlich Eisen in seine Rippen bohrte. Er warf den Kopf gerade noch rechtzeitig herum, um den Gummireifen zu sehen, wie er auf seinen Hals zurollte. Während seine Haut unter dem groben Profil zu reißen schien, schob sich ein Zentnergewicht auf sein Genick. Das Gesicht in den abgetretenen Teppichboden gedrückt, legte Fred alle Kraft in den Hals. Jeden Augenblick meinte er, ein leises Knacken zu hören.

»Ein Dieb, ein Furz, ein Mohr...«, skandierte der im leicht gekippten Rollstuhl auf Fred thronende junge Mann im Anzug und machte das Daumen-oben-Zeichen, »...bei Bolle bin ick davor!«

Die Mitarbeiter klatschten. Der einzige, dem das nicht ganz so gefiel, war der farbige Kellner. Und er war auch der erste, der Freds Klopfversuche zum Zeichen der Aufgabe bemerkte.

»Besser, Sie fahren da mal wieder runter, oder wollen Sie ihn umbringen?«

»Na, so weit sind wir ja wohl noch nich!« Der junge Mann schmunzelte und sah noch mal triumphierend in die Runde, ehe er von Freds Hals rollte.

Der Kellner half Fred beim Aufstehen und drehte ihm den Arm auf den Rücken. »Hier geht alles korrekt.«

Während Fred Staub und Asche von den Lippen spuckte, führte ihn der Kellner zur Theke und langte nach dem Geschäftstelefon. Fred zuckte zurück bei dem Gedanken, was nun folgen würde. Der Barmann musterte ihn kopfschüttelnd. Im Saal kehrten die Leute zu Tischen und Bier zurück. Das Seesackpärchen besprach mit dem Bolle-Betriebsausflug die Anklage.

»Ja, hier Café Budapest, würden Sie bitte eine Streife schicken...«

Ein anderer Kellner stellte sein Tablett mit leeren Bierhumpen auf die Theke und wandte sich dem Barmann zu. Fred taxierte den Weg zur nächsten Tür. Als der Kellner den Hörer auflegte und sich umwandte, schlug Fred zu. Der Humpen erwischte den Mann am Kinn und warf ihn in ein Schnapsregal. Holz zerbrach, Glas splitterte, Flaschen rollten über den Boden. Mit drei Sätzen war Fred am Ausgang.

»Hab mit dem Gürtel nichts zu tun«, schrie er und schlug die Tür zu. Orientierungslos rannte er in ein Wirrwarr von Regenschirmen und Autoscheinwerfern hinein. Bremsen quietschten, Leute fluchten, und eine Weile nahmen drei junge Bundeswehrsoldaten auf Urlaub die Verfolgung auf.

War das das berühmte ›Fixe‹ an Berlin?! Daß alles sehr schnell sehr schief ging?! Erst verlor man die Freundin, und am selben Abend riß sich ein Haufen Besoffener darum, einen zurück in den Knast zu bringen...!

Fred humpelte die dunkle Straße hinauf. Beim Sprung über eine Bordsteinkante hatte er sich den Knöchel verstaucht. Der Regen peitschte ihm entgegen, und er hielt sich die letzten Meter mit der Vorstellung warm, wie er Rudis Gesicht beim nächsten Wiedersehen zu Brei schlagen würde.

Er erreichte das Hotel pitschnaß. Eine feuchte Spur zog sich hinter ihm die Eingangstreppe hinauf über das Linoleum zur Rezeption. Der grauhaarige Alte, den Fred schon am Vortag gesehen hatte, saß hinter der Theke und schraubte an einem Kofferradio. Fred erklärte, daß er die letzte Nacht auswärts geschlafen habe, aber eine weitere Nacht bleiben wolle, und fragte, ob sein Koffer noch im Zimmer sei. Der Alte sah in einem Buch nach, nickte und gab ihm den Schlüssel. Fred kaufte Zigaretten und eine Sechserpackung Bier, der Alte wünschte gute Nacht, und Fred schleppte sich das stille, ausgestorbene Treppenhaus hinauf.

In seinem Zimmer erwartete ihn der unveränderte Geruch von Mottenkugeln und alten Polstern. Als er das Licht anknipste, summten zwei dicke Fliegen los. Fred öffnete das Fenster, dann streifte er die nassen Kleider ab und rubbelte sich mit einem Handtuch trocken.

Bestimmt zeigten ihn der Kellner und das Mädchen an:

Personenbeschreibung, besondere Kennzeichen und so weiter. Zum Glück sprach er keinen Dialekt, und die Kleider, die ihm Annette gegeben hatte, hätte er ohnehin nicht mehr anziehen wollen. Blieb das Gesicht. Als erstes würde er morgen zum Friseur gehen. Und um das Café Budapest und die Gegend mußte er ab jetzt einen Bogen machen. Überhaupt: Sobald er das Geld hätte und mit Nickel alles klar wäre, würde er um die ganze Stadt einen Bogen machen! Was für eine Stadt! Kein Wunder, daß die Sonne sich hier nicht blicken ließ!

Mit Bier und Zigaretten legte er sich aufs Bett und sah erschöpft in den dunklen Hof hinaus. Der Knöchel pochte. Langsam sank sein Kopf immer schwerer ins Kissen, und vor seinen Augen tauchten die Fotos kanadischer Reiseprospekte auf. Wenn er nur bald dort wäre! Annette würde er ein paar hübsche Karten schreiben: Wie wahnsinnig viel los sei, und alle hätten gute Laune... Der Mittelpunkt Berlin interessiere übrigens keinen, und von spannenden Berliner Filmen wisse man auch nichts... Eigentlich wisse man nur von Idioten mit Sonnenbrillen...!

Fred schloß die Augen. Er würde es ihr zeigen! Er würde es allen zeigen!

Irgendwann glitt ihm die Bierdose aus der Hand, und bei brennendem Licht schlief er ein.

Mitten in der Nacht erwachte er von einem seltsamen Brummen. Es dauerte eine Weile, bis er herausfand, daß es vom Zimmer über ihm kam. Er zog sich das Kissen übers Ohr und schlief weiter.

11

Lautes Gelächter weckte Fred. Das erste, was er sah, als er die Augen aufschlug, war die Deckenlampe mit rosa Schirm. Das weiße Licht blendete ihn. Er drehte den Kopf zur Seite und sah aus dem Fenster. Grauer Himmel, graues Haus. Die Fenster der Büros gegenüber standen offen. Angestellte lugten hinter Gardinen hervor in den Hof hinunter und stießen sich prustend in die Seiten.

Fred sah auf die Uhr. Kurz nach elf. Langsam setzte er sich auf. Leere Bierdosen fielen vom Bett und rollten über den Boden.

»Nicht so laut, Kinder!« tönte es herüber, gefolgt von einer weiteren Lachsalve. Fred wühlte sich aus dem Bett, schlurfte zum Fenster und beugte sich hinaus, doch ein Blechvordach versperrte ihm die Sicht. Er hörte Gepolter und Gehämmer, und die Spur eines unangenehmen Geruchs zog ihm in die Nase. Jedenfalls nichts Lustiges. Ohne sich weiter drum zu kümmern, ging er duschen.

Nach und nach verzog sich der trübe Schleier von gestern, und bald summte Fred sogar halbwegs vergnügt vor sich hin. Er war frei, und das war schließlich das wichtigste. Das allerwichtigste! Sollte Annette doch bleiben, wo sie wollte! Und wegen der Sache im Café Budapest machte er sich auch keine großen Sorgen mehr – ein neuer Haarschnitt, und forget about! Alles, was jetzt zählte, war, Nickel zu finden. Nickel und das Geld. Zweihunderttausend! Oder mehr!

Auf der Treppe zur Rezeption wurde der unangenehme Geruch mit jedem Absatz schärfer und ranziger. Im ersten Stock war er kaum noch auszuhalten. Fred drehte es den nüchternen Magen um. Das T-Shirt über die Nase gezogen, erreichte er den Eingangsflur – oder das, was von ihm übrig war. Acht bis zehn Männer und Frauen waren dabei, den Linoleumboden herauszureißen, die Tapeten mit Spachteln herunterzukratzen, die Bretter von den Fenstern zu schlagen und Theke und andere Möbel in den Hof zu schaffen. Alle trugen Handtücher und Lumpen um den Kopf gebunden, die nur die Augen frei ließen. Im Hof packten ebenso maskierte Gestalten das Zeug in riesige Mülltüten. Daneben hockten zwei Frauen überm Pflaster und schrubbten mit Terpentinlösung irgendwelche Zeichen weg. Alles zusammen sorgte für ungeheuren Lärm. Einer der Männer im Flur brüllte Fred durchs Handtuch an, wen er suche. Fred brüllte durchs T-Shirt zurück: »Den Chef! Ich will für die letzte und die nächste Nacht bezahlen!«

»Kommen Sie heute abend! Sehen Sie nicht, was los ist?!«

»Ja, was eigentlich?«

»Buttersäure!« brüllte der Mann und machte sich wieder an die Arbeit.

Fred bahnte sich einen Weg zur Treppe und lief auf die Straße. Einen Moment blieb er stehen und atmete tief durch. Buttersäure...?

Es war kühl, und ein feuchter Wind wehte um die Ecken. Die wenigen Leute, die Fred entgegenkamen, trugen zugeknöpfte Mäntel und machten Gesichter, als gingen sie jemanden ermorden. Fred dagegen fühlte sich immer besser. Nur einmal fuhr er zusammen, als ein Bauarbeiter vom

Gerüst rief: »Ich mach den Rest mit der Kelle!«, und Fred verstand ›Arrestzelle‹.

Mit weit ausholenden Schritten steuerte er die Straße hinunter, kaufte sich in einer Bäckerei belegte Brötchen und aß sie auf dem Weg zur nächsten Telefonzelle. Wieder ging keiner dran. Ob Nickel seine Telefonrechnung nicht bezahlt hatte? Fred zog den Stadtplan aus der Tasche, suchte Nickels Adresse und fuhr mit dem Finger vom Ku'damm zur Wilmersdorfer Straße. Vier U-Bahn-Stationen – für Fred fünf, da der Bahnhof Zoo gegenüber vom Café Budapest tabu war.

Er lief über den Ku'damm zum Wittenbergplatz mit einem Stopp vorm KaDeWe. Durch die Glastüren warf er einen Blick in die noble Eingangshalle des berühmten Kaufhauses. Warmes, goldenes Licht hüllte eine Masse Leute ein, die sich an zwei uniformierten Service-Schönlingen vorbeidrängte. Wartet nur, bis ich mein Geld habe, dachte Fred.

Zwanzig Minuten später stieg er die Treppe des U-Bahnhofs Wilmersdorfer Straße hinauf, und wieder fand er sich einer Welt des Einkaufs gegenüber, allerdings einer dritten. Ein Tohuwabohu aus T-Shirts mit aufgedruckten Ungeheuern, rostfreien Goldkettchen, Mikrowellenherd-Verlosungen, Kuchengabel-Sets mit eingravierten Glückssymbolen, schlank machenden Duschbrausen, Badeschlappen-Sonderangeboten, zweiseitig verwendbaren Jeansgürteln und Doppel-Riesenbouletten. Fred bahnte sich einen Weg durch die graue Menschenwurst, die sich an den Läden vorbei die Fußgängerzone hinunterdrückte, und bog am Ende in eine leere Wohnstraße. Das Haus Nummer achtzehn war ein braun verputzter Altbau mit gardinenverhangenen Fenstern und einer verschlossenen Eingangstür. Fred ging die Namen auf dem Klingelbrett durch. Nikolas Zimmer war nicht darunter. Wahllos drückte er einige Knöpfe, bis eine weibliche Stimme durch die Gegensprechanlage schnarrte: »Seitenflügel, dritter Stock!«, und der Türsummer ertönte.

Das enge, gelb beleuchtete Treppenhaus roch nach Putzmittel und Erbsensuppe. Durch die Türen drangen Fernsehreklamemelodien und Staubsaugergeräusche.

Im dritten Stock stand eine dicke Frau um die Vierzig in der Tür, die Hände in den Fettwulst um ihre Hüften gestemmt, und musterte den heraufkommenden Fred mißtrauisch. Ihr Gesicht war aufgedunsen und mit geplatzten Äderchen übersät. Sie trug einen schwarzen Pullover mit eingestricktem Sonnenaufgang aus goldenem Glitzerfaden, rosagrün gestreifte Jogginghosen und viel zu enge Leinenturnschuhe, aus denen ihre Füße wie Pudding quollen.

Ehe Fred etwas sagen konnte, zeterte sie: »Na endlich! Wir warten jetzt schon seit heute morgen!«

»Aber ich...«, begann Fred, wurde aber sofort unterbrochen.

»Sind Sie Pole?«

Fred schüttelte den Kopf.

»Gott sei Dank! Hab ich nämlich extra gesagt, kein Pole! Polen kommen mir nicht an meinen Abfluß! Nachher fehlt das ganze Rohr, und in Warschau wird sich 'ne goldene Nase dran verdient. So isses doch! Und heute werden ja nur noch Polen eingestellt, wo man anruft: Polen, Polen, Polen! Daß man nicht ›Mein Abfluß ist verstopft‹ auf polnisch sagen muß, ist auch schon alles. Stellen Sie sich mal vor: auf polnisch! In Berlin! Ha! Und mein Mann ist arbeitslos, und ich hab's an der Leber – psychosomatisch, sagt der Arzt, wegen dem ganzen Elend –, und jetzt auch noch der Abfluß! Ausgerechnet! Wo wir's uns die letzten Tage mal gemütlich gemacht haben: schön trinken, schön essen, mit Freunden sitzen – man is ja schließlich noch Mensch! Tja, jetzt steht die Küche voll! Und dann ausgerechnet der Abfluß von der Geschirrspülmaschine – da fragt man sich doch, ist das noch normal?«

Und ohne ein Wort von Fred abzuwarten, drehte sie sich um und verschwand in einem holzgetäfelten, schmalen Flur, aus dem es nach Ketchup, Bier und schmutziger Wäsche roch. Als Fred hinter der Frau in die Küche trat, sagte er: »Entschuldigen Sie, aber eigentlich...«

»Sehen Sie...!« rief sie und drehte sich mit offenen Armen einmal um sich selbst. Die Küche war groß, wirkte aber eng. Von den Wänden links und rechts ragten unzählige Tiefkühltruhen, Herde, Backöfen, Kühlschränke, Vorratsregale und Hängeschränke in den Raum. Auf allem standen Stapel dreckigen Geschirrs und leere Bier- und Schnapsflaschen. Von der Decke blinkerte eine grau verschleierte Neonröhre, und über einer halbgegessenen Speckschwarte kreisten Fliegen.

»Sehen Sie«, wiederholte die Frau und sah dabei fast zufrieden aus, »so müssen wir hausen!«

Fred nickte. »Das ist bitter. Aber ich bin nicht der, für den Sie mich halten.«

»Na, jedenfalls sind Sie kein Pole. Hier ist das Ding.« Sie deutete auf die Geschirrspülmaschine.

»Ich meine, ich bin kein Klempner.«

Die Frau hielt inne und starrte ihn verdutzt an. Dann brüllte eine männliche Stimme von irgendwoher: »Hey, Twiggy, noch 'n Bier!«, und Fred erklärte hastig: »Ich suche jemanden, Nikolas Zimmer. Er wohnt hier im Haus, aber sein Name ist nicht auf der Klingel, und da wollte ich fragen...«

»Moment!« Die Frau ging zum Kühlschrank, zog eine Flasche Bier raus und verschwand für eine Weile. Als sie zurückkam, sagte sie: »Der arme Mann! Ohne Rücklauf isser nur 'n halber Mensch, und dabei haben wir den Videorecorder gerade mal seit drei Monaten. Zum Zurückspulen muß er den alten nehmen – es bleibt einem wirklich nichts erspart!«

Kopfschüttelnd öffnete sie die Tiefkühltruhe, nahm zwei Hamburger heraus und schob sie in die Mikrowelle. »Ich sag Ihnen, junger Mann, werden Sie nie arbeitslos, das ist noch schlimmer als...« Sie stellte die Garzeit ein und wandte sich, ihren Hintern kratzend, um: »...Wenn ich im Fernsehen schon immer höre: Afrika! Wissen Sie, was mein Mann dazu sagt? Berlin! Die sagen Afrika, er Berlin, und was ändert's? Nix! So sieht's doch aus.«

Seufzend nickte sie ihren Worten nach und schnippte abwesend eine angetrocknete Nudel vom Herd.

Fred fragte sich, ob ihr Mann Erfolg bei Frauen hatte.

»Also, wie ich schon sagte, ich suche Nikolas Zimmer...«

»Der Student?«

»Ja. Er hat dunkle Haare und ist ziemlich groß.«

»Ist vor vier Monaten ausgezogen.«

»Ach was...!«

Also deshalb hatte nie jemand abgehoben. Aber warum hatte ihm Annette dann die Adresse gegeben? Wußte sie nichts von dem Auszug…?

Die Mikrowelle bimmelte, und die Frau streckte sich zu einem der Hängeschränke, um einen Karton Porzellangeschirr herauszuziehen. Das Geschirr war originalverpackt in Plastik eingeschweißt.

»So! Wir essen jetzt zu Mittag.«

»Könnten Sie mir noch sagen, wo Herr Zimmer gewohnt hat, vielleicht kennen die Nachmieter seine neue Anschrift?«

»Hinterhaus, erster Stock rechts.« Und während sie zwei Teller aus der Verpackung riß: »Ich meine, die ganze Vergleicherei führt doch zu nichts. Genausogut könnte man sagen, Goethe geht's schlechter als uns. Natürlich geht's ihm schlechter, wenn man so will, weil er tot ist. Aber geht's uns deshalb besser? …Eben. Und Afrika ist ja weiß Gott noch mal was ganz anderes als Goethe – allein schon von der Bedeutung her und auch sonst.«

Fred pflichtete dem bei, bedankte und verabschiedete sich. Er war froh, zurück ins Treppenhaus zu kommen. Arbeitslosigkeit war doch schlimmer, als er gedacht hatte, vor allem bei solchem Gestank. Er lief die Treppe runter, über den Hinterhof und hinauf in den ersten Stock. Doch an Nickels ehemaliger Wohnungstür stand kein Name, und als er klopfte, rührte sich nichts.

In einer Post sah er ins Telefonbuch: auch kein Nikolas Zimmer. Sollte er Annette anrufen, ob sie ihm versehentlich die alte Adresse gegeben hatte…? Doch lieber wollte er sie im Glauben lassen, daß er mit Nickel gerade ein rauschendes Wiedersehen feierte und nicht eine Sekunde daran dachte, sich, wie versprochen, zu melden. Damit gab es – abgesehen von einem Besuch des Meldeamts, Kontakt mit der Polizei inbegriffen, die möglicherweise einen Räuber und Schläger suchte, auf den Freds Beschreibung paßte, und einem undenkbaren Anruf bei Nickels Eltern – nur noch eine Möglichkeit.

Fred machte sich auf den Weg zur nächsten U-Bahn.

Am Fahrkartenschalter fragte er nach der Freien Universität. Wortlos schob ihm der Beamte einen Streckenplan unter der Scheibe durch. Als Fred keine Universität im Plan finden konnte, wandte er sich noch mal zum Schalter.

»Könn Se nich lesen«, schnauzte der Beamte, »da steht's doch: Thielplatz!«

Fred nickte: Da stand's. Thielplatz – logisch.

Eine Durchsage informierte, die nächste Bahn habe wegen technischer Probleme Verspätung. Fred hockte sich auf eine Bank und steckte sich eine Zigarette an. Ob er Nickel in der Universität finden würde? Wenn nicht, mußte er eben doch Annette um Hilfe bitten. Sie konnte für ihn aufs Meldeamt gehen, außerdem kannte sie bestimmt Berliner Freunde von Nickel. Im Moment gab es jedenfalls keinen Grund zur Sorge. Im Gegenteil: Nickel hatte ihn in Dieburg nur nicht abgeholt, weil er seine, Freds, Postkarte nicht bekommen hatte, weil er umgezogen war. Logisch. Und da nicht mal Annette seine neue Adresse kannte, hatte er auch von niemandem sonst von Freds Freilassung erfahren können.

Fred lehnte sich zurück und genoß die Zigarette. Diese

kleine Suche nach Nickel gab ihm außerdem die Möglichkeit, sich in Berlin ein bißchen umzuschauen. Wo er nun schon mal da war... Immerhin war Berlin nicht irgendein Kaff, sondern... na ja, Berlin: Geschichte, Krieg, Osten, Luft, Bären, Christiane F., Kennedy...

Der Bahnsteig füllte sich. Es ging zur Mittagspause oder in den Beamten-Feierabend. Büroangestellte mit Zeitungen, Regenschirmen oder schäbigen Mappen unterm Arm, die meisten stumm, graugesichtig, gebeugt, verbissen. Eine Halle voll Magenkrebs, dachte Fred vergnügt. Jeder hielt Abstand von jedem, als befürchteten alle, sich zum Krebs noch Aids und Cholera zu holen. Erst mit Einfahrt der U-Bahn wurden die Abstände aufgegeben, und dichtgedrängt ging es in die Waggons. Jetzt war es umgekehrt: Wenn man schon so nah beim gegnerischen Bazillus stehen mußte, so schien es, wollte man ihm auch die volle Ladung eigene Erreger mitgeben – jedenfalls wurde gehustet, geniest und geschnupft, was die Atemwege hergaben.

Am Wittenbergplatz stieg Fred um und setzte sich in einen fast leeren Waggon ans Fenster. Es roch nach Plastiksitzen und feuchten Schuhen. Die wenigen Fahrgäste lasen oder dösten vor sich hin. In der Ecke saß ein Penner mit blutverkrusteter Stirn und lallte von Zeit zu Zeit: »Lieber Kot als rot!«

Fred fragte sich, wie Nickel inzwischen aussehen mochte. Ob er immer noch lange Haare trug und die Baskenmütze? Schade, daß er die Fotografiererei aufgegeben hatte. Angeblich, so Annette, wegen mangelnder Zukunftsperspektiven, was immer das heißen mochte. Andererseits paßte ein Germanistikstudium fast noch besser zu Nickel.

Schon immer hatte er den Hang dazu gehabt, etwas mit über etwas reden zu verwechseln. Und reden konnte er! Über Sachen, zu denen Fred allerhöchstens ein Schulterzucken einfiel, war Nickel imstande, ganze Vorträge zu halten. Allerdings waren Fred diese Vorträge oft ziemlich beliebig erschienen, und wenn über alles stundenlang gesprochen werden konnte, fand er, war es fast genauso, als ob man überhaupt nie etwas sagte. Einmal hatte er Nickel gefragt, was für einen Roman er Oma Ranunkel zum Geburtstag schenken könne. Nickel nannte ihm zwanzig.

»Für zwanzig hab ich kein Geld. Sag mir einen, den du besonders gut findest.«

»So kann man das nicht entscheiden, es kommt immer drauf an.«

»Aber es muß doch einen geben, den du lieber magst als andere.«

»Alle haben ihre Vor- und Nachteile.«

»Nickel, ich will meiner Oma ein Buch schenken, keinen Wasserhahn.«

»Dann schenk ihr doch 'ne Anthologie.«

Nickels Vater besaß eine kleine Eisenwarenhandlung und hatte im Leben wenig anderes gelesen als Schraubendurchmesserzahlen und Sägeblattgrößen. Alles, was nichts mit Regalebauen oder Hakenanbringen zu tun hatte, war ihm suspekt, und den Kopf schien er lediglich zu brauchen, um Bleistifte hinters Ohr zu klemmen. Denken tat sein Bauch, und der dachte nur eins: Früher war ich mager, heute bin ich fett, an beidem sind die Sozis schuld. Seine Frau führte den Haushalt, war Mitglied der Rosenkreuzer – einer christlich-vegetarischen Sekte, die sich einmal im Monat zum Austausch von Glaubenssätzen und Sojawurstrezepten traf – und erinnerte ihren Mann täglich, er dürfe nicht zu großzügig, zu gutgläubig sein – was so notwendig war, wie einen Klumpfuß aufzufordern, das Bein nachzuziehen.

Mit vierzehn hatte Nickel angefangen, sich auf alles zu werfen, was dem Wunsch der Eltern nach einem Eisenwaren-Juniorchef entgegenlief: Dieburger Tee-und-Friedens-Zirkel, Che-Guevara-Kappe, Panflötenunterricht, Knüppel-schwingende-Polizisten-Fotografie, Schulstreiks, Regenwälder, Bücher von Frauen für Frauen (und für Nickel) und – Fleisch! Im Steakhaus konnte er drei Farmerteller samt Schwarte hintereinander verschlingen, und einmal hatte er beim Schulfest ein ganzes Blech halbgarer Bratwürste in sich hineingehangelt. Manchmal hatte sich Fred gefragt, ob Nickel meine, der Protest gegen seine Mutter sei um so größer, je beschissener das Fleisch.

Fred sah im Fenster die Tunnellichter vorbeifliegen. In Kanada würde Nickel als Germanist jedenfalls was sehr Besonderes sein und sich um seine ›Zukunftsperspektiven‹ keine Sorgen mehr machen müssen. Wenn das nicht sowieso der Grund für dieses Studium war, und falls er überhaupt noch studierte und Fred ihn nicht woanders suchen mußte…

Vier Stationen vor Thielplatz stiegen drei flotte Mädchen mit Schultaschen unterm Arm ein, und Fred entschied, ein Besuch der Universität lohne sich auf jeden Fall.

Ein- bis zweihundert Meter zog sich der cocacolafarbene, flache Blechbau die Straße entlang. Davor lag ein breiter Rasenstreifen mit Büschen, Bänken und gepflasterten Wegen. Halb Krankenhaus, halb Fabrik. Eine bestreikte Fabrik, denn auf Rasen und Wegen standen massenhaft Leute herum. Es wurde gegessen und getrunken, gestikuliert und palavert, der Boden war mit Flugblättern übersät, und vom Dach des Flachbaus hing ein Spruchband: ›ANKOMMEN DURCH EINKOMMEN!‹

Der Himmel war jetzt etwas heller, und es schien nicht mehr ganz unwahrscheinlich, daß sich hinter dem grauen Brett die Sonne verbarg.

Fred stand zwischen einer Gruppe Studenten am Straßenrand und wartete mit ihnen, daß die Autoschlange abriß. Alle trugen kleine bunte Rucksäcke. Fred fragte sich, ob das eine Art Universitätsuniform war.

Die Straße wurde frei, und Fred folgte einem Pärchen, das sich stritt, ob Brötchen und Semmeln derselben Wortfamilie angehörten. Das erschien ihm germanistisch genug, um sich an ihre Fersen zu heften. Einen der gepflasterten Wege hinauf, vorbei an lachenden und diskutierenden Grüppchen, gingen sie zum Eingang und betraten einen breiten, endlosen Flur. Zwischen Tischen mit Büchern und Handzetteln herrschte ein Gewirr von Jeansjacken, bunten Brillen, Schlipsen und Baseballmützen. Geschickt schlängelte sich das Pärchen hindurch, einen Ausfallschritt hier, einen Zickzacklauf dort, Fred hatte Mühe zu folgen. Dann ging es eine Treppe hinauf und in einen Seitengang hinein, zweimal links, einmal rechts, in einen weiteren Flur – oder war es derselbe, Fred hatte die Orientierung verloren – und schließlich am Flurende zu einem Klapptisch mit Kaffeemaschine und Plastikbechern. Drum herum am Boden saßen weitere Studenten und machten, was hier alle zu machen schienen: Pause. Freds Pärchen stürzte »Juhu!« auf ein anderes Pärchen zu, Umarmungen reihum, und die Frau erkundigte sich: »Und was denkt ihr inzwischen zur Brötchenfrage?«

Da wollte Fred nicht stören. Er kaufte sich einen Kaffee für fünfzig Pfennig, der auch so schmeckte, und fragte den Verkäufer, einen jungen Mann mit freundlicher Lockenfrisur und gebügeltem T-Shirt, ob er ihm sagen könne, wo die Germanisten seien.

Der junge Mann stellte behutsam die Kanne zurück und bekam dann mit einem Schlag eine dermaßen sonnige Miene, daß Fred irritiert zurückwich.

»Aber sicher! Die GermanistInnen sind im Erdgeschoß, einen Gang weiter.«

Fred sah auf die entblößten, strahlend weißen Zähne. Germanistinnen...?

»...Aha. Und gibt's irgendwo einen Pförtner oder so was, den man fragen kann, wenn man jemanden sucht?«

»Ich glaube nicht, daß PförtnerInnen das wissen. Abgesehen davon ist Streik.« Und mit verschwörerischem Zwinkern: »Frisch immatrikuliert, was?«

»Frisch what?«

»Ging mir am Anfang genauso. Hab überhaupt nicht durchgeblickt«, erklärte der junge Mann und schaute dabei weiter drein, als hätten er und Fred irgendwas Tolles angestellt, einen Tafellappen geklaut oder so.

»Hmhm«, machte Fred im Glauben, einen Verrückten vor sich zu haben. »Na ja...«, sagte er dann, und: »Na gut...«, nickte und wandte sich ab.

»Toi, toi, toi«, rief ihm der junge Mann hinterher, »aller Anfang ist schwer! Aber du wirst es schon schaffen!«

Fred beeilte sich, im nächsten Gang zu verschwinden. Ob es so was wie Dorftrottel auch in Universitäten gab?

Am Ende des Gangs stieß Fred wieder auf einen Flur. Eine Seite war aus Glas. Ein Dutzend Studenten stand davor, schaute hinaus und lachte wie von Sinnen. Fred trat neugierig hinzu und sah in einen gepflegten Innenhof mit Bänken und Bäumchen. Auf einer der Bänke lag ein alter Mann in blauer Arbeitskleidung, eine Gartenschere auf dem Bauch, und schlief. Die Schere hob und senkte sich im Atemrhythmus. Aus seiner Jackentasche ragte ein Flaschenhals.

»Daß wir keinen Fotoapparat haben!« rief ein Mädchen und wischte sich Tränen aus den Augen.

»Ein Bild für Götter!«

»Leben und leben lassen!«

»Die erträgliche Leichtigkeit des Seins!«

»Bellissimo!«

Fred suchte im Hof, ob er etwas übersehen hatte. Hatte er nicht, und leicht verwundert lief er zur Treppe.

Unten erwartete ihn das bekannte Getümmel. Er zwängte sich an Rücken und Rucksäcken vorbei, bis er hinter einem Büchertisch ein Paar große dunkle Augen entdeckte. Der Mund dazu war rot geschminkt und redete auf jemanden ein. Fred drängte sich zum Tisch, und während er darauf wartete, die Schöne nach Germanisten und Nickel zu befragen und darüber hinaus ein paar Worte zu wechseln, blätterte er in Büchern wie *Ökonomie heute* oder *Das kleine Einmaleins der Börse*.

Doch plötzlich erschallte eine elektrisch verstärkte Stimme vom Eingang des Flurs, und alle verstummten. Die Köpfe wandten sich in Richtung der Lautsprecher, und als Fred sich auf Zehenspitzen stellte, sah er auf einem Podest zwischen zwei schwarzen Boxen einen großen dünnen Mann im schwarzen Rollkragenpullover mit kurzen Haaren und schwarzer Brille. Sein schmales ernstes Gesicht wirkte auf Fred sehr gescheit, Stimme und Redeweise waren so klar und eindringlich, daß jedes Wort wie das einzig mögliche klang. Der Mann schien das Reden erfunden zu haben. Nach einer Weile begann Fred, manche Sätze wie Pop-Refrains im Kopf zu wiederholen.

Was der Mann sagte, war im großen und ganzen folgendes: Die angehenden Akademiker seien die Garantie für eine funktionierende Zukunft in den gesellschaftlich wichtigsten Berufsbereichen, und darum fordere man einen Rahmen für ungestörtes, optimales Lernen: Beamtenbesoldung für alle Hochschüler ab der Zwischenprüfung und Kranken-, Renten- und Wohnversicherung auf Lebenszeit.

Fred wunderte sich ein bißchen, hielt er die Forderungen doch für etwas forsch und gleichzeitig irgendwie langweilig, war aber auch nicht wirklich überrascht. Inzwischen hatte er sich damit abgefunden, sich auf einer Art fremdem Planeten zu befinden. Die Bewohner redeten entweder irre oder vortrefflich, lachten wegen schlafenden Gärtnern, unterhielten sich über Brötchennamen und trugen ihr Gepäck wie Pfadfinder oder Bergsteiger auf dem Rücken.

Der Redner hob die Faust. »*Gegen* Konkurrenzdruck und Anpassung! *Für* gleiche finanzielle Bedingungen und unabhängigen Wissenseifer, für eine akademische Schicht ohne Zukunftsangst und mit Mut zu Veränderungen! *Für*

Freiheit in Sicherheit! Für ein besseres nächstes Jahrtausend! Für unser Land, für Europa und für die ganze Welt! Danke, Freunde!«

Beifall brach los, minutenlang wurde geklatscht und gejohlt, und manche riefen »Zugabe!«. Dabei nahmen die Gesichter neben Fred einen seltsam verklärten Ausdruck an, als zöge man in den Krieg. Nach und nach beruhigte sich die Menge, lief auseinander, und Fred wandte sich schnell der Schönen zu. Sie hatte die Arme verschränkt und schaute zweifelnd auf den jetzt leeren Podest.

»Sorry, ich suche jemanden…«

»…Hm?«

»Nikolas Zimmer. Ich kenn mich hier nicht aus und dachte, vielleicht wissen Sie… Er ist, äh… Germanistin.«

Die Schöne runzelte die Stirn. Das machte sie noch schöner. Fred machte es dümmer.

»…Du meinst den mit Kind?«

Fred schüttelte den Kopf. »Nein, nein. Nikolas Zimmer aus Dieburg.«

»Ja, aus irgend so 'nem Kaff kommt er.«

»Er ist ziemlich groß und hat lange schwarze Haare.«

»Genau, und Koteletten. Bin im Walser-Kurs mit ihm.«

Besorgt fragte Fred: »Wieso mit Kind?«

»Vermutlich, weil seine Freundin eins gekriegt hat, oder wie geht das in Dieburg?«

Sie begann, die Bücherstapel geradezurücken. Verwirrt sah Fred zu, wie sich ihre Hände über die Buchdeckel bewegten. Nickel mit Kind… Wollte sie ihn auf den Arm nehmen…?

»…Wissen Sie, wo ich ihn finden könnte?«

»Normalerweise haben wir übermorgen Vorlesung, falls nicht mehr gestreikt wird.«

»Wo?«

»Da vorne...«, sie deutete auf einen Gang, der vom Flur abzweigte, »...dritte Tür links.«

»Und Sie sind sicher, daß es sein Kind ist?«

»Na, jedenfalls nennt's ihn Papi, und er nennt's seinen Schatz.«

Fred versuchte, sich Nickel mit einem Kind auf dem Arm vorzustellen. Es mußte ein Irrtum sein.

»Vielleicht jobbt er als Babysitter?«

Die Schöne hielt inne, stützte die Hände auf die Bücher und legte den Kopf schief. »Hör mal, ich kenn deinen Freund kaum. Am besten, du fragst ihn das übermorgen alles selber. Und außerdem bin ich hier am Arbeiten.«

Fred nickte, während sie hinterm Tisch verschwand, um mit einer Handvoll Bücher wieder aufzutauchen und sie auf die Stapel zu verteilen.

Nach einer Weile fragte Fred: »Macht das Spaß?«

»Um Gottes willen!«

Sie verkaufte einige Bücher, dann zog sie ein Hörnchen aus einer Butterbrottüte und biß hinein. Mit vollem Mund fragte sie: »Na, vielleicht noch 'ne kurze Abhandlung über Zinssätze für 'n Nachhauseweg?«

»Glaub nicht, daß mir das den Weg verkürzen würde.«

»Ne«, sie lachte, »wohl kaum.«

»Der Kerl, der vorhin die Rede gehalten hat, ist das so eine Art...«

»Schwachkopf«, unterbrach sie ihn und schob sich den Rest Hörnchen in den Mund. »...Aber sieht gut aus.«

»Na ja...«, Fred wiegte den Kopf, »...auf den ersten Blick vielleicht.«

»Auch auf den zehnten. Außerdem ist er unkompliziert und weiß, was er will.« Sie knüllte die Butterbrottüte zusammen und warf sie untern Tisch. »Sonst wär ich nicht mit ihm zusammen.«

Auf dem Weg zur U-Bahn dachte Fred zum ersten Mal in seinem Leben über Babys nach. Seine Erfahrungen beschränkten sich auf undurchschaubare schreiende Wesen, die in Wägelchen saßen und stundenlang auf einen Punkt glotzen konnten. Und er dachte an die paar jungen Väter, denen er früher in Dieburg begegnet war: entweder stolzverblödet oder geplagt, meistens in Eile, und in jedem Fall für die nächsten fünfzehn Jahre mit dem Arsch im Sofa.

Bestimmt hatte sich die Frau geirrt!

12

Am Abend saß Fred mit neuem und, wie der Frisör gemeint hatte, ›pfiffigem‹ Haarschnitt in einer Wirtschaft in der Nähe vom Ku'damm und aß Leberpfanne. Zwei kleine Mädchen, die mit ihren Eltern am Nebentisch saßen, kicherten, und das Wort ›Schlagersänger‹ drang einige Male an Freds Ohren. Fred selber fand die Frisur nicht schlecht: Wenn er die Fönwelle etwas rausduschte, und mal abgesehen vom Gesicht, konnte er glatt als blonder Bruder von Willy DeVille durchgehen.

Inzwischen hatte er beschlossen, Annette doch um Hilfe zu bitten. Stolz hin, Wut her – er wollte nicht bis übermorgen auf Nickel warten. Außerdem mußte er wissen, ob Nickel wirklich ein Kind hatte. Die Vorstellung wirkte auf Fred ähnlich ernüchternd wie Kanada als einwöchige Pauschalreise.

Er verließ das Lokal und schlug den Weg Richtung Ku'damm ein. In einer Telefonzelle wählte er Annettes Nummer, es war besetzt. Gegenüber leuchtete ein Kneipenschild: Ringos Stübchen. Ein Schnaps und ein Telefonat im Warmen.

Fred überquerte die Straße und zog die Tür zu einer kleinen, holzgetäfelten Höhle auf. Über der Theke hingen Faschingsgirlanden mit bunten Glühbirnen, die den Raum in diffuses oranges Licht tauchten. Drei Stammgäste hockten stumm über ihrem Bier, jeder am eigenen Tisch. In der Ecke schlief ein Hund. Aus einem Kofferradio dudelten Schlager. *Sowieso, sowieso, wer'n wir einmal wieder froh...* Neben dem Zapfhahn saß der Wirt auf einem Hocker und löste Kreuzworträtsel. Er hatte ein schmales gelbliches Gesicht, an dem alles wie eingeschlafen herunterhing: Wangen, Nase, Kinn, die wenigen Haare – selbst die Augen schienen vor Müdigkeit und Überdruß jeden Moment aus den Höhlen zu laufen.

Fred stellte sich an die Theke und fragte, ob er telefonieren könne. Der Wirt nickte, deutete auf einen Apparat in der Ecke, und Fred bestellte einen Schnaps. Wortlos schob ihm der Wirt ein Glas hin, schenkte ein und vertiefte sich wieder in Senk- und Waagerechtes, während Fred zum Telefon ging. Immer noch besetzt. Zurück am Tresen, kippte er den Schnaps und blätterte in einer Abendzeitung. Er las die Wettervorhersage und wollte die Zeitung gerade weglegen, als sein Blick auf eine Computerzeichnung fiel. Sie stellte das Gesicht eines jungen Mannes dar, mit großem Kinn und ungewöhnlich stark heraustretenden Augen. Darunter stand: blond, Mitte Zwanzig, braune Cordhose, kariertes Hemd, vermutlich aus dem süddeutschen Raum, wird gesucht wegen Diebstahl und schwerer Körperverletzung. Gestern abend gegen 22 Uhr...

Die Zeilen verschwammen vor Freds Augen, und er glaubte, er müsse sich übergeben. Nach einem kurzen Blick zum Wirt faltete er die Zeitung zusammen und stützte seinen Ellbogen drauf. Unauffällig betrachtete er sich im Spiegel zwischen den Flaschenregalen. Die Augen waren's! Auch wenn ihn die Zeichnung nicht besonders gut traf, diese zwei Rindsglupschen waren unverwechselbar.

Wieder sah er zum Wirt, dann drehte er sich vorsichtig um und musterte die anderen Gäste. Ob sie die Zeitung schon gelesen hatten? Ob sie nur auf ein Signal warteten, um sich gemeinsam auf ihn zu stürzen? Doch keiner schien ihn zu beachten. Mehr und schneller denn je mußte er Nickel finden. Betont gedankenlos klemmte er die Zeitung untern Arm und ging erneut zum Telefon. Diesmal war nicht besetzt. Nach langem Klingeln nahm endlich jemand ab.

»Megastars. Carlo...«

Fred sagte, er wolle Annette sprechen. Es dauerte einige Minuten, dann hörte er sie lachend näher kommen.

»Ja-ha! Und mit welchem Hübschen, der seinen Namen nicht sagen will, hab ich die Ehre?!«

Fred hielt verblüfft den Hörer weg. Betrunken...?

»It's me, Fred.«

»Ach Fred, mein Schatz! Mein Weinbauer! Ich hab mir ja schon solche...« Sie brach plötzlich in einen Lachanfall aus. Im Hintergrund hörte Fred eine Männerstimme. Dann wurde die Muschel zugehalten, bis sich Annette erschöpft zurückmeldete: »...Tschuldigung, wir sind hier gerade beim Aufräumen und... Egal, ich hab mir wirklich Sorgen gemacht – feiert ihr denn schön?« Sie redete ohne Pause. »Sag dem Sauertopf 'n schönen Gruß von mir – natürlich nur, wenn sein Herzchen nicht dabei ist –, wird ihm guttun, mit dir mal 'n bißchen rauszukommen, und laß dich nicht unterkriegen: Wenn Nickel um elf anfängt zu gähnen, heißt das alles mögliche, nur nicht, daß er müde ist! Vielleicht gehen wir die Tage mal zu dritt aus...« Der Mann im Hintergrund sagte etwas, und Annette brach erneut in Lachen aus. »Schwein!« rief sie.

Fred wartete, bis das Lachen verklang, dann sagte er: »Annette, Nickel wohnt nicht...«

»Ja?« unterbrach sie ihn. »Bin wieder da. Terry steht hier rum und reißt faule Witze! Was hast du gesagt?«

»Nickel wohnt nicht mehr in seiner alten Wohnung.«

»Na, ein Glück für ihn! Diese Dunkelkammer!«

»Ich meine...«

»Hau ab!« Ihre Stimme entfernte sich vom Hörer, Fred hörte es grölen. »Oh, jetzt kommt auch noch Marcel! Tut mir leid, Fred, aber...«

»Annette, bitte! Ich muß dir etwas...«

»Iiiih! Marcel!«

Fred biß die Zähne zusammen und knallte den Hörer auf die Gabel. Die anderen Gäste schauten zu ihm rüber. Ohne sich um ihre Blicke zu kümmern, stampfte er zurück zur Theke und schob dem Wirt sein leeres Glas hin.

»Wenn Sie die Zeitung haben wollen, ich schenk sie Ihnen.«

Fred sah auf. Der Wirt deutete lächelnd auf die Papierrolle unter Freds Arm.

»Ach das...« Fred war zu wütend, um sich weiter Sorgen zu machen. Er warf die Zeitung auf die Theke und kippte den Schnaps. Der Wirt wartete, die Flasche in der Hand, und schenkte unaufgefordert nach.

»Sie sehen aus, als könnten Sie's gebrauchen«, stellte er fest. Im Gegensatz zum Gesicht war seine Stimme wach und klar, ihr Ton ruhig und gelassen, wie die Stimme eines Fachmanns, der in einem für Laien unübersichtlichen Chaos den Überblick behält.

»Trinken Sie noch zwei, und dann gehen Sie nach Hause

und legen sich ins Bett«, riet er, »mehr ist ungesund. Sie sind noch jung. Die da...«, er machte eine wegwerfende Geste in Richtung der Tische, »... können trinken, bis sie tot umfallen, das macht keinen Unterschied. Aber bei Ihnen...«

»Ach ja...?!« knurrte es gedehnt.

Von den Tischen funkelten ihnen drei Paar grimmige alte Augen entgegen. Fred sah beunruhigt zwischen ihnen und dem Wirt hin und her.

»Lassen Sie sich von dem Gauner nichts erzählen! ›Mehr ist ungesund‹ – daß ich nicht lache! Dreht Ihnen zwei Schnäpse an, die Sie gar nicht wollen, und tut besorgt: der alte Scheißer!« Der Redner grinste böse, und zwei einzelne graue Zähne schoben sich über seine Unterlippe.

»Na, immerhin! Während dir das Zeug aus'm Bauch gezapft wird! ... Darmkrebs«, fügte der Wirt für Fred hinzu, während er sich breitarmig auf den Tresen stützte und mit gleichgültiger Miene weitere Attacken abwartete. Fred zog sein Geld raus. Sein Bedarf an Ärger war für heute gedeckt.

»Weißt du, daß das gar nicht stört?« sagte der Zweizähnige. »Denk mal an! Natürlich nur nicht, wenn überhaupt was gemacht wird, wobei's stören könnte – und damit mein ich nicht Briefmarken sammeln.«

»Apropos«, meldete sich ein anderer zu Wort, dessen kleines, verwachsenes Gesicht an eine Sellerieknolle erinnerte, »stimmt es, daß deine Frau rumerzählt, die neuen, extra dicken Pfandflaschen mit geriffeltem Glas seien das Beste seit der Erfindung getrennter Schlafzimmer?«

Fred legte einen Zwanzigmarkschein auf die Theke.

»Hm-hm«, knurrte der Wirt, »dafür soll deine sich ja

noch auf'm Totenbett geweigert haben, mit dir alleine im Zimmer zu bleiben!«

Eine Pause entstand, in der sich die Stimmung schlagartig zu ändern schien. Fred räusperte sich und deutete auf sein Geld. Die drei Alten fixierten den Wirt mit haßerfülltem Blick, während sie die Hände gegen die Tischkante legten und sich vorbeugten, als wollten sie sich jeden Moment auf ihn stürzen. Der Wirt sah von einem zum anderen und schnalzte herausfordernd mit der Zunge. Vor Freds Augen tastete seine Hand nach einem Küchenmesser. Das darf doch nicht wahr sein! dachte Fred.

Das Selleriegesicht erhob sich und zischte: »Sag das noch mal!«

»Aber gerne: Man hört sogar, sie sei an Erbrochenem gestorben, weil...«

»Dreckiges Schwein!«

Wütendes Jaulen, Stühlerücken, das Messer in der Hand des Wirts. Fred sprang zur Tür und riß an der Klinke, als hinter ihm brüllendes Gelächter einsetzte. Einige Sekunden glaubte er, verrückt zu werden. Langsam drehte er sich um und sah die drei Greise und den Wirt völlig aus dem Häuschen. Sie klopften sich gegenseitig auf die Schultern, wischten sich Tränen von den Runzeln, wurden von immer neuen Lachanfällen geschüttelt, und ihre hochroten Köpfe schienen kurz vorm Platzen. Es dauerte, bis sich das Selleriegesicht Fred zuwandte und atemlos fragte: »Es war das ›dreckige Schwein‹, oder?«

»Quatsch«, rief der Wirt, »es war das Messer!«

»Ohne unser Geschrei«, wandte der Zweizähnige ein, »hätte weder das eine noch das andere gewirkt!«

»Nun sagen Sie schon!«

Alle vier schauten Fred mit auffordernd wippenden Köpfen an.

»Ich...ich weiß nicht... Ist das ein Spiel?«

»Ach Gottchen«, seufzte das Selleriegesicht, »der Kleine hat wirklich Angst!«

»Ich hab ja immer gesagt, das sind die jungen Leute: alles wissen, alles kennen, aber bei 'nem anständigen Witz die Welt nicht mehr verstehen!«

»Ja, ein Spiel«, bestätigte der Wirt, »wer zuerst einen neuen Gast so verschreckt, daß er Hals über Kopf flüchtet, kann eine Woche gratis trinken. Wenn ich gewinne, laden mich die anderen zu einem... hm, öffentlichen Vergnügen ein.«

Die Greise zwinkerten Fred hämisch zu. »Und da will er natürlich immer in die Oper!«

»Sie müssen entscheiden«, sagte der Wirt, »und lassen Sie sich von den Mumien da nicht beeinflussen.«

»Tja, also...«, Fred überlegte, »...ehrlich gesagt, war es alles zusammen, aber den Rest hat mir das Messer gegeben.«

»Na, seht ihr!«

Die Greise winkten mürrisch ab.

»Nur weil wir kein Besteck am Tisch haben!«

»Frag mich sowieso, ob das erlaubt ist. Hatten wir nicht ausgemacht: nur mit Worten?«

»Opis«, sagte der Wirt und klatschte in die Hände, »ihr seid schlechte Verlierer! Junger Mann, was möchten Sie trinken?«

Fred sah zu den Greisen, dann ins Flaschenregal.

»...Ihren besten Whiskey?«

»Richtig, Kleiner! Sauf ihm den ganzen Malt weg! Auf daß er morgen pleite ist!«

Die folgende Stunde stand Fred, von den Greisen umringt, an der Theke, trank irischen Whiskey und beantwortete Fragen, wo er herkäme, wo er hinwolle. Zu seiner Überraschung erlebte er zum ersten Mal seit der Entlassung aus dem Gefängnis, daß seine Kanada-Pläne auf helle Begeisterung und Bewunderung stießen. Die Greise klopften ihm auf die Schulter und machten ihn, ohne Neid, zum Mittelpunkt des Abends. Das Selleriegesicht brüstete sich, vor vielen Jahren selber in Kanada gewesen zu sein, und behauptete, daß es kein phantastischeres Land gäbe. Der Zweizähnige schwärmte von einer kanadischen Damen-Reisegesellschaft, die er mal durch Berlin geführt hätte, und der dritte Greis, ein verknitterter Zwerg mit tränenden Augen, zählte die Namen mehrerer Eishockeyspieler auf. Dagegen hatte der Wirt, außer ein paar Kenntnissen über die Lebenszyklen von Lachsen, nichts zu bieten und wurde von den anderen bis auf weiteres wie Schrott behandelt. Stolz buhlten sie um Freds Gunst, als hätte er einen Platz zur Mitreise zu vergeben. Wenn ihn doch Annette so gesehen hätte!

»Junger Mann, wenn Apfelwein in Kanada tatsächlich nicht bekannt sein sollte, oder jedenfalls nicht besonders verbreitet, halte ich das für eine ganz vortreffliche Idee!«

Unter dem Zuspruch der Greise fühlte sich Fred immer wohler und richtiger in seiner Haut. *Sie* verstanden ihn! Sie mochten etwas eigenartig sein, aber bei den wichtigen Sachen wußten sie Bescheid!

Vom Whiskey angestachelt, begann er, über Annette zu

schimpfen: eine Freundin, die glaube, Filme zu machen, dabei telefoniere sie den ganzen Tag nur, und wegen solchem Blödsinn bliebe sie hier.

Die Greise hörten aufmerksam zu, und irgendwann rief Fred euphorisch: »Man darf sich seine Ziele nicht von irgendwelchen Miesmachern kaputtmachen lassen! I make my dreams real!«

Daraufhin nahm er einen großen Schluck, und erst als er das Glas zurückstellte, merkte er, daß die Greise ihn auf einmal spöttisch ansahen.

»So-so«, brummte der Zweizähnige, »und was haben wir sonst noch im Poesiealbum stehen?«

»...Ich bin klein, mein Herz ist rein, ach könnt ich statt dessen ein großer Ficker sein«, schlug das Selleriegesicht vor.

»Oder«, der Wirt hob feierlich den Zeigefinger. »Lieber Gott, ich werd edel, keine Frau mag meinen Wedel!«

Sie lachten meckernd, bis der Zweizähnige sein Kinn Richtung Fred stieß und streng erklärte: »Junger Mann, solche Sätze sind unanständig!«

Fred sah irritiert von einem zum anderen. Prüfend lasteten ihre Blicke auf ihm. Wen sie mochten, der schwätzte in ihrer Gegenwart nicht ungestraft.

»Ich...«, Freds Hand tastete nach Zigaretten, »...na ja, manchmal denk ich mir so Sachen aus, wie... wie Popsongs.«

»Hm«, machte der Zwerg, ließ sein Feuerzeug aufschnappen und hielt Fred die Flamme hin, »schon mal mit 'm Instrument probiert?«

Die anderen grinsten.

Dann schenkte der Wirt reihum nach, und das Selleriegesicht begann eine Geschichte über eine Stewardeß, die er in Toronto kennengelernt habe. In Zukunft sollte sich Fred vor albernen Phrasen hüten.

Am liebsten hätte er ihnen vom Gefängnis erzählt. Er wußte nicht, warum, aber er hatte das Gefühl, selbst wenn er bei der Wahrheit – vier Jahre stumpfsinniges Ausharren – bliebe, würde er hier nicht als bemitleidenswerter Versager behandelt werden. Doch im selben Moment fiel ihm die Fahndungsanzeige wieder ein, und wenn die alten Kerle die Zeitung gelesen hatten und erfuhren, daß er vorbestraft war, würden sie vielleicht auf eine Idee kommen.

Der Abend verging. Als Fred, nach einem herzlichen Abschied und dem Versprechen wiederzukommen, gegen Mitternacht zur Tür wankte, rief der Wirt ihm nach: »Ihre Zeitung!«

Fred drehte sich um, und der Wirt hielt ihm zwinkernd die Papierrolle hin.

»Aber tragen Sie sie nicht wieder unterm Arm, als wär 'ne Leiche drin. Und am besten kaufen Sie sich morgen… zum Beispiel eine Sonnenbrille.«

Mit einem Schlag war Fred nüchtern. Er sah in das amüsierte Gesicht des Wirts, dann schnappte er sich die Zeitung und stürzte, ohne ein weiteres Wort, hinaus.

Auf der Straße drückte er sich an die Hauswand und linste durch das beschlagene Fenster ins Kneipeninnere. Der Wirt lachte und deutete auf seine Augen. Irgendwann im Laufe des Abends mußte er in die Zeitung geguckt haben. Oder hatte er es von Anfang an gewußt? Im nachhinein brach Fred der Schweiß aus. Warum hatte er nichts bemerkt?! Wie hatte er die Gefahr so schnell vergessen können...?! Immerhin schien der Wirt ihn nicht an die Polizei verraten zu wollen.

Wütend über sich, schlug Fred den Weg zum Hotel ein. Ab jetzt mußte er wirklich aufpassen. Was seine Tarnung betraf, war es mit Haareschneiden offenbar nicht getan. Außerdem konnte er Nickel morgen nicht weiter suchen, sondern mußte im Hotel bleiben und die Vorlesung abwarten. Mehr als einmal würden sie das Bild wohl kaum drucken – schließlich hatte er keinen ermordet –, und übermorgen hätten es die meisten hoffentlich vergessen... Fred schüttelte im Gehen den Kopf: Da war er nur nach Berlin gekommen, um Freunde und Geld abzuholen, und womit schlug er sich herum...?!

Im Eingangsflur des Hotels hing immer noch ein scharfer Buttersäuregeruch. Die frisch tapezierten Wände schmückten jetzt Pferdefotos statt Rennwagenbilder, und die neue Theke leuchtete grün. Das vierte Fenster war zugenagelt wie die ersten drei, und man hatte Plakate mit Sonnenaufgängen und Palmenstränden drübergepinnt.

Nachdem Fred sich versichert hatte, daß hinter der Theke keine Abendzeitung lag, drückte er die Klingel. Kurz darauf kam derselbe junge Mann aus der Tür, der ihm vorgestern den Schlüssel gegeben hatte, allerdings merklich gealtert. Sein Gesicht war grau und eingefallen, die Augen blickten stumpf. Im Hintergrund hörte Fred erregtes Stimmengewirr.

Mit flüchtigem Blick sagte der Mann: »Alles besetzt.«

»Ich hab ja schon ein Zimmer. Hoffmann ist mein Name.« Und anerkennend fügte Fred mit Blick in den Flur hinzu: »Haben Sie fix wieder hingekriegt!«

Der Mann runzelte die Stirn, als überlegte er, ob Fred ihn auf den Arm nehmen wolle. Dann nickte er schwach. »Jetzt weiß ich. Ist heute alles etwas durcheinander. Zimmer einunddreißig, nicht wahr?« Er sah zum Schlüsselbrett. »Aber Sie haben Ihren Schlüssel doch.«

»Ich wollte für gestern und zwei weitere Tage bezahlen.«

Während der Mann in den Anmeldeblock sah und Zahlen in einen Rechner tippte, fragte Fred: »Wozu braucht man Buttersäure?«

»Ausdruck berechtigter Ängste.«

»...Was...?«

»Hat uns jemand reingeworfen, zum vierten Mal – dann nennt man's wohl 'ne Neurose.«

Reingeworfen? Fred sah zu den vernagelten Fenstern. Beunruhigt fragte er: »Heißt das, die Polizei kommt ins Haus?«

Den Mann schien die Frage zu belustigen – oder vielmehr auf seltsame Art zu erheitern. Das Lächeln, das er zeigte, war kaum lustig zu nennen.

»Machen Sie Witze?! Hier könnte die Bude in die Luft fliegen, und 'ne Streife würde nicht mal von der Wurstpappe aufsehen. Die Säure haben wir selber ausgekippt, weiß der Teufel, warum. Und daß wir uns in 'n Hof schmier'n, daß wir verrecken sollen, ist kulturelle Eigenart.«

Er machte die Rechnung fertig, und Fred zählte sein Geld auf die Theke. Er hatte keine Ahnung, was ihm der Mann hatte erklären wollen, war aber froh, daß die Polizei das Hotel aus irgendwelchen Gründen zu meiden schien.

Das Treppenhaus war wie immer still. Als Fred sein Zimmer betrat und das Licht anknipste, summten, fast schon vertraut, seine Mitbewohner los. Dick und grün glitzernd drehten sie ihre nervösen Kreise um die Deckenlampe.

Fred öffnete das Fenster und ließ sich aufs Bett fallen. Er zählte sein restliches Geld. Zwei, drei Tage würde es noch reichen.

Er legte den Kopf zurück und dachte an Kanada. Auf der grauen Zimmerdecke erschienen ein Bach, eine Wiese und eine Blockhütte. Die Blockhütte war eine Bar, und Leute saßen auf der Veranda, tranken HOPEMAN'S APPLEWINE und redeten übers Wetter. Fred schloß die Augen. Mädchen in bunten Kleidern stießen mit ihm an und lachten. In der Musikbox lief Johnny Guitar Watson. ...Hey, Hopeman, how are the apples this year? Very good, I think. We will see in september. ...When you wait for the apples, what are you doing all day long? Love my woman, build my house, have some drinks. Who is she? The most beautiful woman in the world. Really? Yeah! ...How did you get your first money? I was a big gangster, known in all South-Hessen...

Die Bilder wurden unscharf, schwammen davon, mischten sich mit anderen Bildern. Annette in großer Partyrunde. Sie machte sich über ihn lustig. Terrys und Marcels streckten ihre Griffel nach ihr aus. Grinsten, lachten, sabberten. Verwandelten sich in Polizisten. Sie verboten Fred wegzufliegen. Uniformierte Gruppen marschierten auf ihn zu. Männer mit Kindern. Studenten mit Rucksäcken. Frauen mit Maschinengewehr-Ohrringen. Er drehte sich um: hinter ihm drei kichernde Greise...

Plötzlich ertönte ein Brummen und holte Fred ins Hotelzimmer zurück. Er schlug die Augen auf und horchte. Es kam durch die Decke. Er knipste das Licht aus und zog sich das Kopfkissen über die Ohren, aber das Brummen war mehr zu fühlen als zu hören. Als arbeite jemand im Zimmer drüber mit einem winzigen Preßlufthammer. Fred knipste das Licht wieder an und sah auf die Uhr: halb zwei. Er rappelte sich hoch und schlüpfte in seine Schuhe. Durch das schwach beleuchtete Treppenhaus stieg er in den fünften und letzten Stock. Hier gab es keinen roten Läufer mehr, und die Zimmernummern waren mit Kreide auf die Türen gemalt. Fred fand das Geräusch bei Nummer sechsundvierzig und verharrte einen Moment. Schließlich klopfte er. Das Brummen brach ab.

»Ja?«

Fred drückte die Tür auf und trat in ein Zimmer, genauso geschnitten und eingerichtet wie seins – jedenfalls soweit er die Einrichtung sehen konnte. Boden und Möbel waren unter einem Chaos von Kleidern, Schuhen, Taschen und Hüten. Am Fenster stand eine Nähmaschine, drum herum türmten sich verschiedenfarbige Leder- oder Kunstlederlappen. Auf dem Stuhl davor saß eine Gestalt, die auf den ersten Blick wie eine oft geflickte Puppe aussah. Ihre Füße steckten in dicken Wollstrümpfen, einer rot, einer blau, darüber wurschtelten sich grau-weiß gestreifte Schlafanzughosen um die Beine, bis sie unter einem verblichenen hellblauen Blümchenkleid verschwanden, um das eine ebenso verblichene grüne Schürze gebunden war. Unter dem Kleid trug sie einen braunen Rollkragenpullover, und um den Rollkragen hing ein locker gebundenes, bunt gemustertes Tuch. Ihre langen blonden Haare waren mit einer riesigen

Klammer, die für Fred wie Gartenwerkzeug aussah, auf dem Kopf zu einem Haufen zusammengedrückt, aus dem einzelne dicke Strähnen ins Gesicht fielen. Ihr junges, blasses Gesicht wirkte wie durchsichtig, mit dunklen Schatten unter den Augen. Die Augen selbst waren wach, klar, groß und blau und betrachteten Fred neugierig.

»Abend«, sagte er und sah sich unschlüssig um.

»Abend«, erwiderte die Frau mit halb geöffnetem Mund. In der anderen Hälfte klemmte eine erloschene Zigarette. »Was gibt's?«

»Ich, ähm, ich wohne unter Ihnen, und...«

»Nein...!« Sie seufzte entnervt und zog Streichhölzer aus der Schürze.

Fred wußte nicht genau, wie er dieses Nein verstehen sollte, und sagte, nachdem die Zigarette brannte und die Frau ein paar schnelle Züge genommen hatte: »Doch.«

»Ich glaub's Ihnen. Was meinen Sie, wie viele Zimmer in dem Hotel belegt sind?«

»Keine Ahnung... Massen von Leuten begegnet man nicht gerade.«

»Eben! Und warum gibt der Chef Ihnen ausgerechnet das Zimmer unter mir?«

»Tja...«

»Damit Sie sich beschweren, und er mir wieder beweisen kann, wie gnädig es von ihm ist, daß ich hier wohnen darf. Sie sind nicht der erste, den er dort einquartiert.«

»Hmhm«, Fred sah zu, wie sie weitere Züge nahm und wütend Rauch ausspuckte, »...Vielleicht frage ich einfach, ob ich ein anderes Zimmer haben kann, wegen der Aussicht oder so.«

»Das kommt aufs selbe raus. Wenn Sie mir einen Gefallen tun wollen, lassen Sie das bitte, sonst steht mir der Alte morgen wieder auf 'n Füßen.«

»Der Opa, der kaum deutsch spricht?«

»Nein, der ist in Ordnung. Sein schmieriger Sohn!«

Sie schnippte die Zigarette aus dem Fenster und sah nachdenklich hinterher.

Fred zuckte die Schultern. »Zu mir war er eigentlich immer nett.«

»Mit Ihnen will er wahrscheinlich auch nicht ins Bett.«

»... Nein ... wahrscheinlich nicht.«

»Wie lange bleiben Sie?«

»Ein, zwei Tage.«

»Mal überlegen.« Sie sah zum Bett, auf dem ein Haufen bunter Lederjacken lag. Rote, grüne und blaue Karos mit glänzendweißen Krägen, goldenen Reißverschlüssen und Silberdollar-Knöpfen. Ihre Finger zählten, und ihre Lippen bewegten sich stumm. Schließlich fragte sie: »Wenn ich morgen früh zwischen sechs und neun nähe, dann schlafen Sie doch tief oder sind schon aus'm Haus?«

»Ich schlafe tief.«

»Das müßte gehen. Wenn Sie nur nichts dem Chef sagen ...?«

»Nein, nein ... Sie können sich auf mich verlassen.«

Sie musterte ihn einen Moment prüfend, dann sagte sie danke.

Fred nickte zum Abschied, blieb aber aus irgendwelchen Gründen stehen. Nach einer Weile deutete er aufs Bett. »Wie viele von den Jacken müssen Sie denn noch nähen?«

»Zwei bis morgen.«

Sie steckte sich die nächste Zigarette an, und Fred sah zu, wie die Glut aufleuchtete.

»Ziemlich bunt, oder?«

»Ist für Russen, denen gefällt das.«

»Aha.« Freds Blick wanderte durchs Zimmer, bis er auf ihre Füße stieß und ein Loch im Strumpf, aus dem sich vorwitzig ein großer Zeh schob.

»Sind Sie hier so eine Art Dauergast?«

»Am Anfang war ich Zimmermädchen, jetzt krieg ich bei der Miete Prozente.«

»Und dafür nähen Sie nachts?«

»Wissen Sie, wieviel so eine Jacke kostet?... Fünfhundert Mark! Ich gehe tagsüber in die Ballettschule, dafür nähe ich.«

»Fünfhundert...?!«

Die Frau folgte Freds ungläubigem Blick zu den Jacken. »...Na ja, blaue Overalls sind auch nicht gerade die letzte Modeerkenntnis.«

Fred sah instinktiv an sich herunter. Der blaue Overall, der Hit von Dieburg.

»...Nehm ich nur zum Schlafen. Wann schlafen Sie eigentlich?«

»Jede freie Minute. Ich kann's im Restaurant zwischen Bestellung und bis das Essen kommt. Oder jetzt...«

Fred verstand. Vor der Tür wandte er sich noch mal um. »Aber eigentlich, also wenn Sie wollen, können Sie ruhig weiterarbeiten, ich hab morgen nicht viel zu tun, und...«

»Eine Stunde noch?«

Fred nickte. »No problem.«

Wieder im Bett, hörte er die Nähmaschine und dachte

über die Flickenpuppe dahinter nach. In Dieburg hatte es drei Sorten von mehr oder weniger attraktiven Frauen gegeben: die Klassensprecherinnen mit Pferdeschwänzen und adretten, enganliegenden Pullovern, die Mopedfahrerinnen mit lackierten Fingernägeln und extravaganten Zigaretten und die Bäuerinnen mit Blumenmusterkitteln, rosigen Wangen und der Fähigkeit, vom Automotor bis zum Schuhabsatz alles reparieren zu können. Annette, zum Beispiel, war eine Mischung aus Sorte eins und zwei gewesen, mit dem Hintern von Sorte drei. Gewesen.

Die Frau an der Nähmaschine paßte für Fred in keine der Gruppen. Er wußte nicht mal, ob er sie wirklich attraktiv fand. War sie schön? Er hatte eigentlich nur ihre Augen gesehen. Waren die Augen schön? Er hatte eigentlich nur das Blau gesehen. Das Blau? Blau war's. War sie lustig gewesen? Nein. Charmant? Nein. Besonders klug? Vielleicht – wer wußte das schon so genau bei besonders Klugen. Nur eins wußte er: Er wäre gerne länger in ihrem Zimmer geblieben.

13

Ein dumpfes Geknalle weckte Fred. Er rieb sich die verklebten Augen und drehte den Kopf zur Seite. Dicke Tropfen schlugen aufs blecherne Fensterbrett. Dahinter warfen die Bürolampen ihren weißen Schein in den verregneten Vormittag. Mit dem Wetter schien Berlin ein echtes Problem zu haben.

Er blieb liegen und überlegte, was er mit dem Tag anfangen sollte. Sich die ganze Zeit im Hotel zu verstecken fand er inzwischen doch etwas übertrieben. Wenn er sich einen Schal übers Kinn zog und sich eine Sonnenbrille kaufte, mußte er schon großes Pech haben, damit ihn jemand erkannte.

Er horchte zur Decke. Weder Brummen noch sonst ein Geräusch.

Geduscht und in blauen Handwerkerhosen, Pullover, Kapuzenjacke und einem Schal bis zur Nase verließ er eine halbe Stunde später das Zimmer. Der von der Flickenpuppe so unvorteilhaft eingestufte blaue Overall hatte fürs erste ausgedient.

Auf dem letzten Treppenabsatz blieb er abrupt stehen. Von der Rezeption drangen Stimmen herauf, und Fred hörte was von »Objektschutz« und »Polizei«.

»...Ganz einfach: Ich sage, ich bin stiller Teilhaber am Hotel, mein Name ist Cohn, ich bin Jude, und wir vermuten, daß die Anschläge deshalb passieren.«

»Aber woher soll denn irgend jemand wissen, daß du stiller Teilhaber bist, wo ich's selber grade erst erfahre?« Die Stimme des Hotelchefs.

»Ist doch egal. Jude stimmt, Cohn stimmt – den Rest soll sich die Polizei ausdenken.«

»Ich weiß nicht...«

»Also, willst du die Bude nun schützen lassen oder nicht?«

»Aber dein eigenes Hotel ist ja nicht mal geschützt!«

»Weil keiner weiß, daß ich der Besitzer bin. Mein Geschäftsführer heißt Krause, Hermann Krause! Laß das ›Geschäfts-‹ weg, und du weißt, wie er ist. Was meinst du, weshalb ich den genommen hab? Ein kleines Hotel in 'ner dunklen Seitenstraße, und wenn jemand den Chef sprechen will, wird nach Herrn Cohn gerufen – na, ich bitte dich! Ebensogut könnte ich in Hellersdorf 'n koscheren Imbiß aufmachen. Warum stellst du dir nicht auch 'n blonden Hermann an die Rezeption, anstatt deinen Vater, dem man den Schafhirten aus hundert Metern ansieht?«

»Kann ich mir nicht leisten.«

»Du sparst an der falschen Stelle. Was ist nun mit der Polizei?«

»Ich werd's mir überlegen.«

»Mach dir keine falschen Hoffnungen: Bis du Objektschutz kriegst, müßte erst mal halb Kreuzberg ins Gras beißen, wenn nicht halb Istanbul – und so nett ich dein Hotel finde...«

Sie lachten. Was Fred sich aus ihrem merkwürdigen Dialog zusammenreimte, war, daß er womöglich das Hotel wechseln mußte. Er lief die Treppe zum Empfang hinunter und sah den Hotelchef und einen dicken Mann mit Glatze am Tresen stehen. Beide rauchten und tranken Tee aus Gläsern.

Fred wünschte »Guten Morgen« und legte, während die beiden seinen Gruß mit stummem Nicken erwiderten, den Schlüssel auf den Tresen. Im selben Moment erkannte er die Abendzeitung neben dem Ellbogen des Hotelchefs. Schnell wandte er sich ab und eilte zum Ausgang.

»Hat er ’n Gespenst gesehen?« hörte er hinter sich den dicken Mann fragen, und der Hotelchef antwortete: »Wer blickt bei diesen Bauern schon durch. Gestern abend hat er mich gefragt, wofür man Buttersäure braucht, als sei uns aus Versehen die Waschmaschine ausgelaufen.«

Fred lief, den Schal fest über Mund und Nase gebunden, den Ku’damm entlang und suchte nach einer billigen Sonnenbrille. Bei einem Straßenhändler fand er ein hellblaues, rot gepunktetes Gestell mit wolkenförmigen, dunkelblauen Gläsern. Selbst Fred wußte um ihre Geschmacklosigkeit im üblichen Sinne, doch er wollte jede Ähnlichkeit mit den Brillen vermeiden, die er in Annettes Wohnung gesehen hatte.

Den Schal wie ein Gangster übers Gesicht gezogen, einen debilen Karnevalsscherz auf der Nase, gab er ein Bild ab, nach dem sich immer mehr Passanten umdrehten, bis Fred glaubte, unter jedem Regenschirm einen Zivilpolizisten zu erkennen. Er begann zu rennen. In einer Bäckerei kaufte er sich hastig irgendwelchen Kuchen und rannte weiter zum Hotel. Kein Risiko mehr! Den Rest des Tages würde er auf dem Zimmer bleiben!

Doch als er den Hotelflur betrat, stand eine Frau am Tresen und telefonierte, und als Fred ihr Gesicht sah, erkannte er zu seiner Überraschung die Frau von gestern nacht. Aus der Flickenpuppe war eine Saturday-night-Queen geworden! Ihre schlanken kräftigen Tänzerinnenbeine steckten in roten, phosphoreszierenden Strumpfhosen, darüber trug sie goldene Nylonshorts und eine ihrer selbstgenähten buntgefleckten Lederjacken. Ihre Haare waren mit glitzernden Bändern zu allen möglichen Zöpfen und Knoten gebunden, und ihre Lippen leuchteten wie roter Sportwagenlack. Das einzige Zugeständnis an Donnerstag morgen und Regenwetter waren derbe olivgrüne Gummistiefel.

»...Und dafür zahl ich mich dumm und dämlich!« rief sie in den Hörer und knallte ihn auf die Gabel. Beim Umdrehen erblickte sie Fred. »Na!« nickte sie ihm zu, und ehe Fred etwas erwidern konnte, wandte sie sich zur angelehnten Tür hinter der Theke: »Hey, Yalcin!«

Der Hotelchef kam kurz darauf mit einem Fluch auf den Lippen herausgeschossen, hielt jedoch inne, als er Fred sah, und verzog über Freds Brille das Gesicht. Dann schaute er prüfend zwischen den beiden hin und her und sagte schließlich, um geschäftliche Miene bemüht: »...Womit kann ich dienen?«

Fred fragte sich, ob sein dicker Freund noch da war und ob sie inzwischen die Polizei gerufen hatten.

»Wieviel Zimmer hat deine Luxusherberge?!« fragte die Frau.

Der Hotelchef stutzte, dann war es mit der Bemühung vorbei. »Ich glaube nicht, daß das der richtige Ton ist, Fräulein Sergejew!«

»Wußte gar nicht, daß dir klar ist, daß ich mit Nachnamen nicht Schätzchen heiße!«

Die Gesichtsfarbe des Hotelchefs verwandelte sich von Gelblichbraun in Dunkelorange. Über seinem zugeknöpften Hemdkragen erschien eine dicke Ader.

Fred überlegte schnell, dann legte er den Kuchen auf einen Stuhl, ging zum Tresen und sagte: »Well... Die Dame will sich beschweren, daß sie gestern nacht nicht einschlafen konnte, weil ich im Zimmer unter ihr so laut geschnarcht habe. Sie schlägt vor, ob ich nicht ein anderes Zimmer kriegen könnte?«

Langsam, sehr langsam, wandte der Hotelchef den Kopf, und sein Blick brannte sich in Freds blaue Wolkengläser. »...Wie meinen?«

»Na ja, wie ich's sage. Allerdings hatte ich gestern getrunken, normalerweise schnarche ich nicht. Wenn die Dame also nichts dagegen hat, probieren wir's noch mal eine Nacht und ersparen Ihnen die Umstände...«

Einen Moment starrten sie sich reihum an, bis die Frau die Schultern zuckte und schnippisch meinte: »Und die Dame hat nichts dagegen.« Dann nahm sie Freds Arm und zog ihn zur Eingangstreppe. Kurz davor drehte sie sich noch mal um. »Schöne Grüße an die Frau Gemahlin!«

Auf der Straße unterm Hotelvordach blieben sie stehen, und die Frau bedankte sich. »Meine Ballettstunde ist ausgefallen. Ich war so wütend, ich hätt mich glatt um mein Zimmer geredet.«

Fred konnte sich Schlimmeres vorstellen. »Gibt es so wenig Wohnungen in Berlin?«

»Erstens: weiß ich nicht. Zweitens: glaub schon. Drittens

hasse ich Wohnungssuche, und viertens hab ich kein Geld für Wohnungen.«

Fred dachte an die Fünfhundertmark-Jacken und wunderte sich.

»Was haben Sie 'n da für 'ne scharfe Brille auf?«

Fred hatte die Brille völlig vergessen. »Ach die...«, er nahm sie schnell ab, »...hab ich für meine kleine Schwester gekauft.«

»Wo haben Sie die her?«

»Finden Sie die wirklich gut?« Fred glaubte erst, sie wolle sich über ihn lustig machen, doch offenbar meinte sie es ernst. »Hier...«, er hielt ihr die Brille hin, »...ich besorg mir 'ne andere.«

Die Frau zögerte.

»Sie war mir sowieso zu klein.«

»Ich denke, sie ist für Ihre Schwester?«

»Meine Schwester hat 'n breiten Kopf.«

»Na dann...« Sie lächelte, nahm das bunte Gestell und setzte es auf.

Was hab ich da bloß für eine Brille gekauft, dachte Fred.

»Vielen Dank. Wissen Sie, was ich gestern abend komisch fand? Sie sind der erste Mensch in meinem Alter, der mich siezt.«

»Sie mich auch.«

»Weil Sie damit angefangen haben.«

»Na ja, vom Duzen kann man nicht zurück.«

»Ach was! Ich heiße Moni.«

Fred sah in die dunkelblauen, wolkenförmigen Gläser und fand die Brille auf einmal mächtig schick. »Fred.«

»Bist du geschäftlich oder so was in Berlin?«

»Nein. Das heißt… Ich weiß nicht so genau.«

»Wie 'n Tourist siehst du jedenfalls nicht aus. Ich meine, ein Tourist würde sich auch nicht im ›Glück‹ einmieten. Das ist mehr was für Vertreter und andere kleine Geschäftemacher…«

Sie betrachtete ihn neugierig. Normalerweise konnte sie Männer ziemlich schnell einschätzen, was daran lag, daß Männer ihr normalerweise ziemlich schnell einen Haufen großartiges Zeug von sich erzählten: Was für einen interessanten Job sie machten, wie intelligent sie im Gegensatz zu anderen dies oder jenes fanden, wieviel Geld sie verdienten und wie wenig ihnen das bedeutete, und was für witzige Autos, Schlipse oder Unterhosen sie besaßen. Später, wenn sie ein paar Gläser getrunken hatten, brüsteten sie sich mit ihren bezaubernden Exfreundinnen, ihrem lässigen Umgang mit Sex und ihrer Schwäche für Romantik.

Bei Fred war ihr nur eins klar: Er war ein Lügner, und zwar ein ziemlich ungeschickter. Ob er die nächtliche Ruhestörung vor dem Hotelchef als seine ausgab oder die Sonnenbrille als Geschenk – seine merkwürdig heraustretenden Augen schienen im selben Moment zu rufen: Alles Unsinn, glaubt ihm nichts! Dabei war er auf eine plumpe Art fast charmant. Sicher kam er vom Land. Moni glaubte, wenn sie ihn ansah, den Heuboden riechen zu können. Trotzdem wirkte er nicht wie einer dieser breitbeinigen Tölpel auf Urlaub, die mit Stadtplan und Fotoapparat eine Woche lang den Ku'damm hoch und runter marschierten.

Fred wich den blauen Gläsern aus. Er mußte irgendwas erwidern – aber hatte er sich nicht eben noch vorgenommen, nicht mehr das kleinste Risiko einzugehen? Warum sollte er jemand Wildfremdem die Wahrheit sagen? Verteter – das war's! Vertreter für Glücksspielautomaten. So würde ihm Rudi wenigstens einmal von Nutzen sein.

Fred sah zurück in die blauen Gläser. »...Ich suche jemanden, und bis ich ihn gefunden hab, muß ich hier wohnen.« Er konnte nichts dafür, es war ihm einfach so rausgerutscht.

»Aha.« Moni musterte ihn noch einen Moment, dann beugte sie sich vor und sah prüfend in den Himmel. »Der Schimmel über Berlin.« Sie nahm die Brille ab und lächelte. »Wollen wir zusammen frühstücken?«

Fred fiel der Kuchen ein, der noch im Hotelflur lag. »Gerne.«

»Na, dann los!«

Sie wandte sich zum Gehen.

»Ach so! Moment...! Also...wenn wir in die Stadt gehen, dann...«

Fred zögerte.

»...Ich hab was an den Augen. Wenn ich die Brille noch mal haben könnte, solange wir unterwegs sind?«

»Na klar, hier... Auch bei Regenwetter?«

»Gerade dann. Durch die Feuchtigkeit werden die gefährlichen Strahlen, äh, malgenommen.«

»Multipliziert?«

»Hmhm.«

Moni schlug den Weg Richtung Ku'damm ein. Dicht an den Hauswänden lief sie mit großen, harten Schritten vorneweg. Die Gummistiefel klatschten aufs Pflaster, und Fred hatte das Gefühl, einer Art Disco-General zu folgen. Er hatte Mühe hinterherzukommen. Durch die verregnete Brille sah er kaum, wo er hintrat, und tappte von einer Pfütze in die andere. Seine Turnschuhe wurden zu triefenden Klumpen.

»Gibt's oft Ärger mit dem Hotelchef?« rief Fred, um ein bißchen Tempo rauszunehmen.

»Geht so! Für einen Vermieter ist er gar nicht schlecht. Nur manchmal führt er sich auf wie ein aus dem hinterletzten Tanzclub entstiegener Schmalzkaffer!«

»Er will das Hotel von der Polizei schützen lassen!«

»Ach!« Sie sah über die Schulter und lief etwas langsamer. »Hat er dir das erzählt?«

»Nein. Aber ich hab gehört, wie er mit jemandem drüber gesprochen hat. So einem dicken Glatzkopf.«

»Cohn! Das war meine Idee!«

»Was für eine Idee?«

»Daß das Glück einem Juden gehört, oder mitgehört! Jüdische Geschäfte werden zur Zeit geschützt!«

Bis zur nächsten Ecke marschierten sie stumm.

Warum wurden jüdische Geschäfte zur Zeit geschützt? Einmal mehr hatte Fred das Gefühl, um ihn herum gehe etwas vor, das sich nur in Geheimcodes äußerte. Juden...

Er wich einer Pfütze aus und folgte Moni in eine kleine Seitenstraße, die zum Ku'damm führte.

...Frau Tanneberg, Geschichte, zweite Stunde: »Guten Morgen, ich hoffe, ihr habt euch inzwischen den Sand aus den Augen gerieben! Na Fred, auch mal wieder da? Heute wollen wir über die Judenvergasung reden. Silvia, bitte nimm den Kaugummi aus dem Mund und hör auf, aus dem Fenster zu starren! Also: Judenvergasung. Weiß einer von euch, wieviel Juden insgesamt vergast wurden? Etwa sechs

Millionen, aber daß wir uns da einig sind: Einer wäre schon zuviel gewesen. Nicht wahr, Silvia...?! Hier spielt die Musik. Wenn du noch einmal aus dem Fenster guckst, gibt's 'n Eintrag! Also, wie gesagt, so um die sechs Millionen, die Zahlen schwanken etwas. Kann bitte einer noch mal kurz referieren, was wir in der letzten Stunde erarbeitet haben, warum Hitler so stark gegen die Juden eingestellt war?...«

»Am besten, wir rennen jetzt 'n Stück!«

Moni war unter dem Vordach eines Kleidergeschäfts stehengeblieben und deutete in dem Regen Richtung halbe Kirche.

»Moment mal«, Fred sah sich um, »wohin gehen wir eigentlich?«

»Ins Zwille.«

»Liegt das in der Nähe vom Café Budapest?«

»Schräg gegenüber.«

»Das geht nicht.«

Moni sah ihn überrascht an. »Was geht nicht?«

»Ich kann da nicht hin.«

»Warum?«

»Weil...« Fred hob die Schultern. »Darum.«

Moni runzelte die Stirn. Nach einer Pause deutete sie auf seine Brille und fragte: »...Sind diese gefährlichen Strahlen beim Budapest vielleicht besonders stark?«

Freds Miene erstarrte. Warum um Himmels willen sahen ihm alle immer alles an?! Wäre er bloß im Hotel geblieben. Er nickte schwach.

»Macht nichts«, sagte Moni, »laufen wir hinter der Kirche rum.«

Die Ampel schaltete auf Grün, und Moni rannte in den

Regen. Mit mächtigen Vogel-Strauß-Sprüngen überquerte sie den Ku'damm und hielt auf die halbe Kirche zu. Fred hatte Mühe zu folgen. Erst als er aus den Augenwinkeln einen Streifenwagen die Straße entlangkommen sah, schloß er zu Moni auf.

Das Tanzlokal Zwille lag im zweiten Stock eines Neubaus. Durch die Fensterfront sah man auf eine Kreuzung und den Platz um die halbe Kirche. Die Straßen waren gesäumt von verschwommenen Leuchtreklamen für Schnellrestaurants, Peepshows und Andenkenläden. Unter einem grauen Schleier bewegten sich Autos und Regenschirme. Gedämpftes Gehupe drang durch die Scheiben.

Tagsüber war das Tanzlokal ein übliches Café mit Frühstück, Kuchenvitrine und Dosenmenüs. Viereckige Tische mit gelben Deckchen und jeweils vier Stühlen drum herum standen ordentlich in Reih und Glied. Auf jeder Tischmitte befanden sich ein Senfglas mit Plastikblumen, eine Maggiflasche und eine Werbekarte mit dem »aktuellen Feinschmeckertip, heute Hühnerfrikassee«. Erst abends wurde das Tanzlokal seinem Namen gerecht. Die Tische in der Saalmitte wurden beiseite geräumt, und ein matt glitzernder Steinboden kam zum Vorschein. Auf die restlichen Tische wurden Kerzen gestellt, eine Reihe bunter Scheinwerfer leuchtete auf, neben der Theke öffnete sich ein weinroter Samtvorhang, und eine festlich herausgeputzte Mittfünfzigerband begann zu spielen. »Beliebte Hits in deutscher Sprache«: *Laß es sein, Frau Robinson* oder *Segeln*. Nach und nach füllten Paare und Singles ab Bandalter den Saal, tranken Ananas-Bowle, aßen Senfeier, tanzten Foxtrott und Cha-Cha-Cha und waren gegen elf betrunken. Punkt zwölf schloß das Tanzlokal.

Moni und Fred saßen am Fenster in der Ecke neben einer Fotowand berühmter Zwille-Stars, von Hörbi Dex bis Mareike Sunshine, und aßen das »Hauptstadt-Frühstück«. Außer ihnen gab es noch einige ältere Damen und Herren im Saal, die alle schon bei der Suppe oder beim Feinschmeckertip waren, zwei wenig erfolgreich aussehende Geschäftsleute beim Bier und ein junges Pärchen, das sich ständig umschaute und kicherte. Studenten, schloß Fred.

Während Moni eine Käse-Scheiblette von einem Kringel Mayonnaise befreite und auf ein halbes Brötchen legte, erklärte sie: »Ich hab nicht gesagt: schön, ich hab gesagt: echt. Und echt Berlin ist das...« Sie schnippte mit dem Finger gegen das Blumensenfglas. »...Janz Berlin is een Neukölln.«

Fred versuchte erfolglos, ein Honigdöschen zu öffnen. »...Aber irgendwie auch echt Dieburg.«

»Eben, nur flächenmäßig größer. Berlin ist eine Illusionsneurose! Metropole, Großstadt, internationales Flair – die Leute kommen aus Kleindingsda, haben sich die große Welt vorgestellt und hocken jetzt Hermannstraße Hinterhaus. Dann werden sie Säufer oder schwul, quälen sich in absurde Klamotten, lernen die Namen sämtlicher Barkeeper auswendig, wollen zum Film und schaffen sich 'n Sprachfehler drauf, und alles nur, damit es heißt, wenn die Cousine zu Besuch kommt: Ick zeig dir 'n Prenzelberg, det is wie New York.«

Moni sah in Freds aufmerksam, aber nicht unbedingt verstehend dreinschauende Augen. »...Na ja, war 'n langer Satz«, sagte sie und biß in ihr Brötchen.

Fred ließ vom Honig ab und nahm sich das Marmeladendöschen vor. »Und du«, fragte er, »Säufer oder schwul?«

»Ballett.«

Fred wartete. »...Ist das alles?«

»Wenn man was werden will.«

»Ballettstar?«

»Primaballerina.«

»...Aha. Und sonst? Außer Ballett? Ich meine, was machst du mit deinen Freunden?«

»Freunde? In Berlin hat man Verabredungen.«

»Auch keine alten Freunde, von früher, von der Schule?«

Moni schüttelte den Kopf. »Meine Eltern arbeiten bei der Post, und in dem Viertel, in dem sie wohnen, könnten gut alle bei der Post arbeiten. Schon die Kinder wünschen sich 'n schönen Alterssitz. Ich bin mit sechzehn von der Schule runter und weg von allem – zum Glück!«

Fred ließ die Marmelade aufs Brötchen tropfen. Er wußte, wenn er sie weiter ausfragen würde – und er hatte eine Menge Fragen –, würde er irgendwann selber ein paar Auskünfte geben müssen. Warum er zum Beispiel so eine Scheu vorm Café Budapest hatte... Fred gelang es nicht, Moni, was ihre Gesetzestreue betraf, einzuordnen. Nähen und Tanzschule klang für ihn nach einer, für die es, wenn sie Freds Geschichte erführe, selbstverständlich sein würde, die Polizei zu rufen. Andererseits deuteten ihr Auftreten und Reden nicht gerade auf bürgerliche Pflichterfüllung hin. Das Problem war: Wenn er eins erzählte, mußte er alles erzählen, alles hing zusammen. Und wie hörte sich das an? ›Tja, im Budapest soll ich vorgestern ein Pärchen ausgeraubt haben und mußte, um zu flüchten, den Kellner zusammenschlagen, was im Moment schlecht paßt, weil ich nämlich auf Bewährung wegen bewaffneten Banküberfalls bin...‹ Fred versuchte Monis genaues Alter zu schätzen. Einundzwanzig oder zweiundzwanzig. Würde sie Räuberpistolen noch bewundern, oder war sie schon soweit, mit den Opfern zu fühlen? Eins war jedenfalls klar: Er konnte nicht alle zehn Minuten in Panik verfallen und alberne Lügen auftischen und gleichzeitig etwas von ihr wollen. Ehe er weiterfragte, überlegte er sich also bessere Lügen.

»...Komischer Name: Moni Sergejew.«

»Daran ist die Post schuld.«

»Die Post?«

»Meine Eltern sind aus Rußland und waren gerade zwei Jahre hier, als ich kam. Da wollten sie mir einen Namen so berlinerisch wie möglich geben. Die Tochter von unserem Hausmeister hieß so. Einen Monat später bekamen wir einen neuen Hausmeister, seine Tochter hieß Charlotte.«

»Und was hat die Post damit zu tun?«

»Sie hat das Kündigungsschreiben an den ersten Hausmeister verschlampt. Eigentlich wäre er schon zwei Monate früher rausgeflogen.« Moni steckte sich den Rest ihres Brötchens in den Mund. »...Ich kenne übrigens den Chef vom Budapest. Zechprellerei oder andere Kleinigkeiten regen den kaum auf, das ist er gewohnt.«

Fred gab sich den Anschein, mit Kaffeetrinken beschäftigt zu sein. Er ließ sich Zeit. Mit einem Blick vergewisserte er sich, daß die Kellnerin nicht in der Nähe war. Behutsam stellte er die Tasse ab.

»...Das ist es nicht. Ich habe vorgestern im Budapest

zufällig einen Kerl wiedergetroffen, den ich vom Schiff kenne.«

»Vom Schiff?«

»Hab ich das nicht gesagt? Ich bin die letzten vier Jahre zur See gefahren. Matrose.«

»Ach was«, Moni hob die Augenbrauen, »ein Matrose?!«

Fred nickte ungerührt. »...Na, jedenfalls: Ohne, daß ich's mitbekommen habe, hat der Kerl nebenbei ein paar Leute ausgenommen und mir anschließend die Schuld in die Schuhe geschoben. Und um abzuhauen, mußte ich mich mit dem Kellner schlagen.«

»Weil er die Polizei rufen wollte?«

»Ja, und...«, Fred registrierte, daß sie die Budapest-Geschichte ziemlich sachlich nahm, »...als Matrose steht man eben immer gleich viel schlechter da. Denkt doch jeder, die saufen und prügeln nur, und einen einzusperren ist auf jeden Fall kein Fehler.«

Moni betrachtete ihn neugierig. Dann nickte sie und sagte: »Irgend so was hab ich mir schon gestern abend gedacht. Du hast eine Art zu gucken, als wäre alles neu. Und dann diese Englisch-Brocken...«

»Ja, auf'm Schiff... also, normally we speak English.«

»Und du warst die ganzen vier Jahre unterwegs?«

»Mehr oder weniger. Zwischendurch ein paar Tage Afrika, China, Kanada...« Fred überlegte kurz, dann fügte er beiläufig hinzu: »Man erlebt schon 'ne Menge, aber anders, und die Leute an Land denken, man hätte die ganze Zeit nur ins Meer gespuckt.«

»So hab ich's nicht gemeint. Aber wenn man vier Jahre weg war... Also, hier hat sich bestimmt viel verändert.«

Fred sagte nichts dazu. Die größte Veränderung, fand er, war, daß alle Leute meinten, es habe sich so viel verändert.

»Was war das für ein Schiff?« Moni schob den Teller beiseite und steckte sich eine Zigarette an.

»Verschiedene: Tanker, Obstfrachter...«

»Und was macht man da den ganzen Tag?«

»Tja...« Fred merkte, daß er um ein paar handfeste Nachweise seiner ›Jahre auf See‹ nicht herumkam.

»...Ich war Vollmatrose. Hab an Deck gearbeitet. Alles, was so anfiel. Be- und entladen, putzen, ausbessern, manchmal das Steuer halten...«

Erst zögernd, dann immer flüssiger erzählte er eine Mischung aus dem, was er sich im Gefängnis über den Schiffsverkehr zwischen Kanada und Europa angelesen hatte, was er aus Filmen und Reportagen wußte und was ihm an Erfahrungen aus dem eintönigen Gefängnisalltag mit dem Trott an Deck vergleichbar schien. Geschichten von Stürmen und Mann-über-Bord, von im wahrsten Sinne des Wortes ›tödlicher Langeweile‹, die zu Messerstechereien führte, von brutalen Kapitänen und Tischfußballturnieren bei ruhigem Seegang. Moni, die in ihrem Leben bisher nur Tretboot gefahren war, fragte viel und folgte gespannt den Antworten. Darauf, ob die Geschichten stimmten, hätte sie zwar kein Geld gewettet, aber interessant waren sie für ein Kind der Großstadt auf alle Fälle. Dabei gab es immer wieder Pausen, in denen sich beide unauffällig musterten, fast beschnupperten.

Sicher kam Fred zugute, daß selbst eine bekannte Tatsache, wie zum Beispiel, daß in China viel Tee getrunken wird, aus dem Mund von jemandem, der teetrinkende Chinesen tatsächlich gesehen haben soll, noch mal ganz anders wirkt.

Es dauerte nicht lange, bis Fred sich tatsächlich wie ein Matrose fühlte.

»...Hab ich ihm also gesagt, er soll seine Flossen wegnehmen, aber er wollte mich nicht in Ruhe lassen, und da hab ich ihm backbord und steuerbord eine geknallt...«

Am Ende der Beschreibung einer Eisbrecherfahrt vor Kanada sagte Moni, nach einem Blick zur Kirchenuhr, es tue ihr leid, aber sie müsse jetzt Jacken ausliefern.

Während sie der Kellnerin winkte, betrachtete Fred ihre blauen Augen. Irgendwann hatte er festgestellt, daß Augen mehr oder weniger Schichten hatten, die man nach und nach durchdrang, bis man auf Granit oder Stroh stieß, und daß man nach einer gewissen Zeit immer auf eins der beiden stieß – wenn man auf etwas stieß. Bei Monis Augen hatte er das Gefühl, sein Blick falle ins Meer.

Nachdem er gezahlt hatte, fragte Fred, ob er ihr bei der Auslieferung helfen könne.

Moni schaute überrascht. »Gerne! Aber mußtest du nicht irgendwen suchen?«

»Ach das...« Seit über einer Stunde hatte Fred kaum an Nickel gedacht, und jetzt erschien ihm die Frage fast abwegig. Zum ersten Mal seit seiner Entlassung wollte er bleiben, wo er war. »...Wenn alles klappt, treffe ich ihn morgen in der Universität.«

»Ein Freund von dir?«

»Mein bester.«

Beim Hinausgehen lobte sich Fred. Abgesehen von Monis Nähe verhalf ihm das Zusammensein, seiner Meinung nach, auch zur fast perfekten Tarnung: Wer würde hinter einem im Berufsleben stehenden Berliner Jackenauslieferer schon den fremden Herumtreiber vermuten, der von der Polizei gesucht wurde?

Während Fred Monis goldenem Nylon-Hintern über Straßen und Plätze zurück ins Hotel folgte, fand er die Stadt zu seiner Überraschung auf einmal fast aufregend bunt. Die Häuser leuchteten in verschiedenen Braun- und Beigetönen, und selbst der Himmel war nicht mehr einfach nur grau, sondern verhieß ein baldiges Blau. Und war das nicht wie in seinem Leben? Lachte ihm nicht hinter den ganzen Schwierigkeiten das Glück? Und hatte sich für ihn nicht immer alles irgendwann zum Besten gewendet...? Genau so war's! Und heute ging es damit los. Um das zu wissen, mußte er nur Moni anschauen, und das tat er ausgiebig und voller Hintergedanken, während sie vor ihm her marschierte und sich ihre Verkaufsroute im Kopf zurechtlegte.

14

Das Taxi bahnte sich einen Weg durch Staus und fluchende Fahrradfahrer. Regenschauer klatschten gegen die Scheiben. An den Ampeln warteten Touristengruppen in orangen Anoraks. Moni und Fred saßen auf der Rückbank unter einem Haufen bunter Lederjacken. Der Taxifahrer, ein junger Mann mit halblangen, blonden Rastafarizotteln und einem hübschen, netten Gesicht wie aus einem Herrenunterwäsche-Katalog, sah hin und wieder nachdenklich in den Rückspiegel.

Der erste Laden, vor dem sie hielten, hieß Globus Electronics, lag an einer befahrenen, aber fußgängerleeren Straße und wirkte von außen wie geschlossen. Weder hinter dem grauen, vergitterten Schaufenster, in dem es außer Staub nichts zu schauen gab, noch hinter der Glastür deutete irgendwas auf Verkauf hin. Moni wies den Fahrer an zu warten und drückte Fred vier Jacken in den Arm.

»Also, Käpt'n: Wir machen so schnell wie möglich, ohne ungeduldig zu wirken. Immer nett bleiben und sich über nichts wundern.«

»Ay-ay, Madam!«

Moni stiefelte voraus. Zu Freds Überraschung ließ sich die Tür öffnen, und sie betraten einen langen, von zwei nackten Birnen beleuchteten Schlauch mit links und rechts bis zur Decke gestapelten, japanisch und englisch beschrifteten Pappkartons. Dazwischen standen Eisenregale mit einem bunten Angebot aus Taschenlampen, Springmessern, Strümpfen, Kochtöpfen, Kartenspielen und Gasmasken. Am Ende des Schlauchs, hinter einem grünen, abgenutzten Schreibtisch, auf dem eine Schüssel Gurken, eine Flasche ohne Etikett mit durchsichtigem Inhalt und ein Dutzend Gläser um ein angebrochenes Brot herum standen, saßen drei Kolosse und unterhielten sich leise. Ihre mächtigen, kahlgeschorenen Köpfe, die ansatzlos in ebenso mächtige Hälse übergingen, wirkten wie zwischen die Schulterblätter gerammte rosa Pfähle. Zwei von ihnen trugen ärmellose Unterhemden, die über dem Brustkorb zu zerreißen drohten; dazu bunte Jogginghosen und Badelatschen. Der dritte saß in etwas gezwängt, was mal ein schicker Anzug in mittlerer Größe gewesen sein mußte. Wo der Stoff nicht nachgab, drückte er das darunterliegende Fleisch zu kleinen Wellen. Seine Oberschenkel erinnerten an stramm gebundene Rollbraten. Alle drei rauchten.

Als Moni in den Lichtkreis um den Tisch trat, verstummten die Männer. Dann schmunzelten sie, und ihren Leibern entwich eine Art fröhliches Donnergrollen. Sie erhoben sich von ihren Stühlen, schüttelten Moni die Hand, drückten ihre Schulter und zogen einen Stuhl heran.

Fred stand abseits, die Lederjacken im Arm, und versuchte zu erahnen, über was sich am Tisch auf russisch unterhalten wurde. Dabei warf er neugierige Blicke auf Gasmasken und Springmesser. Einer der Männer schenkte Moni aus der Flasche ein und prostete ihr zu. Dann schienen sie kurz über Fred zu reden, winkten ihn heran, nahmen ihm die Jacken ab und drückten ihm ebenfalls ein Glas in die Hand. Während sie die Ware an Nähten und Reißverschlüssen prüften, nahm Fred einen tiefen Schluck und glaubte im selben Moment, er müsse sterben. Mit der Hand tastete er haltsuchend nach der Kante eines Pappkartons. Dabei hatte er das Gefühl, erst neugierigen, dann wohlwollenden Blicken ausgesetzt zu sein.

Als der Schmerz langsam nachließ, fragte der Mann mit den Goldketten: »Wodka gut?«

Schluckend und mit zittrigem Lächeln fragte Fred zurück: »Wodka?«

»Wodka«, nickte der Mann und grinste, »wie Atombombe!«, und alle lachten, bis auf Fred.

Dann öffnete einer von ihnen eine rostige Blechkassette und nahm einen Packen Hunderter heraus, der selbst in seiner Hand dick aussah. Bedächtig zählte er zweitausend Mark auf den Tisch. Moni zählte nach, und es wurde noch mal rundum eingeschenkt.

Fred fragte sich erneut, warum jemand, der mit Jacken aus Lederresten offensichtlich gutes Geld verdiente, fürchtete, aus einem armseligen Hotelzimmer geworfen zu werden. Selbst wenn Moni an einer Jacke einen ganzen Tag nähte, rechnete er, konnte sie sich in nur einer Woche ein Spitzenmonatsgehalt erarbeiten...

Einer der Männer begleitete Moni und Fred zur Tür, verabschiedete sie und hängte die Jacken ins Schaufenster.

»Donnerwetter«, sagte Fred, als sie ins Taxi stiegen, »warum saufen sie nicht gleich Benzin?«

»Zu lasch.«

Moni nannte dem Fahrer die nächste Adresse und lehnte sich zufrieden zurück. »Drei Jacken waren schon vorbestellt. Nächste Woche soll ich neue bringen.«

Macht viertausend, dachte Fred. »Nach viel Kundschaft sah der Laden eigentlich nicht aus.«

»Das geht stoßweise. Manchmal ist die Hölle los. In Moskau ist der Laden ein Begriff.«

»Ach ja...? Ich hatte übrigens eher das Gefühl, mit Killern zusammenzusitzen als mit Einzelhändlern...«

Fred lachte. Moni warf ihm einen kurzen Blick zu.

»Darüber würde ich mir besser keine Gedanken machen.«

Der zweite Laden lag zwischen einem ärmlichen Bordell mit demolierten Schaukästen, in denen verknickte Fotos nackter Frauen aus den Glasscherben ragten, und einem Waffen- und Scherzartikelgeschäft. Vor der Auslage mit Gaspistolen und Furzkissen drängten sich junge Männer, die wie eine wandelnde Rot-Kreuz-Kleidersammlung aussahen, und stießen sich begeistert in die Seiten. Das Fenster daneben war von innen mit Kartons zugestellt und trug einen verblichenen Schriftzug aus Klebebuchstaben: IMPORT–EXPORT-PARADISE. Als Moni und Fred das Paradies betraten, tat sich vor ihnen fast das gleiche Bild wie im ersten Laden auf: an allen Wänden Kartons, zwischendrin diverser Krimskrams und ein Tisch mit einer unbeschrifteten Flasche durchsichtigen Inhalts. Allerdings saßen drum herum keine Riesen in gemütlicher Runde, sondern zwei Männer und eine Frau standen sich gegenüber und verhandelten irgendwas. Der Verkäufer, ein hagerer, krank aussehender Mann mit langen fettigen Haaren, schüttelte immer wieder den Kopf, während das Paar auf ihn einredete. Das einzige Wort, das Fred verstand, war »Video«. Dann begann das Paar, Kartons hinauszutragen und in einen rostigen Golf mit Warschauer Nummer zu laden. Der Verkäufer begrüßte Moni mit müder Geste, zog wortlos drei Gläser aus einem Regal, ließ sich auf einen Stuhl fallen und schenkte ein. Moni hatte Fred gewarnt, die Jackenauslieferung sei eine anstrengende Sache. Langam begriff er, was sie damit meinte.

Während zwei Jacken und einige Runden Wodka über den Tisch gingen, holte das Paar ohne Pause Karton um Karton, und als Moni und Fred den Laden verließen, erinnerte der Golf an eine Gießform, in die man statt Gips Videorecorder gefüllt hatte.

»Wieviel verdient man damit?« fragte Fred.

»Keine Ahnung.«

»Vielleicht kann man die Dinger schmelzen und trinken«, murmelte er, während sie ins Taxi plumpsten, »vielleicht haben geschmolzene Videorecorder hundertsechzig Prozent! Zwei Atombomben!«

»Zum nächsten McDonald's und dann zur Apotheke«, sagte Moni und schloß die Augen.

Von Hamburgern und Kaffee gestärkt, suchten sie weitere Läden auf, kauten zwischendurch Aspirintabletten, und Moni versuchte, während der kurzen Fahrten zu schlafen. Fred sah zu, wie der Fahrpreis die hundert erreichte, dann die zweihundert. In Monis Tasche befanden sich inzwischen sechstausendfünfhundert Mark. Irgendwann wandte Fred plötzlich den Kopf und suchte Monis halb entblößte Unterarme nach Einstichen ab. Doch es gab keine.

Während der gesamten Auslieferung redeten sie wenig. Arbeit war Arbeit, und Flirt Flirt.

Am späten Nachmittag ließen sie sich zurück ins Hotel bringen. Nachdem Moni das Taxi bezahlt hatte, drehte sich der Fahrer zu Fred um, und das Herrenunterwäsche-Kataloggesicht wurde mit einemmal unangenehm schlau.

»Ich weiß, wer du bist!«

Fred zuckte leicht zusammen, war aber zu betrunken, um wirklich Angst zu kriegen. Während er die Tür aufstieß und sich mühsam aus dem Sitz hievte, lallte er: »Seit wann duzen wir uns?«

»Du bist der Typ, der den afrodeutschen Kellner zusammengeschlagen hat!«

Fred hielt mit einem Fuß auf der Straße inne. »Den was?«

»Ich hab dein Bild in der Zeitung gesehen! Das ist typisch: Irgendwelchen ausländischen Schluckern Mülljacken andrehen und abends für Deutschland einen Schwarzen massakrieren!«

Freds Mund öffnete sich verblüfft, dann sah er sich nach Moni um, die besorgt zwischen den beiden hin und her sah. Ohne Fred aus den Augen zu lassen, nahm der Taxifahrer ein Mikrofon in die Hand.

»Ganz ruhig bleiben! Ich kann sofort die Polizei rufen!«

Fred und Moni, die alles andere als angriffslustig aussahen, warfen sich einen ratlosen Blick zu. Irgendwas stimmte nicht. Der Taxifahrer, den Daumen am Mikrofonschalter, schaute herausfordernd. Schließlich beugte sich Fred vor. »Mal abgesehen vom Scheiß, den Sie reden, was wollen Sie eigentlich?«

Der Taxifahrer spitzte die Lippen und ließ sich mit seiner Antwort Zeit. »Es ist nicht so, daß ich für die Verfehlungen sozial Benachteiligter nicht auch ein gewisses Maß an Verständnis hätte. Ich selbst kann aus Erfahrung sprechen...«

Fred starrte in das hübsche Gesicht und verstand kein Wort. Waren das die Folgen des Wodkas? Er versuchte sich auf das Gerede des Taxifahrers einen Reim zu machen, als Moni plötzlich heiser und ziemlich dreckig loslachte. Die beiden Männer schauten irritiert auf.

»...Das is ja 'n Ding! Da denkt man die ganze Zeit, man fährt mit irgendeinem Studenten, und der fängt womöglich noch an, von Architektur oder so was zu quasseln, und am Ende stellt sich raus, es ist ein ganz cleverer Erpresser!«

Dem Taxifahrer war anzusehen, daß ihm Monis Erkenntnis zwar recht war, die Formulierung dafür um so weniger.

Doch ehe er etwas sagen konnte, fuhr Moni in für Fred überraschend kaltem Ton fort: »Aber Sie haben sich in der Adresse geirrt. Die ›Schlucker‹, denen wir die ›Mülljacken‹ andrehen, stehen zu einem Freizeiterpresser wie Ihnen etwa wie der Papst zur Putzfrau irgendeiner Kirchenorgel. Ich hab Ihre Autonummer und Ihre Beschreibung, und wenn meinem Freund etwas passiert, haben Sie Ihre letzte Fuhre gemacht. Wissen Sie, wie die erste Warnung dieser ›Schlucker‹ aussieht?«

Die Augenlider des Taxifahrers begannen zu zucken, und auf dem Rücken der Hand, die das Mikrofon umklammerte, traten Adern heraus.

»Warten Sie...«, sagte er.

»Kopfschuß«, unterbrach ihn Moni, »denn die, die Mist machen, werden nicht gewarnt, die werden beim ersten Mal abserviert. Warnung ist das nur für andere. Kapiert?«

Der Taxifahrer kapierte. Wortlos ließ er das Mikrofon auf den Beifahrersitz fallen und legte den ersten Gang ein.

Moni und Fred stiegen mit drei übriggebliebenen Jacken unterm Arm aus.

»Und nicht vergessen...«, rief Moni durch das heruntergekurbelte Fenster und fügte irgendwas auf russisch hinzu, das für Fred wie eine Mischung aus Singen und Würgen klang. Egal, ob man Russisch verstand oder nicht, niemand hätte auf Nettigkeiten getippt.

Der Taxifahrer trat aufs Gas, und Moni versuchte, sich die Autonummer einzuprägen. Fred glotzte sie an wie einen Filmstar. Sie hatte ihn gerettet – aber wie!

»...Stimmte das etwa alles?«

Moni betrachtete ihn nachdenklich, dann wandte sie sich zur Eingangstreppe. So wach sie eben noch geredet hatte, so erschöpft klang sie jetzt. »Wenn, ist es jedenfalls besser, keine Ahnung zu haben, ob.« Und ohne Freds fragenden Blick zu beachten: »Wußtest du von dem Bild in der Zeitung?«

Irgendwas an ihrem Ton ließ Fred zögern. »...Hmhm.«

»Das hättest du mir sagen müssen. Wenn die Kerle in den Läden das Bild ebenfalls gesehen hätten, wären wir hochkant rausgeflogen.«

»Aber...«, Fred sah die drei kahlrasierten Kolosse vor sich, »...die können doch keine Angst vor mir haben?«

»Angst?! Vor dir?!« Moni blieb auf der Treppe stehen und starrte ihn an, als wäre das die phantastischste Idee, von der sie je gehört hatte.

»Die Läden sind ihr legales Aushängeschild, da wollen sie keinen Ärger. Und einer, nach dem die Polizei fahndet, bedeutet Ärger.«

»Wenn ich gewußt hätte, was das für Geschäfte...«

Doch Moni wankte schon weiter und rammte mit der

Schulter die Eingangstür auf. Und er hatte sich nicht getraut, ihr von seinem bißchen Banküberfall zu erzählen...!

Im Flur erwarteten sie die Pferdefotos und immer noch ein leichter Gestank nach Buttersäure. Die Theke war verlassen, und die Tür dahinter geschlossen. Nach ein paar Schritten hielt Moni plötzlich inne, schloß die Augen und knickte zur Seite weg. Fred konnte sie gerade noch auffangen.

In einem Arm Moni, im anderen die restlichen Jacken, stieg er Schritt für Schritt die vier Stockwerke hinauf. Als er sie auf sein Bett legte, schlug sie noch mal kurz die Augen auf und murmelte: »...Danke, Käpt'n.« Dann schniefte sie leise und schlief ein.

Fred plumpste dazu. Während er noch über sein unverhofftes Glück nachdachte, Moni in seinem Bett zu haben, und anfing zu überlegen, ob und wie er die Situation ausnützen konnte, fielen ihm ebenfalls die Augen zu, und kurz darauf schnarchte er.

Es war dunkel, als Fred aufwachte. Der Platz neben ihm war leer. Benommen suchte er den Schalter der Nachttischlampe und knipste das Licht an. Auf seiner Uhr war es kurz nach vier.

Er rutschte vom Bett, schleppte sich ins Badezimmer und drehte den Kaltwasserhahn auf. Als das Wasser eisig wurde, legte er den Kopf ins Waschbecken. Fünf Minuten später nahm er ihn wieder raus und schlug sich gegen die Wangen.

Er ging zurück ins Zimmer und sah auf die Kuhle im Bett, in der Moni gelegen hatte. Er horchte zur Decke. Stille.

Er verließ das Zimmer und ging hinauf in den fünften Stock. Auf sein Klopfen rührte sich nichts. Er klopfte noch mal, dann drückte er die Klinke und trat ein. Die Nachttischlampe brannte und beleuchtete das Chaos aus Kleiderbergen, Schuhen und Hüten. Moni war nicht da. Auf dem Nachttisch entdeckte Fred einen Stapel neuer, noch verpackter Kartenspiele. Daneben lagen rote Plastikchips und ein Zettel, auf dem Tausenderzahlen mit Plus- und Minuszeichen untereinandergeschrieben waren. Tausenderzahlen...! Dahin ging also das Geld.

Am liebsten hätte Fred auf sie gewartet. Einen Moment überlegte er, die Spielsalons in der Nähe nach ihr abzusuchen. Er sah sie vor sich: eine Karte ausspielend, Geld verlierend, ausdruckslos, blauäugig, aufregend...

Zurück in seinem Zimmer, legte er sich aufs Bett, rauchte Zigaretten und horchte auf Schritte im Treppenhaus. In seinem Kopf wankte allerhand durcheinander: Nickel, Kanada, sein Geld, Moni... Vor sechs Tagen erst war er aus dem Gefängnis entlassen worden. Als der Himmel langsam grau wurde und sich das Brausen der erwachenden Stadt über die Dächer erhob und mit dem Zwitschern der Vögel mischte, schlief er ein.

15

Halb elf. Nickels Vorlesung begann um elf. Fred starrte auf die Armbanduhr und erwog die Möglichkeit, sie könne vorgehen. Schließlich taumelte er aus dem Bett und langte nach seinen Kleidern. Er überlegte kurz, ob er noch schnell bei Moni klopfen und guten Morgen sagen sollte, ließ es dann aber bleiben.

In der U-Bahn herrschte das übliche Gehuste und Geschnupfe. Fred verbarg seine Steckbriefaugen so gut es ging hinter vorgehaltener Hand und ins Gesicht gezogener Kapuze. Am Bahnhof Thielplatz sprang er aus dem Waggon und rannte die Treppe hinauf. Vor dem cocacolafarbenen Flachbau standen diesmal keine Studenten, und das Spruchband ›Ankommen durch Einkommen‹ war verschwunden. Fred spurtete über die Straße und einen der gepflasterten Wege hoch. Der Flur, in dem vorgestern noch dichtes Gedränge geherrscht hatte, lag jetzt verlassen da. Fred versuchte, sich zu orientieren, öffnete Türen zu leeren Zimmern, fragte Vorbeigehende, hetzte Gänge entlang, öffnete weitere Türen, bis er eine halbe Stunde später die richtige gefunden hatte. Hastig stieß er sie auf und prallte auf einen Vorlesungssaal mit etwa hundertfünfzig auf ihn gerichteten Augenpaaren. »Tschuldigung«, murmelte er und suchte den erstbesten freien Stuhl. Der erstbeste freie Stuhl befand sich diagonal zur Tür am anderen Ende des Raums. Eine Armee von Blicken im Gefolge, schlängelte sich Fred schwitzend und keuchend, über Rucksäcke und Beine stolpernd, durch die Tischreihen.

»Wenn Sie das nächste Mal beim Zuspätkommen nur halb soviel Krach machten, wäre ich Ihnen dankbar!« beendete die Professorin seinen Auftritt und wandte sich wieder einem der Tische im hinteren Teil des Saals zu. »Fahren Sie fort, Herr Zimmer.«

Fred fuhr herum. Herr Zimmer – Nickel…! Aufgeregt suchte er die Gesichter ab und lehnte sich zur Seite, doch eine Masse aus Baseballmützen und Hochfrisuren versperrte ihm die Sicht. Im nächsten Moment hörte er Nickels Stimme.

»Wenn im Roman also die Buchhändlerin die Fortpflanzung symbolisiert und der alternde Schriftsteller die Nation, dann ist der jugoslawische Hausmeister mit seiner manchmal unterwürfigen, manchmal rüden Art, der Buchhändlerin den Hof zu machen…«

Immer noch dieselbe, leicht beleidigt näselnde Ich-hör-Andenmusik-und-ihr-bloß-Pop-Stimme! Ungeduldig reckte Fred den Hals. Und dann sah er ihn endlich…! Nickel, Nick, Nick-dich, Nolte – sein bester Freund!

Nickel saß über Zettel und aufgeschlagene Bücher gebeugt, die Hände vor sich auf dem Tisch gefaltet, mit gerunzelter Stirn und ernstem Blick. Das erste, was Fred auffiel, war die fehlende Baskenmütze. Es hatte Zeiten gegeben, da hatte Nickel sie nicht mal beim Schwimmen abgenommen. Auch ein Teil der schulterlangen Haare war weg, und die Stirn war auf dem Weg Richtung Hinterkopf. Dafür hatte er jetzt Koteletten. Zwei schwarze markante

Striche, die fast den Mund erreichten. Er trug einen hellen Leinenanzug mit großen Knöpfen, ein dezent grünes Hemd mit ebenso dezentem rosa Kragen und sehr breite, sehr dick besohlte schwarze Schuhe, wie Jeeps. Fred hatte Nickel noch nie so herausgeputzt gesehen und fand, er sah phantastisch aus.

Eine junge Frau meldete sich zu Wort und bemäkelte, daß sie die Bezeichnung ›Jugoslawe‹ für eine Beleidigung der bosnischen Opfer von Sarajevo halte.

Nickel erwiderte, der Roman sei vor dem serbischen Angriff geschrieben, worauf die Frau zur Diskussion stellte, ob man die Literatur infolge solcher Ereignisse nicht korrigieren müsse.

Fred rutschte unruhig auf dem Stuhl hin und her. Endlich fuhr die Professorin dazwischen und verfügte, sämtliche Fragen aufzuheben, bis Herrn Zimmers Referat beendet sei.

Nickel sah zurück in seine Notizen. »...Im zweiten und zentralen Teil des Romans taucht nun überraschenderweise der uneheliche und lang verschollene Sohn des Schriftstellers auf. Das Wiedersehen ist nicht einfach. Der Schriftsteller, ein – wie gesagt – kluger, humorvoller, gutaussehender, aber am Leben und den damit zusammenhängenden Verantwortungen gescheiterter Mann, empfindet den mittlerweile dreiundzwanzigjährigen Moritz als Belastung. Moritz, der die Ablehnung spürt, erschlägt und verbrennt im Kampf um die Aufmerksamkeit und Liebe seines Vaters den Hausmeister, was den Schriftsteller in tiefe Konflikte stürzt...«

Fred strahlte. Toll, wie Nickel da redete! Was er redete,

war vielleicht etwas blindgestrickt, aber wie er's brachte, ganz der alte! Und vor so viel Publikum!

»...Am Ende ziehen die Buchhändlerin, der Schriftsteller und Moritz in ein Haus am See. Die Buchhändlerin bekommt ein Kind, das beiden Männern gleichermaßen ähnelt. Im letzten Abschnitt sitzen alle auf der Terrasse und schauen schweigend über den See. Als die Sonne untergeht, fangen sie leise zu singen an.«

Nickel sah von seinen Notizen auf und nickte zum Zeichen, daß das Referat beendet sei. Dann warf er Fred ein herzliches Willkommenslächeln zu, und Fred verlor vor Aufregung die Kontrolle über seine Gesichtsmuskeln. Sein Zurücklächeln mißriet zu einer hysterischen Grimasse. An Nickel zu denken und ihn jetzt leibhaftig vor sich zu sehen waren zwei völlig verschiedene Sachen. Fred mußte sich beherrschen, nicht einfach aufzuspringen und über die Tische zu klettern.

Nickel hatte gewußt, daß Fred in diesen Wochen entlassen würde. Auf seinem Schreibtisch zu Hause lag der Brief an Fred, in dem er ihm unter anderem seine neue Adresse mitteilte. Er war nur noch nicht abgeschickt, weil er vorher mit Annette hatte besprechen wollen, wie sie Fred am besten empfingen. Nun, dafür war es jetzt zu spät – und ihm konnte es nur recht sein. Lycka, seine Frau, reagierte auf Annette allergisch, und jeder Kontakt wurde mit tagelanger Demontage von Nickels Vorleben bestraft. Abgesehen davon, daß er selbst schon seit langem keinen gemeinsamen Ton mehr mit Annette fand; seit ihrer Trennung war sie seiner Meinung nach immer dekadenter und oberflächlicher geworden, mit nur noch Partys, Kleidern und Filmen im Kopf. Doch wie hatte Fred ihn hier gefunden? Er mußte ihn gesucht haben – ob er wütend war? Er würde Fred alles erklären können. In einer halben Stunde war die Vorlesung zu Ende. Was für ein merkwürdiges Gefühl, ihn nach all den Jahren wiederzusehen. Er wirkte kein bißchen verändert, als hätten sie erst gestern im Clash Karten gespielt. Offenbar hatte ihm das Gefängnis nicht viel anhaben können.

Nickel schob seine Notizen zusammen. Müde Körper räkelten sich, Schuhsohlen schabten über den Boden, an die Schlafenden wurden Ellbogenchecks ausgeteilt. In die stumme Pause hinein begann Fred, Beifall zu klatschen. Erneut richteten sich sämtliche Blicke im Saal auf ihn. Nickel schaute irritiert auf, dann wurde er rot. Die Professorin räusperte sich. »...Schön, daß Ihnen der Vortrag gefallen hat.«

Fred nickte heftig. »Spitzenklasse!«

»Äh...ja... Wir sind hier aber eigentlich nicht im Theater. Wenn Sie also so was wie eine Zugabe erwarten...«

»Aber nein! Der arme Nickel! Nicht wahr, Nickel?« Fred erhob sich halb vom Stuhl und winkte. »Hey, Nickel! Endlich, was?!« Die Blicke im Saal gingen mit.

Nickel erstarrte. Er zwang sich über die ihm zugewandten Köpfe hinweg zu einem Lächeln und machte mit der Hand eine beschwichtigende Geste. »...Hey, Fred!«

»Sehr schön«, sagte die Professorin, »aber zufällig ist das hier eine Literaturvorlesung, und ich möchte Sie bitten, Ihre kleine Feier entweder nach der Stunde oder vor der Tür fortzusetzen.«

»Kein Problem«, sagte Fred, stand auf und schlängelte sich durch Tisch- und Stuhlreihen.

An der Tür angelangt, drehte er sich um und bedeutete Nickel unauffällig, ihm zu folgen. Der gesamte Saal sah hingerissen zu.

Nickel zögerte, dann löste er sich schwerfällig vom Stuhl, stotterte etwas in Richtung Professorin und schlich hinaus.

»Mensch, Nickel!« Fred packte ihn bei den Schultern, schüttelte ihn und strahlte.

»Ja, sicher...«, erwiderte Nickel hin- und hergerissen, »...aber mein Referat... Weißt du, ohne Diskussionsbeteiligung gibt es keinen...«

»Ach, Diskussionsbeteiligung!« Fred musterte Nickel von oben bis unten, dann grinste er. »So sieht also ein Papi aus!« Ein Papi mit Mundgeruch, schoß es ihm durch den Kopf.

Nickel stutzte. »Woher...?«

»Hab eben Verbindungen. Am besten, wir gehn jetzt erst mal einen heben!«

Nickel zögerte kurz. »...Okay, ich hol nur noch schnell meinen Rucksack.«

Auf dem Weg zur Universitätscafeteria gingen sie Arm in Arm, und Nickel entschuldigte sich, daß er seine Adresse nicht rechtzeitig geschickt habe.

»Wie hast du mich überhaupt gefunden?«

»Tja«, Fred tippte sich an die Stirn, »Beverly Hills Cop!«

Nickel lachte. Fred schien tatsächlich der alte geblieben zu sein.

»Hast du Annette schon gesehen?«

Fred hatte sich auf die Frage vorbereitet. Und nicht nur darauf. Er hatte aus dem Wiedersehen mit Annette gelernt: Man mußte von wo kommen, damit die Leute wollten, daß man da war. Er zögerte keinen Augenblick. »Sure! Bin direkt nach der Entlassung zu ihr gefahren.«

»Und?«

»Super, wie immer! Großes Fest, viel Wodka, interesting people...« Fred überlegte kurz. »...Allerdings hat sie etwas zu viel erwartet. Ich meine, sie wollte, daß ich bei ihr einziehe und bei den Filmen mitmache. Einer ihrer Freunde war ganz versessen drauf, mir die Hauptrolle in so 'nem Action-Streifen zu geben.«

»Action-Streifen? Hatte keine Ahnung, daß die so was machen. Dann weißt du sicher, daß Annette und ich uns kaum noch sehen?«

»Ich denke...«, Fred stolperte über Nickels Hacke, »...gar nicht mehr?«

»An ihrem Geburtstag ruf ich sie schon noch an. Und letzte Weihnachten in Dieburg waren wir Kaffee trinken.«

»Ehrlich gesagt: Besonders nett hat sie nicht über dich geredet.«

»Kann ich mir vorstellen. Sie hat sich sehr verändert. Hast du die Leute kennengelernt, mit denen sie zusammenwohnt?«

»Du meinst Terry und Marcel? Aber sicher!«

»Ist ja auch egal. Hauptsache, du bist frei!« Nickel drückte ihn an sich. »Ich weiß nicht, wie ich's sagen soll, aber...«

Fred schüttelte den Kopf. »Schon gut! Es ist vorbei!«

Zehn Minuten später verfolgten die Gäste der Universitätscafeteria verblüfft, wie ein junger Mann ein Tablett voller Bierflaschen von der Kasse durch den Saal zu einem anderen jungen Mann schleppte, der sich bestürzt von seinem Stuhl erhob, seinen Anzug glattstrich und half, das sich vor Last biegende Tablett auf den Tisch zu stellen.

»Hätten's für den Anfang nicht auch ein paar weniger getan?«

Fred zog grinsend sein Feuerzeug aus der Tasche und hebelte zwei Flaschen auf.

»Sind doch keine Opas! Jetzt wird gefeiert! Cheers, Nickel!«

Fred knallte seine Flasche gegen Nickels, und einige über Ordnern büffelnde, Rohkost futternde Studenten wandten ein bißchen empört, ein bißchen neidisch die Köpfe. Nickel warf einen schnellen Blick über die anderen Tischrunden, ob jemand da war, der ihn kannte.

»Prost, Fred!« Nickel nahm einen Schluck und mußte sich zusammenreißen, um das Gesicht nicht zu verziehen. Er pflegte, was das Biertrinken betraf, schon seit längerem einen genauen Ritus: Abends um sieben ging er in den Keller seines Hauses, holte vier Flaschen Ahornberger Landbier und trank die erste alleine im Garten. Damit war es für heute vorbei, selbst wenn das Cafeteria-Bier keine lauwarme Plörre gewesen wäre.

»Stehn dir gut, die Koteletten!«

»Danke.«

Fred saß über den Tisch gebeugt, die Muskeln angespannt, mit übermüdet glänzenden, gleichzeitig erregt flackernden Augen, und erinnerte an ein Auto, dem bei Vollgas die Reifen durchdrehen. »Jetzt erzähl mal! Junge oder Mädchen?!«

»Ein Junge.«

»Und wie heißt er?«

»Johann Wolfgang, wegen...«

»Donnerwetter! Soll er König werden?« Fred lachte und ließ erneut die Flaschen gegeneinanderknallen. »Da läßt man dich kaum einen Moment aus den Augen, und schon hast du Familie!«

Nickel gab sich Mühe mitzulachen. Er hatte sich das Wiedersehen anders vorgestellt: ruhiger, gediegener, feierlicher. Letzten Monat hatte er für diesen Anlaß extra eine teure, vier Jahre alte Flasche Rotwein gekauft. Lycka hatte die Symbolik toll gefunden. Inzwischen ärgerte er sich, den Brief an Fred nicht abgeschickt zu haben. Mit einer Verabredung wäre dieses stillose Aufeinanderprallen vermieden worden.

»Und deine Frau?«

»Lyckträffa.«

»What?«

»So heißt sie.« Nickel fragte sich, was das dämliche Englisch sollte. Redete man so im Gefängnis?

Fred hob die Augenbrauen. »Wie heißt sie?«

»Sag einfach Lycka. Es ist ein schwedischer Name. Ihr Vater hat ihn sich ausgedacht. Er liebt Schweden.«

»Aber liebt er auch seine Tochter?« Fred feixte. »...Und ihr seid richtig zusammen, mit Küche und so?«

»Hm-hm.«

Fred ließ sich keine Enttäuschung anmerken. Was immer Nickel an Neuigkeiten präsentierte, ihn würden sie nicht aus der Fassung bringen.

»Und wo wohnt ihr?«

»Im Osten.«

»Hätt ich mir denken können! Weißt du noch beim Schulstreik, wie du mit der roten Fahne alleine auf'm Dach gestanden und *Aufwachen, verdammt noch mal*, oder wie das heißt, gesungen hast?«

»Es heißt anders, und damals war ich noch jung.«

»Also, mir hast du gefallen.«

»Jedenfalls wohnen wir nicht deshalb im Osten, sondern wegen der Quadratmeterpreise. Wir haben uns dort ein kleines Haus gekauft.«

»...Ach so?«

»Ja. Auf Dauer kommt das mit Familie einfach billiger.«

»Na klar.«

Fred stürzte sein Bier runter und öffnete die nächsten beiden Flaschen. Haus gekauft, Familie, Kind, Mundgeruch...

Dann löcherte er Nickel weiter, ließ sich die Trennung von Annette schildern und wie er Lycka kennengelernt hatte, erkundigte sich nach alten Dieburger Freunden, fragte sich durch vier Jahre und sorgte dafür, daß die Worte am Tisch nicht ausgingen. Als Fred spürte, daß seine Suche nach Fragen immer mühsamer wurde und Nickels zurückhaltende Antworten anfingen, seiner Wiedersehensfreude die ersten Risse zuzufügen, begann er unvermittelt, vom Gefängnis zu erzählen. Die üblichen Geschichten, wie er Tischfußballmeister geworden sei, wieviel Freunde und Spaß er gehabt habe und wie schnell so ein paar Jahre runtergerissen wären, wenn man es sich nur richtig einrichtete.

Nickel hörte aufmerksam zu. Einmal sagte er: »Ich hab mir noch Monate nach dem Überfall überlegt, mich zu stellen. Natürlich hätte dir das nichts mehr genützt, aber...« Ein andermal: »Meine Postkarten habe ich absichtlich so nüchtern gehalten, um dich vor erneuten Verhören zu bewahren...«

Mit der Zeit fiel Fred ein Tick von Nickel auf. In unregelmäßigen Abständen zuckte sein Kopf zur einen oder anderen Seite, verengten sich seine Pupillen und bekam sein Gesicht den taxierenden Ausdruck eines Cabriolethändlers, der überlegt, ob der Kunde seiner Autos würdig sei. Nach einer Weile machte der Tick Fred nervös, und er folgte Nickels Blick, konnte aber nichts weiter sehen, als hereinkommende oder hinausgehende Frauen. Irgendwann hielt Fred inne und fragte: »Hast du das schon lange?«

Nickels Augen ließen einen Faltenrock ziehen und sahen überrascht auf. »Was?«

»Dieses Zucken.«

»Zucken?«

»Na, so etwa...« Fred machte ihn nach. »Ich hab gelesen, daß man so was selber oft gar nicht merkt. Hat dir Lulla noch nie was gesagt?«

Nickels Blick verharrte ungläubig.

»Ehrlich gesagt, sieht's ziemlich fies aus.« Fred hob die Hände zum Zeichen, daß er auch nichts dafür könne. Nickels Art, ihn anzusehen, gefiel ihm nicht.

Eine Pause entstand, und beide wandten sich ihren Bierflaschen zu. Fred überlegte, ob das Zucken vielleicht Nickels besonders wunder Punkt sei. Allerdings hatten sie früher gerade über ihre wundesten Punkte die besten Witze gemacht.

»Tja...«, sagte Nickel schließlich und fuhr sich mit der

Hand sanft glättend über die Koteletten, »und hast du dir schon was Schönes angeguckt in Berlin?«

Fred, im Begriff, sich eine Zigarette anzuzünden, ließ das Streichholz einen Augenblick in der Luft brennen, dann hielt er es an den Tabak und schnippte es zu Boden.

»Wie steht's mit Kanada?« fragte er zurück, und als Nickel ohne Zögern antwortete, dachte er, daß das ganze Geheimnis, um sich zu verstehen, vielleicht nur darin lag, Sachen zu überhören.

»Lycka und ich waren letztes Jahr drei Wochen dort – ganz toll!«

Das Geheimnis lag wohl doch nicht nur im Überhören.

Fred zeigte sein fröhlichstes Lächeln. »Ich meinte, unser Kanada. Weißt du noch...?«

Natürlich hatte Nickel sofort gewußt, welches Kanada Fred meinte, aber für den Moment gehofft, um das Thema herumzukommen. Ganz anders als Annette und ähnlich wie Fred, sah Nickel Abmachungen als etwas an, was man einhielt. Doch das war unmöglich – nicht, weil er nicht wollte, sondern weil er nicht mehr konnte. In einer versteckten Kammer seines Kopfes lebte der Traum vom international bekannten Fotografen mit Wohnsitz Vancouver fort, doch Frau und Kind, das Haus mit Garten und die Aussicht aufs Professorengehalt hatten den Eingang inzwischen gründlich verbaut. Nickels schlechtes Gewissen galt darum fast noch mehr sich selbst als Fred. Es machte ihm das Thema doppelt unangenehm.

»Natürlich weiß ich noch...«, sagte Nickel in einem Ton, der bedeuten sollte, wie gedankenlos die Frage sei: Als habe er nicht vier Jahre lang unter dem Druck des Versprechens gelitten, und als habe ihn der Entschluß, es zu brechen, nicht alle Kraft gekostet! Sein Ausweichen vor dem Thema hielt er für den besten Beweis, wie schwer er daran trug. Gerne hätte Nickel jetzt von Zwängen und Ängsten gesprochen, doch Freds Lächeln verwehrte der Situation den nötigen Ernst. Warum lächelte er nur so?! Machte er sich über ihn lustig...?

Und dann meinte Nickel zu verstehen: Fred hatte sich mit Annette über ihn hergemacht. Natürlich! Wahrscheinlich hatte Annette so was gesagt wie: Mit Nickel nach Kanada? Daß ich nicht lache! Der alte Spießer! Kommt doch nie mehr aus den Pantoffeln! Und jetzt prüfte ihn Fred. Ob Fred selber überhaupt noch nach Kanada wollte?

»...Ich habe dauernd daran gedacht, besonders die ersten zwei Jahre. Ich hatte mich extra für Anglistik eingeschrieben und mich erkundigt, ob ich das Studium in Kanada fortsetzen kann... Bitte Fred, sei mir nicht böse, aber irgendwann ist mir klar geworden, daß mich Kanada eigentlich gar nicht interessiert. Wenn ich vorhin gesagt habe, Kanada war toll, meinte ich vor allem unseren Urlaub...«

Fred hörte nicht auf zu lächeln. Nickel fragte sich, ob er überhaupt noch zuhörte.

Zögernd fuhr er fort: »...Weißt du, als wir drüben waren, habe ich gesehen, wie langweilig es dort auf Dauer sein muß. Außer Wäldern und ein paar häßlichen, anonymen Großstädten gibt es nichts. Ich meine, im Vergleich zu Europa. Kanada ist vielleicht etwas für später, wenn man seine Ruhe haben will, ein Häuschen am See...« Freds Zustimmung voraussetzend, warf Nickel ihm einen ebenso amüsierten wie verächtlichen Womit-wir-weiß-Gott-nichts-zu-tunhaben-Blick zu. »...Kaminfeuer, Salat pflanzen – jedenfalls nichts, wenn man noch vorhat, etwas zu erleben!«

»Hm-hm«, machte Fred und hörte auf zu lächeln. Ruhig öffnete er sich ein Bier, legte den Deckel sorgfältig beiseite und nahm einen langen Schluck. Nickel wußte nicht recht, wie er Freds plötzlichen Stimmungswandel deuten sollte. Erst lächelte er ein paarmal leer, um dem Gespräch über die Pause zu helfen, doch je länger Fred nichts sagte und offenbar auch nichts weiter hören wollte, desto verhaltener wurde auch Nickel.

Fred stellte die Flasche ab, steckte sich sorgfältig eine Zigarette an und nahm zwei Züge, bis er plötzlich überraschend schnippisch sagte: »Von mir aus. Ich will trotzdem hin.«

Nickel stutzte. »Ach ja...?!«

Inzwischen hatte er fest darauf gebaut, Fred habe Kanada nur erwähnt, um entweder gemeinsam über jugendliche Flausen zu lachen, oder sich über ihn, Nickel, der nach Kanada wollte, aber nicht konnte, lustig zu machen. Die Situation falsch eingeschätzt zu haben ärgerte ihn.

Fred sah auf die Glut seiner Zigarette. Er hatte das Gefühl, eine eiserne Rüstung lege sich um ihn. Seine letzte Hoffnung war, wie zwar insgeheim befürchtet, aber nicht erwartet, begraben. Was blieb, war weitermarschieren. Ohne Rücksicht, ohne Zeit zu verlieren.

Er setzte sich auf. »Und zwar so bald wie möglich. Annette hat mir gesagt, du hättest mein Geld.«

Nickels Antwort kam prompt. »Ich hab's nicht nur, ich hab's sogar vermehrt!«

Endlich fühlte sich Nickel wieder auf sicherem Terrain.

Sein Umgang mit Freds Geld war seiner Meinung nach tadellos bis bewundernswert. Und wie mit einem prächtigen Geburtstagsgeschenk, dessen Wirkung ohne Zweifel war, wollte sich Nickel, um des Effektes willen, mit dem Lüften der ganzen Wahrheit Zeit lassen.

Zwinkernd sagte er: »Ich hätte Buchhalter bei der Mafia werden können«, und nach einem Blick Richtung Nebentisch, »aber das erkläre ich dir besser zu Hause.«

Fred wußte mit Nickels Gerede nichts anzufangen. Sein Geld, fand er, war nichts für spannendes Drumherum, sein Geld an sich war spannend genug.

»Was gibt's da zu erklären?«

»Das wirst du schon sehen. Aber wie gesagt...« Nickel deutete mit dem Kopf in den Saal. Die offensichtliche Verschlechterung von Freds Laune störte ihn nicht, zu sehr baute er auf dessen spätere Freude.

»Na gut, fahren wir zu dir.«

»Jetzt? Das geht nicht. Ich hab in einer halben Stunde Vorlesung.«

»Wie lange?«

»Warte mal, Fred. Wir haben doch Zeit. Ich dachte, ich koche morgen, du kommst zum Abendessen, und wir machen das in aller Ruhe. Dabei lernst du auch Lycka kennen und kannst unseren kleinen Wonneproppen sehen. Wie wär's?«

»Was für 'n Proppen?«

»Johann.«

»Warum nicht heute abend?«

»Wir sind leider schon verabredet. Lyckas Chef hat uns zum Essen eingeladen. ...Also?«

Fred langte nach seinem Bier. Er fühlte sich auf einmal müde, und Nickels heitere Sachlichkeit und sein schlechter Atem deprimierten ihn. Draußen war der Himmel so düster geworden, daß in der Cafeteria die Neonröhren aufflammten. Winterabendliche Stimmung legte sich über die Tische. Nickel lächelte ihn erwartungsvoll an und begann, mit dem Knie zu wippen. Aus Nervosität? Aus Vorfreude? Das Knie tippte jedesmal leicht gegen das Tischbein, und die Flaschen auf dem Tisch klirrten leise. Fred hatte das schon oft beobachtet: nur bei Männern, nur bei blöden. Ob sie wußten, was ihr Knie da machte? Und wie's aussah? So männlich wie vollgepinkelte Hosen, fand Fred.

»...Okay«, sagte er, »also bis morgen. Aber du mußt mir was vorstrecken. Ich bin pleite.«

»Aber selbstverständlich! Reichen hundert? Mehr hab ich nicht dabei.«

Fred nahm den Schein, bekam noch mal versichert, daß er morgen abend ein reicher Mann sei, erhielt eine Visitenkarte und eine Wegbeschreibung.

»...U-Bahnstation Hönow ist gleichzeitig die Endstation. Wenn du rauskommst, gehst du einfach in die entgegengesetzte Richtung der Plattenbauten.«

»Plattenbauten?«

»Ossi-Barock«, erklärte Nickel und lachte.

Fred hatte das Wort »Ossi« bisher nur von Politikern im Fernsehen gehört, und da war's ihm immer vorgekommen, wie wenn alte Männer »dufter Abend« oder so was sagten, um sich ein paar Jahrzehnte jünger zu machen.

Auf dem Weg zur Tür fragte er, ob »Ossi« ein Witzwort sei.

»Aber nein, jeder sagt das. Ist auch überhaupt nicht diskriminierend. Die Ossis nennen sich selber so.«

»Selbst schuld.«

»Ich find's einfach locker: Ossi! Nicht so ernst, wie normalerweise in Deutschland geredet wird.«

»Keine Ahnung, wie geredet wird.«

In dem Maße, wie Freds Laune ins Bodenlose sank, schien Nickels sich zu heben. Vergnügt und mit weit ausholenden Schritten lief er neben ihm her.

»Warum ist auf deiner Karte keine Telefonnummer drauf?«

»Tja«, Nickel grinste, »...so ist das im Osten! Wir haben es vor drei Monaten beantragt, und immer noch ist keine Leitung gelegt! Aber ehrlich gesagt: Ich find's gar nicht so schlecht, man hat seine Ruhe.«

»Wie schön«, murmelte Fred.

»Ist es wirklich!« Nickel hielt Fred die Tür auf. »Und grüß Annette von mir. Übrigens kannst du natürlich auch bei uns wohnen, wenn es dir in der Wohnung dort zu laut wird. Aber zu laut kann's dir ja gar nicht sein, was? Alter Junge! Mensch, ich freu mich so! Kann's noch gar nicht richtig glauben, daß du wieder draußen bist!«

Am Ausgang erschreckte er Fred mit einer ungelenken Umarmung und einem Schulterklopfen wie ein Gangsterboß oder ein Gebrauchtwagenhändler.

»Bis morgen, mein Lieber!«

Dann winkte er und verschwand in einem der Gänge.

16

WEGEN AUSWÄRTIGER VERGNÜGUNGEN GESCHLOSSEN.

Der Zettel klebte im Fenster. Langsam wandte sich Fred von Ringos Stübchen ab und trottete ziellos die Straße hinunter. Die Stadt kam ihm trostloser denn je vor. Himmel und Häuser waren eine einzige graue Masse. Wenn irgendwo jemand lachte, glaubte er, das Lachen gelte ihm.

Vor einem Reisebüro blieb er stehen und sah sich im Schaufenster Fotos von Palmenstränden und sanften grünen Hügeln mit Schafen und Obstbäumen an. Sogar ein Kanada-Prospekt lag aus. Kanada... Auf einmal hatte der Gedanke einen schalen Geschmack. Er hatte nichts mehr zu tun mit Triumph und einer langen Nase an alle, die ihn im Laufe der vier Jahre abgeschrieben hatten. Kanada war jetzt einfach... na ja, irgendein Land, von dem er gelesen hatte. Vorher war es die beste Möglichkeit von vielen gewesen, nun sah es fast so aus, als bliebe ihm nichts anderes mehr übrig. Was sollte er hier? Oder in Dieburg? Oder sonstwo? Und hatte er nicht jedem, der es hören oder nicht hören wollte, verkündet, er gehe nach Kanada? ...Oh yes, I go to Canada! Wie albern sich das plötzlich anhörte.

Dabei war das Problem nicht, daß Annette und Nickel nicht mitkamen, sondern *wie* sie nicht mitkamen. So wie sie auch nicht richtig blieben. Wenn er nach Kanada abreisen würde, wüßte er gar nicht mehr, wovon ab. Im Gefängnis war alles klar gewesen, woher, wohin, warum.

In einer Bäckerei kaufte er sich ein Stück Kuchen und setzte sich auf eine Bank. Morgen würde er sein Geld bekommen, und dann... Auf jeden Fall wollte er Moni noch mal schick zum Essen einladen und vielleicht... Aber sie hatte sicher viele, die ihr beim Jackenaustragen halfen: eine, die nachmittags eine Flasche Wodka trank und anschließend Erpresser in die Flucht schlug. Und er mit seiner blöden Matrosengeschichte... Na ja, irgendwann würde er jedenfalls fahren. Erst nach Dieburg, das Haus verkaufen, dann das Ticket besorgen, dann zum Frankfurter Flughafen...

Und wenn er Annette noch mal anrief? Solange er nicht über Familie und Filme sprach, nicht mit ihr ins Bett wollte und auch nicht mehr nach Kanada, könnte er ihr immerhin von Nickel erzählen. Und was es nicht alles zu erzählen gab! Wie Nickel redete, wie er sich anzog, sich über die Koteletten strich, seinen Sohn getauft hatte, und wie er beim Biertrinken tat, als sei das unter seiner Würde! Wie er sich völlig verändert hatte! Oder würde Annette auch sagen: Damals waren wir noch jung? Als ob Älterwerden eine Art Krankheit sei, gegen deren Verlauf nichts zu machen ist. Würde Annette ihn erneut für bescheuert halten? War er's? Behielten die Sozialarbeiter und Wärter recht, die ihn gewarnt hatten, wie schwer es werden würde, nach vier Jahren draußen wieder klarzukommen...? Zugegeben, vieles, was um ihn herum vorging, verstand er nicht. Ein Punkt für Kanada: Wenn er dort nichts verstand, wäre – für eine Weile wenigstens – nichts dabei.

Er schob sich das letzte Stück Kuchen in den Mund, stand auf und sah sich nach einer Telefonzelle um. Diesmal käme er ohne Erwartungen oder Pläne. Er würde Annette nur bitten, ihm ein paar Sachen zu erklären. Wie sie die Dinge sah. Und er wollte sich Mühe geben zu begreifen. Keiner mehr, der auf Tische kotzte und Leute, die ihm nichts getan hatten, Lehrer schimpfte. Ein neuer Fred: aufgeschlossen, lernbereit, sich seiner Bedeutungslosigkeit bewußt...

»Film- und Fernsehproduktion Megastars!« meldete sich ein Mann.

»Fred Hoffmann, ich würde gerne Annette sprechen.«

Fred versuchte, seiner Stimme einen freundlich-heiteren Klang zu geben.

»Ach, der Penner, der uns die Küche vollgereihert hat!«

»...Hm-ja.«

»Annette ist nicht da.«

»Könnten Sie mir vielleicht sagen, wo sie ist?«

»Keine Ahnung.«

»Und wann sie zurückkommt?«

»Annette ist mit dem Team unterwegs, später müßte sie im Le Parisien sein.«

»Was ist das?«

»Was das ist...?« Amüsiertes Hüsteln.

»Ja...«, gar nicht so einfach mit dem Aufgeschlossensein, »...klingt französisch.«

»Na, was du nicht sagst! Is so 'n Ding, wo man an Tischen sitzt mit Essen, Trinken, Besteck und so weiter – schon mal von gehört?«

»Sie meinen wohl ein Restaurant?«

»Volltreffer!«

»Wie schön. Ob Sie mir wohl die Adresse von dem Restaurant geben könnten?«

Ins Le Parisien ging man nicht zum Essen. Jedenfalls nicht in erster Linie, und schon gar nicht um fünf Uhr nachmittags. Nachmittags war Erholungszeit. Es wurde gelesen, nur leise gesprochen und in den mit Leder bezogenen Bänken vor sich hin gedämmert. Unter modernen Gemälden und Skulpturen saßen die wenigen Gäste an abgedeckten Edelholztischen, tranken leichten Wein und hofften, ihr Magen würde sich bis zum Abend so weit von Entrecôte und Langusten entleeren, daß sie ihn in geselliger Runde von neuem vollstopfen konnten. Regisseure, Galeristen, Filmproduzenten, Verleger, Architekten, Anwälte, Schauspieler. Im Le Parisien aß man, um sich zu treffen. Doch nachmittags wollte man seine Ruhe und bezahlte dafür das Gläschen Wein mit zwanzig Mark.

Um so lauter war der Knall, als das Tablett auf die Theke schlug. Die Gäste sahen auf. Der Kellner, im tadellosen Kostüm, mit schneeweißer Schürze und schwarzer Fliege, schüttelte entrüstet den Kopf. »Nudeln!« kam es aus seinem Mündchen, als zwinge man ihn, etwas Unanständiges zu sagen. Erregt fuhr er sich mit den Fingerspitzen über die Stirn.

Der ebenso tadellos gekleidete Barmann dahinter blätterte in einer Modeillustrierten. Er warf einen Blick zu Freds Tisch und brummte: »Sind aus.«

»Oh nein!« Der Kellner warf die Hände in die Luft. »Nicht mit mir! Nicht noch mal an diesen Tisch. Dann bestellt er wahrscheinlich Kartoffeln, oder Reis, oder...«, er kickste, »...Cornflakes!«

Fred war der einzige, der von der Aufregung nichts mitbekam. Sein Blick strich durch den Saal, und seine Augen glänzten wie unterm Weihnachtsbaum. Für eine Weile vergaß er seinen ganzen Ärger. Sorgfältig betrachtete er jeden Gegenstand: die Theke aus dunklem, poliertem Holz mit funkelnden Messingbeschlägen und silbernen Zapfhähnen, die halbrunden Glaslampen an den Wänden, die alles in gelbes weiches Licht tauchten, die silbernen Aschenbecher und Kerzenständer, die dunkelroten Ledersessel, das antike Hinweisschild zur Toilette, die halbhohen Samtvorhänge… Und über allem lag ein Hauch von Cognac. In so einem Restaurant war er noch nie gewesen. Schade, dachte er, daß ich die Speisekarte nicht lesen kann. ›Bries‹, ›Bourguignon‹, ›Canard‹… Das mußten phantastische Sachen sein, aber wenn er Pech hatte, waren's Kutteln.

An Freds Nachbartisch saß ein junger Mann im Anzug, trank Mineralwasser und lernte mit einem vor sich aufgeschlagenen Gourmetführer Grappasorten auswendig. Daneben unterhielt sich ein Pärchen besorgt über die Zukunft des deutschen Gedichts.

Der Hilfskoch tippte sich gegen die Stirn. »Hast se nich mehr alle! Spaghetti mit Tomatensoße!«

»Schmeiß du ihn doch raus«, zeterte der Kellner, »sieht aus wie 'n Plattenbautler – der wartet doch nur darauf, hier alles zusammenzukloppen!«

Der Hilfskoch verdrehte die Augen. Dann pfiff er den Lehrling zu sich. »Kleiner, renn mal zur Pizzeria um die Ecke, und hol 'ne Portion Nudeln.« Und zum Kellner: »Mit Empfehlung vom Küchenchef, und für nur neunenzwanzich fuffzich!«

Zehn Minuten später schlug die Schwingtür zur Theke auf, und der Kellner kam mit einer Flasche Wein und einem Glas durch den Saal geeilt. Wortlos schenkte er Fred einen

Probierschluck ein. Fred sah vom Tropfen im Glas zum Kellner, dann wieder aufs Glas und noch mal hin und her, bis der Kellner zischte: »Goûtez, s'il vous plaît!«

Es waren außer Merci und Yves Saint-Laurent die einzigen französischen Wörter, die er kannte. Er war nie in Frankreich gewesen und haßte französische Gäste, weil sie oft Fragen stellten, manchmal eine Empfehlung erwarteten – als stände nicht alles schwarz auf weiß in der Karte – und hin und wieder sogar etwas an der Küche auszusetzen hatten. Zwar würde er Seeteufel à la Sowieso niemals selber essen, konnte die Kollegen nicht leiden und fühlte sich unterbezahlt, aber Fremde, die es wagten zu kritisieren, hätte er am liebsten vor die Tür gesetzt. Eigentlich gefiel ihm nur der französische Name des Restaurants. Auch hatte er nichts gegen Nudeln – er selber aß am liebsten Spätzle –, aber er verachtete alles, wovon er glaubte, es zu verachten sei sein Recht. So wäre ihm als Angestellter einer Imbißbude jeder zuwider gewesen, der einen neuen Mantel angehabt oder eine saubere Serviette verlangt hätte.

Fred deutete hilflos aufs Glas. »Wie soll das weitergehen?«

Worauf der Kellner die Flasche abstellte und ohne ein weiteres Wort davonbrauste. Fred bemerkte, wie ihn der junge Mann am Nebentisch unverhohlen musterte. Schnell schenkte er das Glas voll, nahm einen tiefen Schluck, schmatzte genießerisch und nickte dem jungen Mann zu. »Köstlich!«

Wenig später landete vor Fred ein riesiger weißer Teller, zur Hälfte mit einem roten Pampsfladen bedeckt. Dünn lächelnd wünschte der Kellner »Guten Appetit!«.

Als Fred sich über den Teller beugte, überlief ihn ein Schauer. Die Nudeln rochen ganz genau wie in der Pizzeria in Dieburg. Ebensogut hätte man ihm Kohlrouladen mit einem Spritzer von Oma Ranunkels Kölnisch Wasser an den Tisch bringen können. Als säße er plötzlich wieder mit Annette und Nickel in dem kleinen Raum mit Fußballfotos und Knoblauchzöpfen an der Wand und machte bei Pizzabrot und Chianti Hausaufgaben. Mietta aus der Musicbox, der Besitzer, der ihnen Kaffee spendierte, der Geruch von kochenden Tomaten…

Hätte jemand gefragt, wie ihm die Nudeln schmeckten, wäre die wahrheitsgemäße Antwort ›ausgezeichnet‹ gewesen. Allerdings schaute er bei jedem Bissen drein, als müsse er sich zusammenreißen, um nicht in Tränen auszubrechen.

Das Restaurant begann sich zu füllen, und gegen sieben kam der Kellner und erklärte, Freds Tisch sei ab neunzehn Uhr reserviert.

»Aber ich warte auf jemand.«

»Tut mir leid, wir sind kein Bahnhof.«

»Vielleicht könnte ich mich an die Theke stellen?«

Der Kellner lachte spitz. »…An die Theke! Das wär ja was!« und legte die Rechnung auf den Tisch. »Wenn Sie unbedingt wollen, setzen Sie sich hinter der Garderobe eine Weile auf die Bank, bis ihre, ähm… Bekannten kommen.«

Nachdem Fred mit einiger Verwunderung die Rechnung gelesen und bezahlt hatte, verzog er sich folgsam hinter einen grünen Samtvorhang. Neben der Garderobe befanden sich hier auch die Toiletten. Zwischen den Türen mit Herren- und Damenschildchen hockte sich Fred auf die Bank und beobachtete durch den Vorhangschlitz die Eingangstür.

Leute kamen und gingen. Alte Frauen mit Mädchenzöpfen, Männer mit mehr Schmuck als Fingern an der Hand, Greise in rosa Schuhen, Frauen mit Krawatten. Es dauerte nicht lange, und Fred hatte die ersten fünfzig Pfennig neben sich auf dem Tisch liegen. Leute fragten ihn nach Kleiderbügeln, und eine Frau mit lila Hütchen erzählte ihm aus heiterem Himmel, daß sie früher mal in der Fabrik gearbeitet habe.

Fred sah zu, wie der Zeiger auf seiner Armbanduhr im Kreis schlich. Ein paarmal glaubte er, Annette in der Eingangstür zu sehen, doch es waren nur Frauen mit ähnlicher Schminke.

Hatte ihm der Mann von MEGASTARS Quatsch erzählt? Absichtlich? Hatte Annette vielleicht gesagt, wenn er, Fred, anrufe, solle man ihn irgendwohin schicken, nur nicht dahin, wo sie sich tatsächlich aufhalte...?

Nach eineinhalb Stunden hatte er genug. Er nahm das Geld, an die zwanzig Mark, vom Tisch und verließ den Toilettenvorraum. Der Saal war inzwischen zum Platzen voll. Alle schienen gleichzeitig zu reden, zu trinken, zu brüllen, anzustoßen und sich in den Armen zu liegen. Fred zwängte sich an Stühlen und herumstehenden, Champagner trinkenden Gästen vorbei. Gerade wollte er den Türvorhang zur Seite schieben, als er Annette plötzlich sah... Weiß geschminkt, mit hochgestecktem Haar, lachend. Sie saß in großer Runde um einen mit Flaschen und Gläsern überladenen Tisch. Instinktiv trat Fred zur Seite und verbarg sich hinter einem Zeitungsständer. Ein fetter Mann mit aufgequollenem, rotem Gesicht, den Fred glaubte, aus dem Fernsehen zu kennen, drängte sich an sie, nahm ihr Kinn in die Hand, sagte etwas und rammte ihr seinen Mund auf die Lippen. Am Anfang versuchte Annette, ihn zurückzuschieben, dann ließ sie es geschehen, und Fred sah, wie die dicke Zunge des Mannes hastig rein und raus stieß. Als der Mann von ihr abließ, lachte sie immer noch. Auf der anderen Seite neben ihr erkannte Fred das Gesicht von den Fotos in ihrem Zimmer. Ein junger Mann mit stechendem Blick und einer Art, verwegen die Stirn vorzuschieben. Seine Jeansjacke war sorgfältig durchgescheuert, und sein Wildlederhemd hatte einen Riß quer über der Brust, daß man Behaarung sah. Er hatte den Kuß amüsiert verfolgt und beugte sich jetzt an Annette vorbei zu dem Fetten. Sie drückten sich die Schultern, wechselten ein paar Worte und lachten ebenfalls. Dann schenkte der Fette sich und den anderen Champagner nach, tunkte den Finger ins Glas, tupfte ihn sich hinter die Ohren und anschließend Annette in den Ausschnitt. Von der allgemeinen Belustigung, die er damit auslöste, angefeuert, rutschte seine Hand unter ihre Bluse. Im nächsten Moment sah Annette auf und entdeckte Fred. Erschrocken hielt sie inne und starrte ihn ungläubig an. Fred wandte sich schnell ab. Ohne sich noch einmal umzusehen, stürzte er durch die Tür hinaus auf die Straße.

17

Durchs leere Treppenhaus klang leise ein Violinkonzert. Je höher Fred stieg, desto lauter wurde es. Im vierten Stock blieb er kurz stehen und horchte. Dann ging er in sein Zimmer, schloß die Tür ab und warf sich aufs Bett. Er blieb im Dunkeln liegen und rührte sich nicht. Die Musik war genau über ihm.

Immer wieder tauchte die Hand des Fetten vor ihm auf, wie sie unter Annettes Bluse grapschte. Dabei wußte Fred nicht mal genau, was ihn so verstört hatte. Schließlich war ihm lockerer bis unverfrorener Umgang mit Sex nicht fremd. Doch Fred hatte nicht das Gefühl, daß es darum gegangen war. So wie ein Wärter einen Gefangenen nicht schlug, um ihn zu berühren. Nicht vor anderen Gefangenen. Und Annette? Mit diesem Schwein? Und dabei hatte sie doch genug Geld in der Schweiz...

Fred schloß die Augen. Wenn er Annette jetzt wiederträfe, würde er immer die Hand an ihrem Busen und die dicke graue Zunge in ihrem Mund sehen, und sie würde es wissen.

Die Musik hörte auf und fing wieder von vorne an. Fred versuchte, das Le Parisien zu vergessen. Er dachte an morgen, an Nickel, seine Frau, das Kind, Abendessen. Und er stellte sich einen schwarzen Lederkoffer vor, randvoll mit Hundertern. Wie er ihn öffnete, einen Packen herausnahm, ihn zählte, wie die Scheine knisterten. Oder Tausender? Wie dick waren zweihundert Tausender? Ob er mit so viel Geld in der Tasche Annette und Nickel vergessen können würde? Freund Bargeld, das wußte er, macht die Schultern breit und die Schritte federnd.

Fred versuchte, mit dem Bild des Geldkoffers vor sich einzuschlafen, doch immer wieder schob sich die Hand des Fetten dazwischen. Nach einer Weile stand er auf und wusch sich das Gesicht. Wieder hörte die Musik auf und fing von vorne an. Sollte er hochgehen? Er wußte, er war nicht in der Lage, Moni zu gefallen – wenn er's denn jemals gewesen war oder sein würde, und was immer er sich darunter vorstellte. Andererseits würde er übermorgen fahren, und besonders oft war sie schließlich nicht in ihrem Zimmer. Vielleicht könnten sie ein Glas miteinander trinken, nur so. Und wenn ein Mann da wäre – irgendeinen Grund für das romantische Gefiedel mußte es ja geben –, würde er sich eben verabschieden.

Was war, war, und was kam... na ja.

Er stieg hinauf in den fünften Stock und klopfte. Es dauerte, bis sich die Tür öffnete und Moni in einem zerknitterten, babyblauen Hosenanzug, eingehüllt in Kerzenlicht und Musik, herausschaute. Sie trug die langen blonden Haare offen und hatte eine grelle Maske aus Lippenstift, Rouge und Lidschatten aufgelegt. Ihre Füße steckten in spitzen, weißen Lacklederstiefeln. Als sie Fred erkannte, lächelte sie.

»Na?!« schrie Moni, um die Musik zu übertönen, und »Na?!« schrie Fred zurück.

Sie winkte ihn herein, schloß die Tür und wies ihm den einzigen Stuhl zu. Als sie sich über eine Kerze zum Verstärker beugte, um die Musik leiser zu drehen, sah Fred, daß sie unter der Schminke noch blasser und müder als üblich war. Ein zitroniges Parfum vermischte sich mit Schweiß und abgestandenem Rauch.

»Und ich hab schon gedacht, sie hätten dich erwischt«, sie richtete sich wieder auf, »hab vorhin ein paarmal bei dir geklopft.«

Ach ja, das Fahndungsbild, Fred hatte es völlig vergessen.

»Bei mir geklopft?«

»Na ja, wir sind doch jetzt Partner!«

Sie lachte Fred fröhlich zu, bis sie sich an die Brust faßte und von einem Hustenanfall gepackt wurde. Sie wandte sich ab und krümmte sich. Fred, eben noch freudig überrascht über ihr Klopfen und das Partnersein, erschrak vor so viel Rasseln aus so schmalem Körper. Er stand auf und wollte ein Glas Wasser holen, als sich der Husten langsam legte und Moni ihm ungeduldig winkte, sich wieder zu setzen. Sie griff nach einem herumliegenden Stoffetzen, spuckte hinein und warf ihn in die Ecke. Dann rieb sie sich die tränenden Augen. Anschließend glich ihr Gesicht der Mischfläche eines Malkastens.

»...Schon gut, bin nur etwas außer Form.«

»Na klar.« Fred sah auf die leeren Flaschen und übervollen Aschenbecher am Boden. »...Gibt's was zu feiern?«

»Nicht die Spur. Durst, Käpt'n?«

Fred nickte, und Moni verschwand im Bad, um kurz darauf mit zwei Wassergläsern voll Weißwein zurückzukommen. Sie drückte ihm eins in die Hand und stieß mit ihm an. »Auf die Gesundheit!«

Dann setzte sie sich aufs Bett und versank in einem Haufen Kleider. Während sie sich eine Zigarette aus der Packung zupfte, fragte sie: »Und? Hast du deinen Freund gefunden?«

Fred zögerte, dann nickte er vage. »Hmhm.«

»Klingt toll.«

»Na ja, es war...«, Fred trank einen Schluck und überlegte kurz, »...anders, als ich gedacht hatte.«

»Wenn man den besten Freund suchen muß, ist das vielleicht auch kein guter Anfang fürs Wiedersehen.«

»Ach, das Suchen war okay.« Wieder überlegte Fred kurz. »Dich hätte ich neulich nachts auch fast gesucht.«

»Ach was!« Moni sah überrascht auf. Durch das Weiß ihrer Augen zogen sich feine blutige Blitze. »...Warum hast du's nicht? Hättest mich retten können. Hättest mich aber nicht gefunden.«

»Gibt es so viele Spielclubs in der Nähe?«

Sie ließ die Zigarette sinken und runzelte die Stirn. »...Woher weißt du das?«

Fred deutete zum Nachttisch. »Ich hab die Kartenspiele und Chips gesehen.«

»Wann?«

»Als ich gestern nacht aufgewacht bin, bin ich kurz hier hoch gegangen.« Er zuckte die Schultern. »...Die Tür war offen. Verloren?«

Sie betrachtete ihn noch einen Moment nachdenklich, dann nickte sie. »Das ganze Jackengeld! Und noch mal soviel! Und alles nur wegen einem König!«

»Noch mal soviel?«

»Hab's mir geliehen.«

»Was spielst du?«

»Poker.«

»Na ja, da braucht man Glück.«

»Unsinn! Man muß es können. Ich hab einen dummen Fehler gemacht. Saudumm!«

Sie starrte eine Weile wütend vor sich auf den Teppich, bis sie plötzlich auffuhr: »Ein großes Ding – das wär's!«

Fred hob die Augenbrauen. »Ein was...?«

»Falschgeld oder Koks oder ein Banküberfall – irgendwas, was sich lohnt!«

Fred sah zu, wie Moni erneut im Bad verschwand und diesmal mit der Flasche zurückkam. Sie schenkte sich und ihm nach, musterte ihn kurz und fragte: »Schlecht geworden?«

»Mir? ...Nein. Ich dachte an einen Freund, der so was Ähnliches mal geplant hatte, aber dann...«

»Verdient man gut auf'm Schiff?«

»Na ja, wenn man spart...«

»Ich kann nur sparen, wenn ich was habe.«

»Banküberfall ist jedenfalls keine leichte Sache.«

»Wenn man Glück hat.«

»Nein, ist wie beim Poker.«

»Was gibt's beim Banküberfall groß zu können? Mit Pistole rein, mit Geld wieder raus.«

»Na, Moment mal«, Fred schüttelte den Kopf, »so was muß durchdacht sein! Das braucht einen Plan bis auf die Sekunde. Ankunft, Aufenthalt, Flucht. Und dabei immer locker bleiben! Das kann nicht jeder! Und auch Wo ist wichtig, und Wann und mit Wem. Ich meine...« Er hielt inne.

Moni stand in der Mitte des Zimmers, das Glas an den Lippen, ohne zu trinken, und betrachtete ihn über den Rand hinweg. »Man lernt wohl 'ne Menge auf'm Meer...?«

Fred wich ihrem Blick aus. »Dieser Freund hat's mir erzählt.«

»Und hat er's gemacht?«

»Er hätte es jedenfalls drauf gehabt.«

»Ich kenn keinen, der den Mumm dazu hätte. Am Ende sind doch alle immer nur besoffen und haben die Luft vollgequatscht.«

»Na ja, alle...«

»Man müßte was finden, wo die Polizei draußen bleibt. Wenn man zum Beispiel die Russen bescheißen würde – also, ins Gefängnis käme man dann jedenfalls nicht, höchstens unter die Erde.«

»Ich würd beim Ballett bleiben.«

»Na eben! Aber zwischen Jackennähen und dem bißchen Spielvergnügen komm ich ja kaum dazu!«

Bißchen Spielvergnügen fand Fred eine lustige Umschreibung für dreizehntausend verlorene Mark.

»...Das mit den Russen ist jedenfalls keine schlechte Idee. Und danach haut man eben ab – zum Beispiel auf'm Schiff...«

Fred tat, als müsse er rülpsen. Dann nahm er schnell einen Schluck Wein. Irgendwie war das Gespräch auf die falsche Bahn geraten. Als ob Moni etwas ahnte. Guckte sie ihn deshalb die ganze Zeit so komisch an?

»Is so 'ne Sache mit Schiffen.«

Moni seufzte. Sie wandte sich ab und tat ein paar wankende Schritte durchs Zimmer, bis sie an der Bettkante abrupt stehenblieb. Durch halb geschlossene Augen sah sie

Fred zwischen die Armlehnen geklemmt, die Beine übereinandergeschlagen, beide Hände ums Glas geklammert.

»Is auch so 'ne Sache mit Frauen, was?«

»Bitte?«

»Na ja, klar. Vier Jahre auf'm Meer...«

Fred schaute verdutzt, und eine Pause entstand. Dabei begann er, sich unwohl im Stuhl auf- und umzusetzen. »Versteh ich nicht.«

»Eben.«

Einen Moment sah sie abwesend zu Boden, dann ließ sie sich plötzlich mit dem Glas in der Hand hintenüber aufs Bett fallen. Die Bettfedern quietschten, der Wein spritzte durchs Zimmer, und Moni seufzte auf. Fred sah jetzt nur noch ihre weißen Stiefel, die aus Hüten und Kleidern herausragten und am Schaft mit silbernen Sternen bedruckt waren. Verwirrt nippte er am Wein und wagte kein Wort. Die Kerzen brannten ruhig, und die Geigen jammerten vor sich hin. Fred beobachtete die Stiefel, als könnten sie ihm einen Hinweis geben.

»Hab ich Rückenschmerzen!«

Fred sah von den Stiefeln auf und reckte den Hals. »Wie?«

»Rückenschmerzen! Was dagegen wohl helfen mag?«

»Tja... Vielleicht Massage?«

»Wirklich? Na ja, wir können's ja mal probieren...«

Vorsichtig stellte Fred das Glas ab, stand auf und ging zögernd zum Bett. Moni lag, die Arme ausgebreitet, die Augen geschlossen.

»Du müßtest dich umdrehen.«

Ihr Kopf bewegte sich leicht. »Keine Lust.«

18

Das Fenster stand offen. Der Himmel war wie zerfließender Marmor. Fred lag in Monis Bett und sah den vorbeiziehenden Wolken zu. Irgendwas stach ihm in den Rücken, aber er fühlte sich zu wohl, um zur Seite zu rücken. Als er es schließlich doch tat, stellte er fest, daß er auf einem Stöckelschuh geschlafen hatte. Er hielt ihn vor sich und betrachtete ihn verträumt.

Als Moni morgens aufgestanden war, um zum Ballettunterricht zu gehen, hatte sie ihm einen Kuß gegeben. Fred hatte so getan, als schliefe er, und ihr heimlich beim Anziehen zugesehen. Dann war die Tür gegangen, und mit dem Bild, wie Moni nackt und Zigarette rauchend den Kleiderhaufen am Boden wie einen Gegner taxierte, ob er ein passendes Stück für sie habe, und als ob sie andernfalls aufs Anziehen auch verzichten könnte, war Fred wieder eingeschlafen.

Irgendwann in der Nacht hatte er ihr die Wahrheit erzählt. Über den Banküberfall, das Gefängnis und über seine Reisepläne. Ob Moni ihm geglaubt hatte, wußte er nicht, aber das war ihm im Moment auch egal. Er hatte sie sogar gefragt, ob sie nicht mitkommen wolle, und sie hatte betrunken geantwortet: »Warum nicht? Wo liegt Kanada eigentlich genau?«

Er grub eine Schachtel Zigaretten aus den Bettlaken, steckte sich eine an und genoß sie auf nüchternen Magen.

Gegen Mittag stand er auf, zog sich an, ohne zu duschen, um Monis Geruch zu behalten, und ging zum Ku'damm. Im Kempinski, einem teuren Luxushotel, bestellte er sich ein prächtiges Frühstück. Anschließend blieben ihm noch knapp zwanzig Mark. Daß ihn einige Gäste abfällig musterten, störte ihn nicht. Über Rührei und Speck grinste er sie an: Ja, schaut her, das ist Magic Hoffmann nach einer magic night!

Den Nachmittag verbrachte er mit einem Ku'dammbummel. In den Geschäften suchte er aus, was er morgen alles kaufen wollte, und in einem Reisebüro erkundigte er sich nach Flügen Frankfurt–Kanada. Dabei machte er sich über den Abreisetermin keine Gedanken mehr. Der Druck war weg. Heute abend, wenn er die Sache mit Nickel hinter sich gebracht hatte, würde er Moni wiedersehen, und das war das einzige, was ihn im Moment interessierte.

Als die Geschäfte schlossen, ging er zur U-Bahn.

Der Waggon leerte sich von Station zu Station, bis nur noch Fred und zwei Frauen um die Vierzig mit blassen, aufgeschwemmten Gesichtern übrigblieben. Um ihre Füße reihten sich Einkaufstüten. Während sie sich unterhielten, griffen sie fast ohne Pause in die Tüten und steckten sich Bonbons, Chips, Schokoriegel und kleine Salamis in den Mund. Die U-Bahn fuhr jetzt über der Erde, und draußen strichen immer gleiche Neubaukästen vorbei. Drum herum flaches, leeres Land mit vereinzelten Grasflecken, rotem Sand und Pfützen, auf denen Müll schwamm. Der Abend dämmerte, und die meisten Fenster waren erleuchtet. Zwischen den Häusern lagen Parkplätze und in den Sand getrampelte, verschlammte Gehwege. Kneipen, Restaurants oder Einkaufsläden suchte Fred vergebens. Kein Wunder, daß der Quadratmeterpreis hier niedrig ist, dachte Fred, aber in Grönland ist er auch niedrig – zog man deshalb nach Grönland?

»...Hat er die Niere also gespendet«, sagte die eine Frau, während sie ein Milkyway aufriß.

»Logisch«, erwiderte die andere, einen Bonbon in der Backe.

»Und vom Geld hat er sich 'n Datsun gekauft.«

»Ja, die Japaner, die halten.«

»Der nicht. Zwei Monate später hat er ihn gegen die Wand gefahren.«

»Nein!« Die Frau mit Bonbon verschluckte sich fast.

»Totalschaden.«

»Wer?«

»Das Auto.«

»Oh Gott!«

»Tja! Die Einzelteile – Lenkrad, Türen und so – hat er behalten und in seinem Zimmer aufgehängt. Da sitzt er nun auf der Rückbank und wartet auf seinen neuen Operationstermin.«

»Wieviel kriegt man denn für eins?«

»Für 'n neues Auto reicht's, sagt er. Er zieht jetzt schon immer 'ne Augenklappe an – zum Üben.«

Fred hatte sich während des Gesprächs immer weiter zu den Frauen gelehnt, um besser zu hören. Jetzt verstummten sie plötzlich, und Fred setzte sich zurück. Hatte er richtig verstanden? Oder war das wieder so ein Berliner Spaß wie in Ringos Stübchen? Fahrgäste verjagen...

Im U-Bahnhof Hönow folgte er den Frauen eine Treppe hinunter auf den Bahnhofsvorplatz. Links und rechts das öde Land, vor ihm eine Straße, dahinter vereinzelte gelbe Lichttupfer. Andere Fahrgäste strömten an ihm vorbei und bogen um die Ecken Richtung Neubauten, bis er alleine zurückblieb. Inzwischen war es fast dunkel. Er überquerte die Straße und stieß auf einen kleinen See. Drum herum starrten ihn schwarze Villenfassaden an. Außer einem leisen Plätschern war kein Laut zu hören. Die gelben Tupfer waren verschwunden. An einem abbruchreifen Schuppen vorbei, an dem verwitterte Bilder von Würstchen und Spiegeleiern klebten, lief er ein Stück die Straße hinunter und suchte den von Nickel beschriebenen Weg. Leichter Wind kam auf, und die Blätter der Bäume längs der Straße raschelten.

Plötzlich erhob sich aus dem Nichts ein riesiger, rosa erleuchteter Betonblock. Über den noch unverputzten Außenwänden stand in blauen Neonbuchstaben Hotel Tradition. Davor parkte ein Polizeiwagen.

Schnell bog Fred in den nächsten Schotterweg ein, und nachdem er eine Weile ziellos gelaufen war, um von dem Wagen wegzukommen, tauchten die gelben Tupfer wieder auf. Nach ein paar hundert Metern erkannte er Spitzdächer über den Tupfern, und kurz darauf stieß er an einer kleinen Kreuzung auf Nickels Straße. Er konnte keine Hausnummern finden, und so las er die Namen an den Gartenpforten. Aus geschlossenen Rolläden drangen Stimmen von Fernsehhelden.

Dann hatte er den gesuchten Namen gefunden: ›Zimmer-Klose‹, getöpfert.

Nickel öffnete die Tür und kam strahlend und mit offenen Armen auf Fred zu. Er hatte eine Schürze umgebunden, einen Holzlöffel in der Hand und trug eine Kochmütze. »Na endlich!« rief er, und nachdem er Fred umarmt und geklopft hatte, drehte er eine kleine Pirouette und fragte: »Wie findest du mich?«

»Du meinst die Mütze?«

»Seh ich nicht aus wie Bocuse?«

»Wie was?«

»Ach du nun wieder«, Nickel boxte ihm gegen die Schulter, »alter Scherzkeks!«

Dann nahm er Fred beiseite und flüsterte: »Dummerweise ist eine Freundin von Lycka vorbeigekommen, und wir konnten sie nicht wieder wegschicken. Lycka weiß über alles Bescheid, aber vor Heike sollten wir besser nicht über... na, du weißt schon, sprechen.«

»Und wann sprechen wir über Na-du-weißt-schon?«

»Nach dem Essen. Ich hab alles vorbereitet.«

Durch einen kurzen Flur führte Nickel Fred ins Wohnzimmer. Der riesige Raum nahm fast das gesamte Erdgeschoß ein. Mit abgeschliffenem Dielenboden, Balken an der Decke, weiß verputzten Wänden und jeder Menge antiker Bauernmöbel sah das Zimmer aus wie für einen Schöner-Wohnen-Prospekt hergerichtet. Für Beleuchtung sorgten im ganzen Raum verteilte Kerzen und eine Deckenlampe mit bleigefaßtem buntem Glas. Durch eine Schiebeglastür waren die Umrisse eines Gartens mit Obstbäumen zu erkennen. Das einzige, was aus der rustikalen Idylle herausstach, war der Eßtisch mit oranger Plastikdecke und blauen chinesischen Schüsselchen, Löffelchen und Teetäßchen.

An der Schiebetür standen zwei Frauen. Zwei Frauen, ein Typ: umgänglich, patent, selbstbewußt. Beide hatten ovale, spitznäsige Gesichter mit praktischen Kurzhaarfrisuren. Beide trugen flache Schuhe, frisch gewaschene Jeans und dunkelfarbige Pullover. Beide hatten die Ärmel hochgekrempelt und begrüßten Fred mit kräftigem Handschlag. Und beide warfen sich einen skeptischen Blick zu, als er ihnen den Rücken zukehrte.

Dann setzten sie sich an die orange Plastikdecke, und Nickel trug auf. Es gab Reis, Reis und Reis. Dazu Tee. Kein Alkohol, keine Fleischberge. Fred versuchte, sich seine Überraschung nicht anmerken zu lassen.

»Ich habe mir gedacht, diese verschiedenen Arten der Zubereitung kennt ihr nicht. Der ist mit Zwiebeln und verschiedenen Gewürzen, der mit Auberginenpaste, der mit Mango – alles vegetarisch, probiert's einfach durch«, forderte Nickel auf, als wäre Durchprobieren, was auf dem Tisch steht, ziemlich ausgeflippt.

»Warum aufwendig, wenn's einfach besser schmeckt, nicht wahr?!«

Darauf lachte er, und Lycka und Heike stimmten ein. Studenten, erinnerte sich Fred.

In Wirklichkeit war Lycka Gehilfin in einer Anwaltskanzlei. Vor drei Jahren aus Hildesheim nach Berlin gekommen, hatte sie Nickel auf einer Kirchentagsveranstaltung kennengelernt. Ein wilder Hund! war's ihr durch den Kopf geschossen, wie er da mit Baskenmütze und langen Haaren neben ihr gestanden und dem Vortrag über verschwundene Indiokulturen gelauscht hatte. Und genau solche ›wilden Hunde‹ mochte sie. Die Baskenmütze hatte sie ihm dann zwar irgendwann ausgeredet, und auch die Länge der Haare sorgte immer öfter für Diskussionen, aber charakterlich und was die gemeinsamen Interessen betraf, fand sie, paßten sie nach wie vor gut zusammen. Sie hatten die Schwangerschaft geplant, dann das Haus gekauft, damit das Kind einen Garten hatte, dann das Kind gemacht, das Kind bekommen, und jetzt dachten sie daran, ein zweites zu planen. Sie besaßen einen großen Freundeskreis, eine alte Nachbarin, um die sie sich kümmerten, und einen Kinotag. Im Osten fühlten sie sich nach wie vor wohl, auch wenn die anfängliche Begeisterung einer gewissen Ernüchterung gewichen war. Guten Westbekannten beschrieb Lycka die Situation mit einem scherzhaften Vergleich: ausgesprochen nette, aber eben auch sehr unbedarfte Leute, unter denen sie sich manchmal vorkomme wie eine weiße Frau im Busch; oft ziehe sie sich extra schmuddelige Kleidung an, und sie sei immer bemüht, einen guten Rat zu geben.

Als der Reis verteilt war, hob Nickel sein dampfendes Teetäßchen. »Wenn ich sozusagen auf chinesisch anstoßen darf: Auf meinen Freund Fred! Wie ihr wißt«, wandte er sich an die Frauen, »war er lange verreist. Doch jetzt ist er wieder im Land.« Er blinzelte Fred zu. »Und ich hoffe, daß wir nie wieder so lange auf die Post angewiesen sind, um voneinander zu hören!«

Sie stießen an, und die Frauen betrachteten Fred neugierig. Fred nickte, sagte »Danke« und verbrannte sich die Zunge.

Nickel beschloß: »Laßt es euch schmecken!«

Alle vier beugten sich über ihre Schüsselchen, und Fred kaute erst bestürzt, dann beruhigt – mit seinen Zweihunderttausend war dieser Reis jedenfalls nicht gewürzt. Doch es blieb das beklemmende Gefühl, daß jede Bauerntruhenleiste im Zimmer mehr gekostet hatte als das gesamte Abendessen und daß die Rezepte geradewegs von Nickels Rosenkreuzer-Mutter zu stammen schienen. Dabei hatte ihm Nickel vorgestern auf die Frage nach den Eltern geantwortet, er habe seit langem nichts mehr mit ihnen zu tun und sei froh darüber. Ob Nickel wußte, daß er kochte wie seine Mutter?

Eine Weile redeten sie über dies und das. Heike studierte Romanistik, hatte aber davor sowohl Architektur wie Theaterwissenschaft wie auch Philosophie probiert, und das ergab einen Haufen feinsinniger Gespräche. Dann erzählte Lycka einige Schwänke aus dem Anwaltskanzleileben, Nickel schimpfte – ohne Anlaß, dafür vehement – über typisch deutsches Verhalten, worauf Heike über einen Professor klagte, der sie schlecht, in Wahrheit ausländerfeindlich benotet hatte. Ihr Großvater sei Belgier gewesen, und das merke man nun mal.

»Kultur ist eben Kultur«, stimmte Nickel zu, »was die Menschen voneinander unterscheidet. Und das meine ich völlig wertfrei. Wobei sich natürlich bestimmte Kulturen weniger miteinander vertragen. Zum Beispiel die rumänische – also wenn ich ehrlich bin...«

Er ließ den Satz unbeendet und schmunzelte in die Runde. Heike nickte und nahm sich Reis nach. »Ich merk's immer in der Mensa: Die anderen tun sich soviel auf...«, sie machte eine weitausholende Geste, »...Ich nur soviel...« Sie tat, als streichele sie eine Maus. »...Und dann fragen sie immer, ob ich keinen Hunger hätte, und dann wird mir klar:

Mein Großvater war Belgier. Diese teutonischen Portionen sind nichts für mich.«

Nickel und Lycka nickten und schmatzten zustimmend. Fred betrachtete Heike hinter vorgehaltenem Löffel und fand, daß auch die kleinen Portionen ganz schön ansetzten, nicht auszudenken, ihr Opa wäre kein Belgier gewesen.

»Alles hat seine zwei Seiten«, sagte Nickel, »natürlich sind wir für Multikultur, aber wenn man sieht, was sich überall in der Welt zusammenbraut – also, da bin ich froh, daß unsere Grenze für Fanatiker dicht ist.«

Lycka nickte. »Und wenn sich jemand vor Fanatikern schützen muß, dann ja wohl wir – mit vernünftigen Einwanderungsgesetzen wäre Hitler jedenfalls nicht Kanzler geworden...!« Sie lachte, und Heike und Nickel lachten mit. Fred fühlte sich wie früher im Mathematikunterricht, wenn seine Mitschüler in fröhlicher Gemeinschaft Kommastellen ausgerechnet hatten, als packten sie Geschenke aus.

»Das Schlimmste ist ja jetzt dieser Uranschmuggel!« fuhr Lycka fort. »Wenn ein Russe einen Koffer voll mitbringt, reicht das, um ganz Deutschland zu vergiften. Das muß man sich mal vorstellen: ein einziger Russe! Und wieviel kommen jedes Jahr...? Also, wenn's nach mir ginge, und das sage ich gerade auch als Mutter: die Russen...« Sie machte eine Geste wie ein Dirigent, der sein Orchester zum Schweigen bringt.

Dann redeten sie über allerhand andere Schrecken auf der Welt – Hunger, Drogen, Kriege – und waren sich einig, daß Mitteleuropa jetzt zusammenhalten müsse. Lycka löffelte reihum Reis nach, und irgendwann erkundigte sich Nickel, ob Fred den Weg her ohne Probleme gefunden habe. Fred erzählte von dem merkwürdigen Gespräch, dem er in der U-Bahn gelauscht hatte, und fragte, ob es tatsächlich um Autos gegangen sein könne. Worauf sich die anderen drei ansahen und lachten, und Nickel sagte: »Ja, ja, Ossis und Autos...!«

Fred schaute gespannt in die Runde, doch keiner schien ihm die Sache erklären zu wollen. Schon vorhin war ihm ein paarmal dieses amüsierte Wiederholen von Sätzen und hintergründige Schmunzeln aufgefallen. Als machten sie ein Spiel: Wer nicht weiß, was wir nicht sagen, fliegt raus.

Nach der dritten Portion Reis legte Fred den Löffel ab. »Wie wär's, Nickel, du zeigst mir jetzt mal deinen Sohn?«

»Aber...« Nickel deutete auf sein frischgefülltes Schüsselchen.

»Tut mir leid, aber ich hab nicht soviel Zeit.«

Nickel und Lycka wechselten einen Blick.

»...Na gut.« Nickel tupfte sich mit der Serviette die Lippen ab. »Aber du mußt leise sein.«

Das Kinderzimmer befand sich im ersten Stock.

Fred sah von dem kleinen schlafenden Kopf im Bettkäfig auf und nickte. »Okay, süß. Und jetzt zu meinem Geld.«

Nickel schüttelte lächelnd den Kopf. »Warte ab, bis du auch so einen hast! Noch siehst du einfach nur ein Baby, aber dann...!«

Er winkte Fred aus dem Kinderzimmer und führte ihn nach nebenan in einen Raum mit Schreibtisch und Bücherregalen. Er bückte sich und zog hinter einem Stapel Zeitschriften eine kleine Blechkassette hervor.

»So«, sagte er, während er sie auf den Tisch stellte, und rieb sich die Hände, »Schatz gehoben!«

Beim Anblick der Kassette zog sich Fred der Magen zusammen.

»Dazu mußt du wissen«, erklärte Nickel, »daß in den ersten Jahren bei mir und Annette immer wieder Detektive von der Bank aufgetaucht sind und das Geld gesucht haben. Wahrscheinlich beobachten sie uns noch heute, und es würde mich nicht wundern, wenn dir jemand seit der Entlassung gefolgt ist...«

Nickels fragenden Blick erwiderte Fred mit Schulterzucken. Er hatte vier Jahre gesessen, und sein Gefühl sagte ihm schon seit langem, er sei dadurch rechtmäßiger Besitzer des Geldes. Die Idee, daß die Bank anderer Ansicht sein könnte, war ihm beinahe neu.

»...Na, vielleicht haben sie's inzwischen auch abgeschrieben. Wie dem auch sei, ich habe alle Vorsichtsmaßnahmen getroffen. Von dem Geld ist kein Pfennig öffentlich aufgetaucht. Das Haus, zum Beispiel, hat Lyckas Vater bezahlt...« Er senkte die Stimme. »Dafür verbringt er seinen Urlaub in Schweden jetzt immer für umsonst – verstehst du?«

Fred antwortete nicht. Wo war sein Anteil?!

»...Aber das braucht dich gar nicht zu kümmern. Das wichtigste ist...«, Nickel klopfte strahlend auf die Blechkassette, »...hier drin befindet sich dein monatliches Einkommen von zweitausendfünfhundert Mark bis an dein Lebensende, ohne Steuern oder sonstige Abgaben, aus Luxemburg frei verfügbar zum Verjubeln...!«

Fred starrte auf die Kassette, dann hob er den Blick und

starrte auf Nickel. Langsam schob er die Hände in die Hosentaschen und suchte seine Zigaretten.

»Was heißt das?«

»Was das heißt?! Das heißt, daß du dir nie mehr Sorgen um Geld machen mußt!« Nickel beeilte sich, die Kassette aufzuschließen und verschiedene Papiere herauszunehmen. »Hier... alles zu Spitzenzinssätzen angelegt. Wenn du das Stammkapital nicht anrührst, kannst du noch in tausend Jahren kassieren!«

»In tausend Jahren...«

»Ich mein doch nur. Noch besser ist es natürlich, wenn du die Zinsen auf dem Konto liegenläßt. Dann bist du bald ein reicher Mann...«

Fred steckte sich eine Zigarette an und nahm stumm ein paar Züge. Nach einer Weile sagte er, ohne Nickel anzusehen: »Ich will's bar.«

»Bitte?«

»Bar: Cash, Scheine! Und ich will's bald. Lös diese Konten auf und hol's mir.«

»Aber Fred!« Nickels Mund blieb offen. »...Das... das geht nicht, und außerdem... bist du verrückt? Was willst du mit so viel Geld?«

»Nach Kanada fahren.«

»Aber kannst du doch! Du läßt es dir einfach monatlich überweisen! Ist sogar viel besser, da gehst du nicht mal mehr das Risiko ein, daß dir irgendwann die deutsche Steuer aufs Dach steigt.«

Fred schüttelte den Kopf. »Ich will's bar. So war's abgemacht, und so wird's eingehalten.«

Nickel schaute ihn fassungslos an. Dann sah er vor sich

auf den Schreibtisch, schob langsam die Papiere zusammen und legte sie zurück in die Kassette. Dabei veränderte sich seine Miene und nahm einen Ausdruck von kalter Bekümmertheit an. »Tja...«, seufzte er, »tut mir leid, aber das wird nicht gehen. Mein Geld hängt nämlich mit deinem zusammen, und nur weil du deins zum Fenster rausschmeißen willst, habe ich keine Lust, pleite zu gehen. Das ist ein ausgetüfteltes Anlagesystem, und da kann man nicht einfach mittendrin abbrechen.«

Fred hob die Augenbrauen. »So...?«

Und plötzlich mußte er lachen. Alles kam ihm auf einmal so erbärmlich vor. Er dachte noch kurz daran, daß er von der Polizei gesucht wurde, glaubte aber nicht, daß Nickel davon wußte, und sagte: »Na, das wollen wir doch mal sehen! Soweit ich weiß, ist der Überfall noch nicht verjährt. Wenn du also das Geld nicht innerhalb einer Woche lockermachst, zeig ich dich an.«

»Was...?!« Nickel hielt, die Hände auf der Kassette, inne. Dann versuchte er zu lachen. »...Das meinst du doch nicht ernst?!«

»Und bis ich das Geld habe, gibst du mir deine Kreditkarten oder Schecks. Je mehr du dich beeilst, desto weniger wird dir nachher auf deinem Konto fehlen.«

»Aber Fred! Das ist Wahnsinn! Damit... damit zerstörst du meine Existenz! Wenn ich die Konten auflöse, kann ich das Haus nicht mehr abbezahlen und muß das Studium abbrechen, und Lycka und Johann und... Bitte Fred, mach keinen Scheiß!«

Fred ging zum Fenster, öffnete es und schnippte die Zigarette raus. Dann zog er den Reißverschluß seiner Kapuzenjacke zu und drehte sich um. »…Ich mein's ernst, Nickel. Paar Jahre Knast würden deine Existenz bestimmt noch mehr zerstören.«

»Du weißt nicht, was du sagst!«

»Hab's nie besser gewußt.« Fred ging zurück zum Schreibtisch. »Deine Kreditkarte und die Geheimnummer.«

»Warte mal, Fred! Wir können doch über alles reden!«

»Nein. Und darüber schon gar nicht. Vorne beim Hotel steht ein Polizist, der ist in fünf Minuten hier. Vier Jahre, Nickel! Ist 'ne lange Zeit. Dein Sohn geht dann schon zur Schule, und Lulla… na ja, vielleicht bleibt sie ja bei dir.«

Nickels Lider begannen zu zucken, und sein Kinn schob sich nach vorne. Er war kurz davor, die Beherrschung zu verlieren. Seine Finger krampften sich um die scharfen Kanten der Blechkassette.

Fred, der im Gefängnis für solche Momente Gespür bekommen hatte, trat einen Schritt zurück. »Reg dich ab, Nickel. Willst du mich zusammenschlagen? Alles, außer mir wie abgemacht mein Geld zu geben, bringt dich wohin, wo die Leute dich abwechselnd ficken und auf dich scheißen. Bei dir vielleicht mehr scheißen. Du kannst ja nicht mal Tischfußball. Nichts, was dort zählt. Nichts, was dir das bißchen Respekt verschaffen könnte, damit man dich in Ruhe läßt. Oder glaubst du, die stehn auf Büchernacherzählen? Weißt du, was mich gerettet hat? Daß mir der Laden egal war, die Leute, die vier Jahre, alles. Weil ich wußte, wofür, und daß ich am Ende kriege, was ich will. Na schön, hab mich geirrt, aber die vier Jahre hab ich dadurch überstanden. Und du? Du wirst nur dran denken, was du alles verlierst, und in spätestens sechs Monaten bist du im Arsch.« Fred streckte die Hand aus. »Gib mir die Karte.«

Stumm und ohne Fred anzusehen, zog Nickel sein Portemonnaie aus der Hose und ließ die Kreditkarte auf den Schreibtisch fallen. Fred steckte sie ein und fragte nach der Geheimnummer. Nickel murmelte die vier Zahlen, Fred notierte sie sich auf einem Stück Papier.

»Ich wohne im Hotel Glück wie Glück. Ruf mich an, wenn du das Geld hast.«

Er ging zur Tür. »Ach ja…«, die Hand auf der Klinke, drehte er sich noch mal um, »…ich hätt's gern in 'nem schwarzen Lederkoffer. Weißt ja noch: wir drei in Kanada aus'm Flugzeug, jeder einen Koffer Geld in der Hand. Und irgendwas, finde ich, muß auch mal passieren, wie man sich's gedacht hat.«

Fred lief die Treppe hinunter ins Wohnzimmer, warf den beiden Frauen im Vorbeigehen einen Gruß zu und verließ das Haus.

19

Freds Schritte knirschten durch den Schotter. Die meisten Lichter in den Häusern waren erloschen und die Fernsehhelden verklungen. In einiger Entfernung leuchteten die Plattenbauten.

Fred erreichte die Teerstraße und hielt auf das Hotel Tradition zu. Er brauchte einen Schnaps. Der Wahnsinn lag im Detail: Nickels ›Empfangsessen‹, die Blechkassette, die zerknickten, schäbigen Anlagenpapiere. Daß Nickel ihm dann einen monatlichen Hilfsarbeiterlohn angeboten hatte, war im nachhinein fast gar nicht mehr entscheidend.

Wie hatte Annette gesagt? ›...Ihm wär's am liebsten gewesen, wir wären ins Studentenwohnheim gezogen... Und einmal die Woche 'n verpupstes Ratatouille-Essen mit seinen Kommilitonen...‹

Als Nickel ihnen in Dieburg immer wieder Ratatouille mit Hackfleischbällchen gekocht und darauf bestanden hatte, dies sei der Inbegriff südländischer, bäuerlicher Lebensart, obwohl weder Annette noch er die fetten knatschigen Auberginenwürfel runterbekamen, war es ein verrückt-charmanter Beweis von Nickels Standhaftigkeit und Treue zu Sachen, an die er glaubte, gewesen. Fünf Jahre später kochte er immer noch Auberginen, inzwischen mit Reis. Doch jetzt war das nur noch billig, praktisch, unkompliziert und schäbig. Von Eigensinn zu Eigenheim.

Im Moment spürte Fred bei dem Gedanken, Nickel zu

verpfeifen, keine Skrupel. Ja, fast fand er, es geschähe ihm recht. Immerhin waren die Dinge jetzt geklärt: Annette und Nickel hatten sich endgültig verabschiedet, und Fred wußte wieder, auf wen er zählen konnte: auf sich. Spaß machte das im Moment keinen, aber vielleicht nach ein paar Schnäpsen. Und dann gab es ja auch noch Moni…

Nachdem er sich kurz versichert hatte, daß das Polizeiauto weg war, betrat er den gläsernen Eingang, der wie das ganze Haus rosa erleuchtet war und wie aus Himbeersirup wirkte. Durch eine auseinandersausende Schiebetür gelangte Fred in eine Welt aus buntem Plastik: Stühle, Tische, Lampen, die Rezeption, der Boden, die Blumen.

Gegen das grelle Allerlei nahm sich der Portier hinter der Theke wie ein Sack Kohlen aus. Grau und leblos starrte er in einen Minifernseher. Er war Ende Vierzig, trug einen schlecht sitzenden braunen Anzug, und unter seinen Augen hatten unzählige Würstchen und Biere dicke Wülste hinterlassen. Aus dem Fernseher stöhnte es gelangweilt.

»Alles frei«, sagte er, stellte den Ton leiser und bemühte sich, seine paar Haare in Form zu streichen.

»Danke, ich möchte kein Zimmer. Haben Sie eine Bar oder so was?«

»Um diese Uhrzeit? Fast elf!«

Fred stutzte. »Heißt das, um elf gibt's bei Ihnen nichts mehr zu trinken?«

»Könnte es noch was anderes heißen?«

»Dann geben Sie mir doch bitte so ein Hotelzimmerfläschchen. Ich brauch's. Hab zuviel gegessen.«

Fred legte seine letzten zwanzig Mark auf die Theke.

Der Portier sah auf den grünen Schein. »Tja… Also, erlaubt ist das nicht... Aber ich hätte da noch ’ne halbe Flasche Kaffeelikör... Wenn ich Ihnen die schenke, und Sie schenken mir das da... Dann wär’s jedenfalls kein Straßenverkauf nach zweiundzwanzig Uhr.«

»Können Sie mir nicht was anderes schenken?«

»Sie wollen wahrscheinlich so ein amerikanisches Mischgetränk – tut mir leid.«

Fred nahm die Flasche und fragte nach einem Zigarettenautomaten.

»Haben wir nicht. Lohnt sich nicht. Kaufen alle beim Vietnamesen.«

»Wo finde ich den?«

»Wen?«

»Na, den Vietnamesen.«

»Jetzt werden Sie mal nicht ulkig.«

Fred runzelte die Stirn.

»...Na, dann noch ’n schönen Abend!«

Er wollte sich gerade abwenden, als er im Coca-Cola-Spiegel über der Theke zwei grüne Uniformen auf die Schiebetür zukommen sah. Im nächsten Moment flog die Tür auch schon auseinander, und zwei Polizisten betraten die Hotelhalle. Zwei kleine dicke, die einen abgestandenen Fettgeruch mit sich brachten.

»Abend«, wünschte der eine müde und tippte sich an die Mütze, »alles klar hier?«

Der Portier nickte überraschend lebhaft. »Alles klar, Chef!«, während seine Augen flink zur Flasche in Freds Hand sahen. »Der junge Mann hat mich gerade nach dem Weg gefragt.«

»So.« Der Polizist warf einen gelangweilt prüfenden

Blick durch die Halle, dann tippte er sich wieder an die Mütze und murmelte: »Na, denn!« Sein Kollege unterdrückte ein Gähnen.

Sie waren schon auf dem Weg zur Tür, als der eine plötzlich stehenblieb, sich umdrehte und Fred fragte: »Wohin wollen Sie?«

»Ich? ...Zur U-Bahn.«

»Aha. Haben Sie irgendwas an den Augen?«

»An den Augen? Nein. Ich meine, nicht daß ich wüßte...« Freds Hand an der Flasche begann zu schwitzen.

»Vielleicht aber doch. Sollten Sie mal untersuchen lassen. Das U-Bahn-Schild leuchtet nämlich da draußen, daß nicht mal 'n Blinder es übersehen könnte.«

»Tja, bin wahrscheinlich von der falschen Seite gekommen.«

»Sie meinen, mit dem Rücken zum U-Bahn-Schild? Dann wären Sie ja aus Richtung U-Bahn gekommen...« Der Polizist kratzte sich unter der Mütze am Kopf. »Scheint mir unlogisch.«

Der Kollege unterdrückte erneut ein Gähnen. »...Wenn du mich fragst, der junge Mann sieht ein bißchen durcheinander aus.«

»Hm-hm.« Nummer eins nickte und wandte sich wieder an Fred. »...Nichts für ungut, aber das ist 'n kleiner Vorort, und wir sehen die Sachen hier ein bißchen enger. Wildfremde, die mitten in der Nacht nach'm Weg fragen, sind wir einfach nicht gewohnt.« Er räusperte sich. »...Wenn ich also bitte mal Ihre Papiere sehen dürfte? Reine Routine...«

Fred rauschte das Blut in den Ohren. Seine Gedanken

schossen durcheinander. Er machte einen Schritt auf sie zu und merkte, daß seine Beine zitterten. Bemüht ruhig zog er seinen Ausweis aus der Tasche. Polizist Nummer eins nahm ihn entgegen und schaute dabei interessiert auf Freds Hand, die die Flasche hielt.

»...Sie schwitzen ja. Wenn Sie weiter so fest zupacken, glitscht sie Ihnen noch aus der Hand.«

Er reichte den Ausweis weiter, und Nummer zwei sprach Freds Namen und Daten in ein Funkgerät. Während sie auf Antwort warteten, musterten sie Fred in aller Ruhe.

»...Sind Sie vielleicht berühmt? Ich kenn Ihr Gesicht irgendwoher. Nehmen Sie's mir nicht übel, aber Ihre Augen sind ziemlich ungewöhnlich.«

Ehe Fred etwas erwidern konnte, kam die Antwort durchs Funkgerät: vorbestraft wegen bewaffnetem Banküberfall, vor einer Woche entlassen und so weiter, und so weiter.

Polizist Nummer eins konnte gerade noch sagen: »Jetzt weiß ich, woher ich Ihre Augen kenne!«, als Fred mit einem Zick-zack-Sprung an ihnen vorbeisauste und mit den Füßen voraus in die sich nur langsam öffnende Schiebetür sprang. Glas splitterte, und Fred stürzte und rutschte über den gekachelten Boden, bis er sich aufrappeln konnte und losrannte.

Die Polizisten machten keine Anstalten, ihm zu folgen, im Gegenteil. Sie sahen sich an und zuckten die Schultern.

»Gib durch, daß der Kerl, der die Sache im Café Budapest veranstaltet hat, Fred Hoffmann heißt, daß wir seinen Ausweis haben und daß er wahrscheinlich mit der U-Bahn versucht, in die Stadt zu kommen, Endstation Alex, sie sollen 'n paar Leute hinschicken. Und dann laß uns endlich Feierabend machen.«

Fred kauerte am Ende des Bahnsteigs hinter einem Mülleimer. Der Bahnsteig war leer, nur im Schaffnerhäuschen brannte Licht, und manchmal ging ein Schatten an dem grau verhangenen Fenster vorbei.

Fred faßte es nicht. Vor lauter Kopfschütteln war ihm schon ganz schwindelig. Das war nicht mehr einfach nur Pech, das grenzte an Verschwörung! Ausgerechnet an diesem Abend, ausgerechnet in diesem verlassenen Hotel, ausgerechnet, ausgerechnet...! Jetzt sah es wirklich düster aus: Eineinhalb Jahre Bewährungsstrafe warteten auf ihn. Nichts mehr mit Moni, nichts mit Kanada und vielleicht auch nichts mehr mit seinem Geld. In eineinhalb Jahren war der Überfall verjährt, und er würde Nickel mit seinen Forderungen den Buckel runterrutschen können.

Wieder schüttelte Fred den Kopf. Jetzt nur nicht durchdrehen! Noch besaß er Nickels Kreditkarte, und im Hotel Glück hatte niemand seinen Ausweis sehen wollen. Natürlich hatte er die Anmeldung mit Fred Hoffmann unterschrieben, aber gab es nicht viele Fred Hoffmanns? Würde die Polizei alle Berliner Hotels nach ihm durchchecken? Kaum anzunehmen. Oder funktionierte so was heute mit Computer in fünf Minuten...? Die einzige, die ihm jetzt helfen konnte, war Moni. Sie mußte für ihn rauskriegen, wie groß die Gefahr war, wenn er im ›Glück‹ blieb. Und sie mußte jemanden finden, der Ausweise fälschte! Er würde nicht wieder in den Knast gehen! Nein! Nicht, nachdem er jetzt wußte, was Knast alles bedeutete, abgesehen vom Knast selber. Woran sollte er sich diesmal hochhalten?

Endlich fuhr die U-Bahn ein. Fred wartete, bis sämtliche Fahrgäste den Bahnsteig verlassen hatten, dann richtete er sich langsam auf, wartete die Alles-einsteigen-Ansage ab und sprang im letzten Moment in ein leeres Abteil. Der Zug verließ die Station, und Fred warf sich auf einen der Sitze.

In der nächsten Station drängte er sich neben die Tür und beobachtete den Bahnsteig. Ein junges Paar stieg zwei Waggons weiter ein, dann fuhr der Zug wieder los. Fred sah auf den U-Bahn-Plan an der Decke. Bis Alexanderplatz gab es keine Umsteigemöglichkeit. Ob die Polizei ihn dort erwartete? War er so wichtig, daß sie extra ein paar Beamte losschickten? Die Stadt war so groß, hier gab es so viel zu tun – eine richtige Fahndung nur wegen ihm? Und wenn er vorher aussteigen würde... Aber sollte er riskieren, irgendwo, wo er sich nicht auskannte, erneut aufgegriffen zu werden? Am Alexanderplatz mußte er nur in die S-Bahn steigen, und zehn Minuten später wäre er bei Moni. Moni, die Berlinerin war, jeden Unterschlupf in der Stadt kannte und mindestens zehn Ausweisfälscher... Bestimmt!

Freds Waggon begann sich zu füllen: zwei alte Männer mit braunen Aktentaschen, die sich in die Ecke hockten und stumm vor sich hin starrten, eine kichernde, zum Tanzvergnügen aufgedonnerte Mädchenbande, eine Mutter, die zwei kleine Kinder mit sich zerrte, und schließlich drei pockennarbige Kerle in Kunstlederjacken, die abwechselnd laut schmatzten, als hätten sie was in den Zähnen, und ihre Rolex-Imitate ans Licht schüttelten.

Fred saß am Fenster neben der Tür, setzte sich vor jeder Station zum Sprung zurecht und schaute, während die U-Bahn einfuhr und hielt, gehetzt zwischen beiden Bahnsteigenden hin und her.

In der letzten Station vor Alexanderplatz polterten plötzlich vier glatzköpfige, sturzbetrunkene Stiefelträger in den Waggon. Ein Ruck ging durch die Fahrgäste. Dem ersten Impuls, das Abteil zu verlassen, folgten einige Sekunden des Abwägens – man wollte sich schließlich nicht lächerlich machen und vor ein paar Jugendlichen Reißaus nehmen –, bis es auch schon zu spät war. Die Türen fuhren zusammen, und der Zug setzte sich wieder in Bewegung. Aus den Bomberjacken der Glatzen ragten Baseballschlägergriffe. Um nicht umzufallen, hielten sie sich gegenseitig fest, und führten eine Weile ein torkelndes Gruppenballett auf. Dabei lachten sie, und einer versuchte immer wieder, Lieder anzustimmen. Bis sie sich prustend auf eine Bank plumpsen ließen.

Keiner von den anderen Fahrgästen rührte sich mehr. Die Blicke gingen teils zu Boden, teils ehrfürchtig zu den Stiefelträgern. Die Mutter hielt ihren verdutzten Kindern den Mund zu. Fred war der einzige, der die Glatzen kaum beachtete. Er fragte sich, ob das Geld auf Nickels Konto für einen falschen Ausweis reichen würde.

»Hi, Hitler!« brüllte eine der Glatzen und streckte den rechten Arm aus.

Einer der beiden alten Männer hatte seine Aktentasche beim Griff gepackt und die Augenlider gesenkt. Darunter schossen seine Pupillen hin und her: Türen, Fenster, Fahrgäste…

Die Glatzen schauten sich zufrieden um. Langsam pendelten sich ihre glasigen Blicke auf den alten Mann ein.

»Sieh an... 'n Ausländerproblem!«

Sie grinsten locker.

Der Mann hob die Lider und sah den Umsitzenden ins Gesicht. Fred lehnte sich neugierig vor.

»Na, denn woll'n wa dit ma lösen!« rief einer und ließ seine Hände vor sich auf die Knie klatschen. »Seh sein'n Mandelkiekern dit Verbrechen doch schon an, wat er über unser schönet Land bring'n will! Nich wah...?!« Er wandte sich an die anderen Fahrgäste. »Hatta Sie belästicht?! Wollta Zijaretten verkoofen?! Hatta Deutschlands Wirtschaft Schaden zujefücht...?!«

Die vier erhoben sich mühsam und suchten Halt an den links und rechts an der Abteildecke entlanglaufenden Stangen. Langsam hangelten sie sich auf den Alten zu. Mit der freien Hand zogen sie die Baseballschläger heraus.

Plötzlich blieb einer stehen und sah launig in die Runde. »Wenn eener Muffe hat, imma dran denken: Wir sind arme Schweine, die zu kurz jekommen sind und dit Sozialjefälle nich aushalten! Keen Tischtennis, keene Mutti und so, jedenfalls keene vernünftje!«

Und ein anderer rief grinsend: »...Und wir ham och jar nix gegen Kanaken, aber wir woll'n keene, damit dit Nazijesocks nich noch stärker wird, verstehta...?!«

Begeistertes Grölen.

Dann hangelten sie sich weiter. Dem Alten trat der Schweiß aus der Stirn. Dahinter war die Mädchenbande ängstlich zusammengerückt. Der zweite alte Mann verfolgte das Geschehen jetzt ungerührt. Die Mutter schien erleichtert. Die Rolex-Kerle warfen sich Blicke zu, während ihre Hände nach irgendwas in ihren Gürteln tasteten. Fred fieberte der Station Alexanderplatz entgegen. Dabei dachte er, daß ihm Nazi-Randale im Falle von Polizeianwesenheit nur nutzen konnte.

Plötzlich sprang der Alte mit für sein Alter überraschender Schnelligkeit von der Bank und flüchtete in die Ecke, in der die Rolex-Kerle saßen. Die Glatzen schauten genüßlich zu.

»...Dit is Überfremdung! Nu ma uffjestanden, die leidenden Herrn, und dit Problem vorjeführt!«

Die Rolex-Kerle schauten mit versteinerten Mienen. Der Alte keuchte.

»...Wird's bald! Is 'n Vorschlag!«

Einer der Rolex-Kerle schloß zum Zeichen der Langeweile kurz die Augen, dann wandte er den Kopf Richtung Glatzen-Anführer und murmelte: »Vapiss dir, Wichsa!«

Außer dem Rattern der U-Bahn war für einen Moment kein Laut zu hören. Die Glatzen guckten, als habe Hitler Bier verboten.

Prima, dachte Fred, und jetzt nehmt den Waggon auseinander, Jungs!

Doch als die Glatzen ihre Baseballschläger hoben und losstürmen wollten, standen die Rolex-Kerle wie auf Kommando auf, und mit scharfem metallischem Klicken sprangen drei Messer aus ihren Fäusten. Sie sagten kein Wort, mußten sie auch nicht. Die Glatzen hielten inne. Einige Sekunden starrten sie sich an und schätzten einander ab.

Dann zischte einer der Rolex-Kerle, während er lässig das Messer wog: »Heilt euch doch selba! Verwöhnte Memmen!

Habta keene Arbeit, keen Opel Corsa? Is dit traurich! Und keene Eier! Wat ick euch abschneide, reicht nich, um's anne Wand zu nageln! Und dit is auch dit Problem von so 'ne Typen wie euch: Ihr habt dit Bumsen nich jelernt, weil inna Kompanie jeht dit nich, mußte aleene ran, und jetzt denkta, bumsen is Köppe jejen die Wand schlag'n. Ick könnt dit noch ausführn, aber ick gloobe, dit Grobe habta jeschnallt. Noch een Schritt, und ick mach mir schmutzich!«

Zum ersten Mal fand Fred den Berliner Dialekt richtig schick. Andererseits wäre es ihm lieber gewesen, die Messerstecher hätten nicht ganz so souverän aufgetrumpft. Die Glatzen hatten merklich an Mut verloren.

Während sie noch dem Vortrag hinterherhorchten, fuhr die U-Bahn in die nächste Station ein. Die hinteren Türen wurden aufgerissen, und die anderen Fahrgäste stürzten hinaus. Auch der alte Mann konnte von den Glatzen unbemerkt aus dem Abteil schlüpfen. Nur Fred blieb an der Tür stehen. Am Bahnsteigausgang hatte er fünf Uniformen erblickt. Er hatte sich also verrechnet: Fred Hoffmann war ihnen eine Fahndung wert! Hatten sie denn in dieser beschissenen Stadt wirklich nichts Wichtigeres zu tun?! Langsam kamen die Polizisten, die entgegenkommenden Fahrgäste musternd und die Abteile absuchend, näher. Fred sah sich nach den Duellanten um. Sie standen sich nach wie vor stumm gegenüber. Keiner wollte als erster den Platz verlassen. Die Polizisten waren jetzt nur noch einen Waggon entfernt. Fred mußte irgendwas machen, irgendwas...!

Schnell trat er hinter eine der Glatzen, riß ihr den Baseballschläger aus der Hand und schrie: »Geht's jetzt endlich los, oder was?! Sind wir vielleicht zum Schmusen hier?!«

Die Glatzen fuhren herum, und alle sieben Männer staunten Fred an. Fred hörte die Schritte der Polizisten hinter sich. Mein Gott, waren die Jungs lahm! Er holte kurz aus und ließ den Schläger gegen den nächsten Kopf krachen. Während der Getroffene durchs Abteil taumelte, heulten die anderen Glatzen auf und gingen endlich zum Angriff über. Im selben Moment stürzten die Polizisten mit gezückten Knüppeln durch die Tür und warfen sich dazwischen. Während der folgenden Schlägerei gelang es Fred, unter den Skinheads hindurch zur Tür zu kriechen. Die U-Bahn-Ausgänge waren jetzt leer. Ohne sich noch mal umzusehen, lief er eilig den Bahnsteig hinunter.

20

Fred hatte die Nacht und fast den ganzen Tag auf dem Bett gelegen und auf Monis Schritte im Treppenhaus gewartet. Er hatte sich gezwungen, nur alle zwei Stunden hochzugehen und vergebens an ihre Tür zu klopfen, und er hatte sich zurückhalten müssen, um sie nicht in den umliegenden Spielclubs zu suchen. An der Rezeption hatte er Bier und Zigaretten gekauft und sich damit den Hunger vertrieben.

Gegen sieben Uhr abends kam Moni die Treppe herauf. Fred stand schon wartend in der Tür. Bleich, mit glänzenden Augen und gehetztem Blick.

»Was um Himmels willen ist los?!« fragte Moni, während Fred die Tür hinter ihr schloß.

»Wo warst du?«

»Beim Training.« Und plötzlich glaubte Moni zu kapieren. »Hey, wir sind nicht verheiratet oder so was!«

Fred schüttelte den Kopf. »Nein, nein! Es ist nur, weil...« Er wußte nicht, wie und wo er anfangen sollte. Fahrig steckte er sich eine Zigarette an. »...Ein Bier?«

Moni nickte und setzte sich aufs Bett. Fred knackte ihr eine Dose.

»Tschuldigung, aber du siehst zum Fürchten aus. Jetzt sag schon, was ist passiert?«

»Na ja, also, es ist so...« Fred lief im Zimmer auf und ab. »...Um es kurz zu machen: Die Polizei hat meinen Ausweis, sie weiß, daß ich der vom Café Budapest bin, und ich habe noch eineinhalb Jahre Bewährung abzusitzen.«

»Ach, du Scheiße!« Moni streifte ihre Tasche ab und knöpfte ihre Sportjacke auf. »...Wieso? Ich meine, wie ist es passiert?«

Fred begann zu erzählen. Mit der Zeit wurde er ruhiger, und am Ende sagte er gefaßt: »Das einzige, was mir helfen kann, ist ein falscher Ausweis.«

»Und dann?«

»Dann werde ich wirklich Matrose und heuer auf 'nem Schiff an, das nach Kanada fährt. Ich denk mir, bei Schiffen kommt man mit einem falschen Ausweis eher durch als bei Flugzeugen.«

»Und woher willst du den kriegen?«

»Na ja, ich dachte... vielleicht könntest du mir helfen?«

»Ich...?«

»Wenn man zum Beispiel die Russen fragen würde...«

»Die Russen?!« Moni schüttelte den Kopf. »Viel zu riskant. Und außerdem würde ich meinen Ruf als anständige kleine Näherin verlieren. Weißt du, wieviel so ein Ausweis etwa kostet?«

»Zehn- bis fünfzehntausend, dachte ich. Ich kann's aber erst zahlen, wenn ich mein Geld von Nickel bekomme.«

»Und das bekommst du?«

Fred antwortete nicht. Die Frage hatte er sich selber in den letzten zwanzig Stunden oft genug gestellt.

»...Ich werd mir was überlegen. Ich glaube, ich weiß schon, wen ich fragen könnte«, sie öffnete ihre Tasche und zog ein Portemonnaie heraus, »aber jetzt hol ich uns erst mal was zu essen. Und dann frage ich Yalcin, ob er dich aus dem Anmeldeblock streichen kann. Nur für den Fall, daß die Polizei vorbeischaut.«

Fred sah zu, wie Moni aufstand und zur Tür ging.

»Warte mal«, sagte er plötzlich, »wenn du nicht willst, ich meine, du mußt mir nicht helfen...« Und als Moni sich umdrehte: »...Normalerweise bin ich überhaupt nicht der Typ mit Problemen – im Gegenteil... Nur im Moment, ich weiß auch nicht, es ist wie verhext!«

Moni lächelte. »Wie wär's, du bringst die Kajüte 'n bißchen in Schuß, Käpt'n, damit wir uns zum Essen an den Tisch setzen können. Ich jedenfalls hab einen Mordshunger!«

Als Moni draußen war, rauchte Fred noch zwei Zigaretten am Fenster. Hatte er nun Pech im Glück? Oder Glück im Pech?

Er machte sich daran, das Zimmer aufzuräumen, und versuchte sich dabei vorzustellen, wie er bald mit Moni und einem falschen Ausweis in Kanada ankommen würde. Bilder einer herrlichen Zukunft waren schließlich sein Spezialgebiet. Doch im Moment wollte selbst das nicht recht klappen: Der kanadische Himmel war grau, der Zollbeamte erkannte die Fälschung, und Moni ging mit einem anderen Mann davon.

Die nächsten Tage blieb Fred mehr oder weniger im Bett und wartete. Auf Nickels Anruf, auf Moni am Abend, auf die Adresse eines Ausweisfälschers. Sobald Moni kam, vergaß er seine Sorgen. Sie lachten, aßen, tranken und schliefen miteinander. Fred versuchte hartnäckig, sie davon zu überzeugen, daß eine Ballettausbildung in Kanada so gut wie eine in Berlin sei, und Moni bemühte sich, ihm – und sich selber auch ein bißchen – zu erklären, warum sie an dieser Stadt hing.

»Es geht nicht darum, ob sie schön oder häßlich ist, oder ob die Leute freundlich oder zum Kotzen sind – das weiß ich selber, daß Berlin in keiner positiven Disziplin einen Blumentopf gewinnen kann. Aber vielleicht ist es gerade das: Denn wenn einem in Berlin wegen einem Menschen, oder einer Straße, oder nur wegen eines netten Verkäufers das Herz aufgeht, dann hat das so einen gewaltigen Rahmen aus Mist, daß es fünfmal stärker wirkt als in einer Stadt, in der alles schön ist.«

Fred fand das wenig einleuchtend. Er hatte – und im Moment hatte er's besonders – gerne alles schön.

Daß Moni nicht von anderen Männern sprach – wen sie sonst noch kannte oder gekannt hatte – und daß sie ihm nie sagte, sie liebe ihn oder etwas in der Richtung, störte Fred kaum. Immer wirkte sie auf ihn wie zufällig durchs Fenster geweht, und für jeden Moment mit ihr war er dankbar. Ganz abgesehen davon, daß es für Abmachungen, Pläne oder ernsthafte Versprechungen nicht die Zeit war. Alles war vage, wackelig und ungewiß. Jeden Tag konnte Fred verhaftet werden, jeder Abend konnte für sie der letzte sein. Einmal fragte sich Fred, ob es vielleicht genau das war, warum Moni sich mit ihm abgab? Schließlich mußte er für sie im Vergleich mit all den aufregenden Glücksspielern, Mafiosis und Primaballerinen – was immer das genau war – doch ein Bauer sein. Einer, dem das Pech an den Sohlen klebte, noch dazu. Daß Moni sich einfach freute, ihn zu sehen, seine Geschichten aus Dieburg zu hören und mit ihm zu schlafen, dem traute er nicht recht. Sagte man dann nicht, daß man verliebt sei?

»...In Dieburg sagt man's jedenfalls«, versuchte Fred sie zu locken.

»Ach was! Also daher kommt das!«

Moni sagte nie, daß sie verliebt sei. Die Männer, fand sie, bildeten sich zu schnell zu viel darauf ein, und außerdem hielt sie den Satz ›Ich bin verliebt‹ für überflüssig, wenn man sowieso machte, was man eben machte, wenn man verliebt war.

Während der Tage entwickelte sich Fred zum fast perfekten Hausmann. Er hatte eine Kochecke und ein Vorratsregal eingerichtet, benutzte das Waschbecken zum Getränke kühlen und wusch seine Kleider unter der Dusche. Von dem Geld, das ihm Moni jeden Tag mit Nickels Karte aus dem Automaten zog, bezahlte er das nun doppelt so teure, weil als Unterschlupf genutzte Hotelzimmer und die vom Hotelchef festgesetzten Leihgebühren für Kochplatte und Kaffeemaschine. Offenbar hatte man mit Gästen, die nicht im Anmeldeblock stehen wollen, Erfahrung.

Eines Abends fragte Fred: »Was ist eigentlich mit deinen Spielschulden?«

Moni machte eine ratlose Geste. Die letzten Tage war sie kaum zum Nähen gekommen, und die Gebühren für die Tanzschule waren auch noch nicht überwiesen.

»Sobald ich mein Geld habe, bezahl ich die Schulden«, sagte Fred.

Moni schaute ihn eine Weile an, als überlege sie sich allerhand Antworten, bis sie schließlich die Schultern hob. »Wär klasse.«

Fred begann, von den vierhundert Mark, die ihm Moni täglich vom Automaten brachte, hundertfünfzig beiseite zu legen. Wer wußte schon, wie lange es mit seinem Geld noch dauern würde? Freds einziges Druckmittel waren die Kontoauszüge, die Nickel in den letzten Tagen bekommen haben mußte. Aber was würde er, Fred, machen, wenn das Konto plötzlich gesperrt wäre? Nickel verraten und auf das Geld pfeifen? Sobald die Polizei Nickel hätte, wäre die Sache für Fred gelaufen. Er konnte dann nicht mal mehr Nickels Frau auf die Pelle rücken. Die Polizei würde sie überwachen und nur darauf warten, daß Fred dort auftauchte. Wenn sie das nicht jetzt schon tat. Mit Hilfe seines Ausweises und der Dieburger Kollegen mußte es ein Kinderspiel sein, herauszufinden, daß der Schulfreund und damalige Banküberfall-Mitverdächtige Nikolas Zimmer in Berlin Hönow wohnte – dort, wo der Gesuchte Hoffmann das letzte Mal gesehen worden war. Wahrscheinlich hatte die Polizei Nickel schon einen Besuch abgestattet. Immerhin würde er dann wissen, in welchem aussichtslosen Zustand sich Fred befand. Einem Zustand, in dem womöglich als einzige Freude blieb, andere mit in die Scheiße zu reißen.

Ende der Woche hatte er sechshundert Mark für Moni zusammen. Sechshundert von siebentausend. An diesem Abend kam sie mit einem blauen Auge nach Hause. Die Gläubiger waren ungeduldig geworden. Fassungslos und unfähig, das einzige zu tun, was Moni helfen konnte, nämlich zu bezahlen, wurde Freds Haß auf Nickel maßlos. Am liebsten hätte er ihn sofort verpfiffen, nur um ihm etwas anzutun. Wenn er ihn wenigstens hätte anrufen und anbrüllen können! Von wegen im Osten mußte man auf einen Telefonanschluß Monate warten! Schon länger glaubte Fred, daß das nur ein Trick von Nickel gewesen war, um sich ihn, Fred, vom Leib zu halten. Wahrscheinlich hatte er das Telefon im Schrank versteckt gehabt!

»Und jetzt die gute Nachricht«, sagte Moni, während Fred ihr einen feuchten Waschlappen aufs Auge legte. »Ich weiß, wo man einen Ausweis kaufen kann.«

Fred hielt inne. »Wirklich?«

Nachdem ihm Moni die Einzelheiten erklärt hatte, schloß sie: »Alles, was du brauchst, sind Paßfotos und – Geld.«

Fred holte eine Flasche Sekt aus dem Waschbecken und schenkte zwei Gläser voll.

»Ich muß zu Nickel!«

»Bist du verrückt? Wenn sie irgendwo nach dir suchen, dann wohl dort.«

»Soll ich warten, bis er sich mit dem Geld verdrückt hat und sie dir das nächste Mal vielleicht die Ohren abschneiden?«

»Quatsch! Das war 'n Streit, ich bin frech geworden, und der Kerl war stärker. Für 'n Bankräuber bist du manchmal ziemlich zimperlich.«

Fred stutzte. Dann sagte er flapsig: »Ich hab mir unter 'ner Ballettänzerin auch was anderes vorgestellt...«

Es war gar nicht mal unfreundlich gemeint – tatsächlich war es für Freds Begriffe vom Ballett sogar ein Kompliment –, aber es kam so an.

Monis nicht geschwollenes Auge betrachtete ihn ausdruckslos. Dann hob sie das Glas und sagte trocken: »Na, denn Prost!«

Vielleicht war es Freds Untätigsein, der Druck, der auf allem lastete, oder die immer gleichen Abende – jedenfalls war die Stimmung plötzlich im Eimer, und keiner wußte damit umzugehen. Dafür kannten sie sich zu wenig und waren zu erschöpft.

»Ich hab doch nur gemeint…«

»Ich hab dir schon mal gesagt, wir sind nicht verheiratet. Laß uns jetzt nicht irgendwelche komischen Gespräche führen.«

Bald darauf ging Moni hinauf in ihr Zimmer, und wenig später startete die Nähmaschine. Durch die Decke hörte Fred sie brummen: Ich pfeif auf dein Geld! Ich komm alleine klar, bin's immer gekommen, und muß mir keine dämlichen Kommentare anhören! Schon gar nicht von irgendeinem dahergelaufenen Bauern! Da hast du deinen Ausweisfälscher, ich bin müde, kann dich nicht mehr rumhocken sehen und werde jetzt wieder mein aufregendes Großstadtleben mit aufregenden Großstadtmenschen führen!

Es war seit einer Woche die erste Nacht, in der sie getrennt schliefen, und zum ersten Mal dachte Fred, daß sie, selbst wenn alles glattgehen würde, nur ein Team auf Zeit waren. Auf Ortszeit. Jeder, oder fast jeder Moment mit Moni war herrlich, aber er würde nicht hierbleiben können. So oder so. Und sie würde nicht mit ihm kommen. Es war Zeit, die Dinge wieder in die eigene Hand zu nehmen.

Am nächsten Morgen ging Fred mit Sonnenbrille und Schal vorm Mund zur Post und gab ein Telegramm auf: »Noch zwei Tage, und du kannst deiner Frau sagen: Ruf mich morgen im Kittchen an.«

Am selben Nachmittag klopfte das Zimmermädchen an Freds Tür und meldete einen Anruf. Fred raste die Treppen runter zur Rezeption und riß den Hörer an sich.

»Ja?« rief er atemlos.

»Hier Nickel. Ich hab das Geld.«

Im ersten Moment wußte Fred vor Überraschung und Freude nicht, was er sagen sollte. Es war nicht nur das Geld, sondern auch, daß Nickel Wort gehalten hatte, und für einen Moment sogar Nickels Stimme.

»Mensch!«, rief Fred, »Toll!« und »Danke!«

Nickel blieb ungerührt.

»Wo willst du's dir abholen?«

»Komm doch her, und wir feiern anständig!«

»Danke, mir ist nicht nach Feiern.«

»Mensch, Nickel...!« setzte Fred an, und plötzlich überkam ihn das Bedürfnis, eine Menge zu klären und richtigzustellen. Doch durch die Muschel schlug ihm eisige Stille entgegen.

»...Na gut«, sagte er schließlich, »wie's dir am besten paßt.«

»Ich kann in einer Stunde am U-Bahnhof Wittenbergplatz sein.«

Fred überlegte. Ihm war eingefallen, daß Nickel möglicherweise überwacht wurde.

»...Wie wär's mit dem Kaufhaus daneben?«

»KaDeWe?«

»Ja. Und zwar...« Fred suchte einen Ort, an dem er eine Überwachung erkennen würde. »...Da gibt's doch bestimmt eine Kundentoilette?«

»Wozu?!« fragte Nickel ungeduldig.

Entweder wußte er tatsächlich nichts von Freds Schwierigkeiten, oder er war ein guter Schauspieler. Im selben Moment kam Fred der Verdacht, Nickel könne mit der Polizei ein Geschäft gemacht haben: Fred und das restliche Geld vom Banküberfall gegen seine Freiheit. Aber würde Nickel das Geld lieber der Polizei geben als ihm?

»Also, was denn nun?!« tönte es aus der Muschel.

Oder einfach nur Fred gegen Freiheit, ohne Geld? Fred sah die Szene vor sich: ein freundlicher Beamter in Nickels Antiquitäten-Wohnzimmer, ein Kinderwagen, eine Anwältin zur Frau. ›Mein lieber Herr Zimmer, natürlich vermuten wir, daß sie bei dem Banküberfall damals dabei waren. Aber wie ich mich mit eigenen Augen überzeugen kann, sind sie inzwischen auf den rechten Weg zurückgekommen, und wir sind die letzten, die so was nicht honorieren. Mit ihrem Freund Hoffmann verhält es sich leider anders: Kaum war er aus dem Gefängnis raus, hat er mit Raub und Schlägerei bewiesen, daß er nach wie vor nicht reif ist für unsere Gesellschaft. Was ich damit sagen will: Selbst wenn Hoffmann, wie es seinem Charakter entsprechen würde, Sie aus reiner Böswilligkeit verraten sollte, würden wir ein Auge zudrücken, vorausgesetzt, Sie führen uns zu ihm...‹

»Fred! Die ganze Angelegenheit ist unangenehm genug! Könntest du dich bitte ein bißchen beeilen?!«

Fred hielt den Hörer ein Stück weg. Würde Nickel so brüllen, wenn's ein abgekartetes Spiel wäre? Würde er nicht eher versuchen, ihn, Fred, in Sicherheit zu wiegen...? Blieb die Gefahr, daß er, ohne es zu wissen, verfolgt wurde.

»...Okay, Nickel. Wie gesagt, in der Kundentoilette. Im Erdgeschoß. Du gehst rein und wartest auf mich.«

»Möchte wissen, wozu das gut sein soll!«

»Na ja, immerhin geht's um 'ne Menge Geld. Nachher werden wir im U-Bahnhof noch überfallen! Du weißt ja: die jungen Leute…«

Nickel fand das nicht komisch. Er murmelte: »In einer Stunde also« und legte auf.

21

Fred beobachtete Flur und Toilettentür. Vor fünf Minuten war Nickel hinter ihr verschwunden, seitdem war niemand Verdächtiges in der Nähe aufgetaucht. Fred trat hinter dem Regal vor und schlängelte sich durch Käufer und Verkäufer zur Toilettentür. Noch einmal schaute er sich um, sah das übliche Kaufhaustreiben, dann drückte er die Klinke. Als er in die Toilette trat, sah er links eine Reihe Türen, rechts Pissoirs und Waschbecken – keinen Nickel. Fred glaubte sich schon in der Falle und wollte abhauen, als hinter einer der Türen ein Furz ertönte.

»Nickel?«

Wenig später kam Nickel im hellbraunen Leinenanzug mit einem schwarzen Koffer unterm Arm heraus. Er musterte Fred grimmig. Unter seinen Augen waren schwarze Schatten, und in unregelmäßigen Abständen erfaßte seine Lider ein nervöses Zucken. Seine letzte Woche war gefüllt gewesen mit einer Reise nach Luxemburg, mehreren Gesprächen mit seiner Berliner Bank wegen verschiedener Kredite und andauerndem Streit mit Lycka, die ihm seine Jugend, speziell den Teil mit Fred, um die Ohren gehauen hatte. ›Mit solch einem Proleten hast du dich abgegeben! Ich mußte mich vor Heike ja schämen! Und warum läßt du dich von ihm einschüchtern?! Wenn ich du wäre, würde ich mich mit ihm verabreden und ihn, ohne daß er's merkt, zum Schwarzfahren verführen! Dir könnte er dafür keine Schuld geben, und seine Bewährung wäre im… im Hintern! Dann würde er die nächsten Jahre noch mal hübsch sitzen, und danach wollen wir doch mal sehen, ob er mit einer monatlichen Zahlung nicht zufrieden ist!‹

Seine Lycka, seine Anwältin.

»Hallo Nickel!« sagte Fred und erntete Schweigen. Nickel trat vor und reichte ihm den Koffer.

»Ich habe abgezogen, was du von meinem Konto genommen hast. Ich hoffe, du hast dir heute morgen kein Auto gekauft.«

Fred sah in Nickels kalte Augen. Mit den Händen fühlte er, daß der Koffer aus Plastik war.

»Willst du's nicht nachzählen?« fragte Nickel, als wäre Nachzählen peinlich.

Fred antwortete nicht. Wie mußte Nickel einen erst behandeln, wenn er wirklich beschissen würde, und nicht selber beschissen hätte, wie's ja der Fall war?

Fred öffnete den Koffer und sah auf eine Fläche von Tausendmarkscheinen. Seine Augen weiteten sich. Ein Schauer überlief ihn. Am liebsten hätte er die Faust geballt und geschrien. Mit zitternden Händen schloß er den Koffer wieder und gab die Kreditkarte zurück. Nickel warf einen prüfenden Blick drauf, bevor er sie einsteckte.

Fred fuhr sich mit der Zunge über die trockenen Lippen. Gerne wäre er jetzt mit Nickel einen trinken gegangen, hätte gefeiert und gesagt: Schwamm drüber. Doch Nickels Augen ließen ihn abprallen.

»…Keine Ahnung, was du denkst, aber so war die Abmachung, ich hab dir nichts weggenommen. Wir können uns noch grüßen.«

»Jeder, wie er will«, erwiderte Nickel, und ehe Fred etwas darauf sagen konnte, fuhr er fort: »Und ich will keinen Asozialen grüßen! Wie du dir vorstellen kannst, habe ich mir in den letzten Tagen einige Gedanken gemacht. Zum Beispiel, wie du mich in diesen Überfall hineingezogen hast! Ja, da guckst du! Und nur, um deinen Schwachsinn auszuleben! Wir waren dir doch völlig egal! Und dann bist du in den Knast gegangen und hast den großen Helden gespielt! Hättest du uns doch verraten! Dann wäre Schluß gewesen mit dem Extrasein! Und jetzt kommst du zurück, und ich biete dir an, an dem teilzuhaben, was ich in vier Jahren aufgebaut habe, und du denkst wieder nur an dich: Kanada! Anstatt dich zu arrangieren und Entwicklungen hinzunehmen, die vielleicht nicht genau dem entsprechen, was du dir ausgemalt hast, aber die nun mal stattgefunden haben. ...Dein Traum, dein Kanada, nur das zählt – was *wir* träumen, wo *wir* leben, ist egal!«

Fred starrte ihn mit offenem Mund an. Hatte Nickel das auswendig gelernt? War er inzwischen auch beim Film? Lernte man so was an der Universität, oder hatte Lulla ihm das eingeflüstert?

Fred räusperte sich unwohl. »...Ich weiß zwar nicht, was du dir unter ›asozial‹ vorstellst und was du mit ›wir‹ meinst, aber wenn's das ist, daß ich mein Geld will und daß du es lieber behalten hättest, dann ist das mit dem ›asozial‹ schon okay.«

»Du verstehst wirklich nichts! Wir, das sind Annette und ich. Ich habe vorgestern mit ihr telefoniert, und sie hat mir erzählt, wie du dich bei ihr aufgeführt hast. Aber für dich ist so was wohl selbstverständlich!«

Wie er sich bei Annette aufgeführt hatte...?! Fred kam aus dem Staunen nicht raus. Meinte Nickel die Kotzerei in der Küche? Oder daß er nicht im Film hatte mitspielen wollen? Und warum telefonierten sie miteinander, wo sie ihm doch beide gesagt hatten, wie wenig sie einander noch ausstehen konnten? ›Wir‹ schien hier weniger ›wir‹ zu heißen als ›du nicht‹.

»Wie hab ich mich denn aufgeführt?«

»Wie einer, der die Lebensform des anderen nicht achtet!«

»Und meine Lebensdingsda?«

»Dir ist doch egal, wie du lebst, Hauptsache, die anderen müssen drunter leiden!« Dabei schaffte Nickel es, trotz gleicher Größe, auf Fred herabzusehen wie auf Dreck. »...Ich wünsch dir trotzdem alles Gute. Ich denke, du kannst es brauchen, denn alles fällt irgendwann auf einen selber zurück – das Gute wie das Schlechte.« Kurz vor der Tür drehte er sich noch mal um. »Ach, übrigens: Die Polizei war bei mir. Weshalb sie dich suchen, haben sie nicht erzählt, und es interessiert mich auch nicht – wird schon eine ordentliche Dummheit gewesen sein. Ich frage mich, ob du jemals kapieren wirst, daß die Regeln und Gesetze des Miteinander auch für dich gelten! Jedenfalls habe ich gesagt, ich wüßte nicht, wo du dich aufhältst und hätte nichts mehr mit dir zu tun – das letztere immerhin entspricht ab heute der Wahrheit.«

Als Nickel die Toilette schon eine Weile verlassen hatte, lehnte Fred immer noch gegen das Waschbecken und versuchte sich auf Nickels Standpauke einen Reim zu machen. So viel Moral, weil er sein Konto in Luxemburg hatte auflösen müssen? Vor ein paar Tagen hätte Fred das noch umgehauen. Inzwischen...

Dann schloß er sich in eine der Kammern mit Kloschüssel ein und machte endlich das, worauf er vier Jahre gewartet hatte: Er zählte seine Beute! Schein für Schein, Packen für Packen. Nickel hatte korrekt abgerechnet, im Koffer befanden sich hundertsiebenundneunzigtausendzweihundert Mark.

Fred steckte sich fünfundzwanzigtausend in die Hosentasche und verließ die Kaufhaustoilette mit knallender Tür. Einige Kunden drehten sich nach ihm um, und ein breites Kinn reckte sich ihnen entgegen: Magic Hoffmann was back!

In der nächsten Telefonzelle rief Fred den von Moni genannten Kontaktmann wegen des falschen Ausweises an. Er sagte das Codewort, und sie verabredeten Termin und Preis. Fred hatte sich am Abend mit Fotos und Geld bei einer Adresse in Kreuzberg einzufinden. Das Wort ›Ausweis‹ fiel während des Gesprächs kein einziges Mal.

Anschließend ging er mit einem Bogen ums Café Budapest zum Bahnhof und tat den Koffer in ein Schließfach. Die Polizisten, die durch die Halle streiften, bemerkte er kaum. Das Geld gab ihm das Gefühl, unangreifbar zu sein.

Als nächstes ließ er sich einen neuen Haarschnitt verpassen. Dem Frisör erzählte er, er müsse nächste Woche zu seiner Tante und wolle möglichst gepflegt und nett aussehen. Er verließ den Laden mit Kurzhaarschnitt und leichter Fönwelle. Danach kaufte er sich einen dunkelblauen Nadelstreifenanzug, schwarze Herrenschuhe, weiße Hemden, einen Schlips und eine Lesebrille mit Fensterglas. Er behielt die Sachen gleich an und ging noch mal zum Bahnhof, um in einem Paßbildautomaten Fotos zu machen.

Als er alles erledigt hatte, war es kurz nach sieben. Sein Termin in Kreuzberg war um neun. Noch genug Zeit, um Moni die Neuigkeit zu überbringen und eine Flasche darauf zu trinken. Er nahm sich ein Taxi zurück zum Hotel und gab dem Fahrer ein fürstliches Trinkgeld.

Als Fred den Hotelflur betrat und mit knappem Gruß an der Rezeption vorbeiwollte, rief ihm der Hotelchef zu: »He, wo wollen Sie hin?«

Fred blieb stehen und nahm die Brille ab. »Aber ich bin's doch, Nummer einunddreißig.«

Der Hotelchef lehnte sich vor und schob den Kopf über die Theke, um Fred von oben bis unten zu mustern. »...Donnerwetter! Haben Sie im Lotto gewonnen?«

Ein zufriedenes Grinsen breitete sich über Freds Gesicht, und er nickte. »Yeah! Das große Los!«

Fred rannte die Treppen hinauf, klopfte an Monis Tür und trat ins Zimmer. Doch sie war nicht da. Er schrieb ihr einen Zettel, daß sie sich wegen ihrer Schulden keine Sorgen mehr machen brauche und daß er gegen elf zurück sei.

22

Das Taxi hielt in einer dunklen Straße vor einer verfallenen Häuserzeile. Auf der anderen Seite war offenes Gelände. Früher hatte die Mauer dort gestanden, jetzt wechselten sich Gras und Sandstreifen ab, verrostete Autowracks standen herum und abgebrochene Eisengitter ragten aus der Erde. Der Himmel war schwarz und dunstig, aber es regnete nicht. Sämtliche Straßenlaternen waren zerschlagen, und nur ein paar erleuchtete Fenster sorgten für Licht. Aus einem der Hauseingänge tönte das Kreischen einer Sägebank.

Der Taxifahrer nannte den Preis und nahm das Geld entgegen.

»Sind Sie sicher, daß Sie hier richtig sind?«

»Wieso?«

»Na, mein ja nur. Solche Anzüge laufen hier nicht allzuoft rum.«

Fred zuckte die Schultern und stieg aus. Als die Rücklichter um die nächste Ecke verschwunden waren, ging er die Straße hinunter auf der Suche nach Nummer einundzwanzig. Vor einer zerlöcherten Fassade blieb er stehen. Die Tür stand offen. Er sah sich kurz um, dann betrat er den düsteren, von einer nackten, schmutzigen Glühbirne beleuchteten Hausflur. Der Kontaktmann hatte ihm den Weg zum Dachboden beschrieben. Dort sollte er nach Mustermann fragen. Fred stieg die knarrenden Treppen hoch, bis er nicht mehr weiterkam, bog in einen Gang ein, an dessen Ende er auf ein zweites Treppenhaus stieß, stieg weitere Treppen hinauf und erreichte einen großen dunklen Dachboden voller Gerümpel. Er schnippte sein Feuerzeug an. Durch die Mitte des Dachbodens war eine Mauer gezogen, in der sich eine angelehnte Eisentür befand. Krach und Stimmengewirr drangen heraus.

Fred klopfte. Als niemand antwortete, trat er ein.

Im zweiten Teil des Dachbodens beleuchteten Öllampen einen Haufen ausrangierter, aufgeplatzter Autositze, die kreuz und quer herumstanden, dazwischen Bier- und Holzkisten, die als Tische dienten. In der Ecke ragten zwei riesige Boxen zur Decke, und ein halbnackter junger Mann harkte auf einer elektrischen Gitarre herum. Dazu bewegte er sich wie an die Steckdose mitangeschlossen. In den Sesseln verteilt, saßen mit Lederjacken, Eisenketten und diversen Bunt-Frisuren aufgeputzte Jungs und Mädchen. Die schweren Lederstiefel auf die Kisten gepflanzt, Bierflaschen in den Händen, musterten sie Fred mißtrauisch. Fred fragte sich, ob Monis Kontaktmann Witze mit ihm machen wollte.

Einer der Lederjungs erhob sich schwerfällig und schlurfte auf Fred zu. Beim Näherkommen erkannte Fred, daß es eine Sie war. Ihr Kopf war zur Hälfte rasiert, von der anderen Hälfte hingen orange Zöpfchen. Aus Nase und Lippen ragten Eisenstachel. Das Kinn provozierend vorgeschoben, blieb sie vor ihm stehen und warf einen langen Blick auf Freds Garderobe.

»Desch is hier kei Cocktail-Pahdie!« sagte sie in schwäbischem Dialekt.

»Guten Abend«, erwiderte Fred freundlich, »ich suche Herrn Mustermann.«

Als hätte sie nicht gehört und als hielte sie ihre Bemerkung für ziemlich wertvoll, wiederholte sie: »Kei Cocktail-Pahdie!«

Fred fand, sobald sie den Mund aufmachte, wirkte ihr Haarschnitt wie Lockenwickler. »Hab's verstanden. Tut mir leid mit dem Anzug. Wenn Sie mir bitte sagen könnten...«

»Soll mal Holz hacken!« tönte es gehässig von einem der Sitze, und nach einer Pause: »...Wir hacken alle Holz!«

Fred sah sich unsicher nach dem Redner um.

»Oder glaubst du, du bist zu fein zum Holzhacken?! Ich will dir Pinkel mal was sagen: Ich bin stolz darauf, Holz zu hacken!«

Einhelliges Gemurmel: »Ich auch... Ich auch...« Die E-Gitarre heulte auf.

Fred nickte vorsichtig. »Klar, Holzhacken ist eine prima Sache, aber...«

»Jeden Tag zwei Stunden! Und du?!«

»Na ja, ich...«

»Dich sollte man mal fünf Stunden hacken lassen! Schönes hartes Holz! Is gut für hier...« Er tippte sich gegen den Kopf, dann brüllte er: »Parole?!«

»...Bitte, was?« Fred glaubte nicht, daß hier irgend jemand in der Lage wäre, viel mehr zu fälschen als Bier-Etiketten.

»Ohne Parole kommt hier keiner durch. Is Krieg!«

Plötzlich beugte sich Fred ein blasser Kerl mit Schnittlauchhaaren aus dem Öllampenschummer entgegen und rief verwundert: »Aber das is doch Fred!«

Fred erstarrte.

»Na klar! Fred Hoffmann!«

Und jetzt erkannte Fred den kleinen Schmitti. Er war zwei Klassen unter ihm gewesen. Fred hatte kaum mit ihm zu tun gehabt. Einer von denen mit gebügelten Hemden, Hochwasserhosen, Oberlippenflaum und Pickeln, die in der Schule nur aufgefallen waren, wenn ihre Digitaluhren im Unterricht gepiept hatten. Und der ausgerechnet hier...?!

»...Mensch, Schmitti, was 'ne Überraschung...«

Schmitti hievte sich aus dem Autositz, warf dabei Flaschen um und näherte sich Fred auf wackligen Beinen. Auch er trug mächtige Lederstiefel, die an ihm aussahen, als wären sie vom großen Bruder geborgt, dazu hautenge Jeans und ein T-Shirt mit der Aufschrift ›Deutschland verrecke!‹. Mit seinem langen, schmalen Körper erinnerte er an einen Storch, der in zwei Ofenrohre gestiegen war.

»Also Fred! Fast hätte ich dich nicht erkannt. Was hast 'n für komische Klamotten an?« Und über die Schulter rief er: »Der ist in Ordnung! Hat 'ne Bank überfallen!«

»Um sich 'n Seidenanzug zu kaufen?!« meckerte es aus dem Halbdunkel.

»Tja«, Fred nestelte an seinem Schlips, »...lange Geschichte. Wie wär's, du bringst mich zu Mustermann, auf dem Weg erklär ich dir alles.«

»Okay, alter Junge!«

Alter Junge! Fred seufzte lautlos. Ausgerechnet auf einen wie Schmitti mußte er angewiesen sein!

Schmitti stieß einen Pfiff aus, und ein großer schwarzer Hund kam hinter den Sitzen hervorgetapst. »Komm, Antifa, bei Fuß!«

Die Tür fiel zu, und die Gitarre wurde langsam leiser. Mit dem Hund vorneweg bahnten sie sich einen Weg durchs Gerümpel und liefen die Treppe hinunter.

»Wann bist du rausgekommen?«

»Vor ein paar Wochen.«

»Hast dich ja ganz schön verändert.«

»Ich…?!« Fred sah Schmitti von der Seite an. »…Ja, vielleicht. Was soll das mit der Parole?«

»Ist notwendig«, sagte Schmitti, bevor er mit seinen Stiefeln abrutschte und zwei Stufen auf einmal hinunterpolterte. »…Der Feind ist überall.«

»Welcher Feind?«

»Die, die uns kaputtmachen wollen! Spekulanten, Bullen, Faschisten, Spießer – das ganze Pack!« Schmitti blieb auf dem Treppenabsatz stehen und deklamierte mit feurigen Augen: »Wo die Träume aufhören, fängt die Reaktion an!«

»Ach…!« Fred nickte und versuchte, beruhigend zu lächeln.

»Du müßtest doch am besten wissen, wie dieses Schweinesystem funktioniert. Haben dich doch eingesperrt wie einen Hund!«

Jetzt erinnerte sich Fred: Schmitti hatte es früher mit Zoologie gehabt, war immer mit irgendwelchen Lurchen oder Kröten in die Schule gekommen.

»Kannst mir glauben, ich habe dich nicht vergessen. Immer wenn ich in Dieburg war, habe ich nach dir gefragt. War schon 'ne tolle Sache, der Banküberfall!«

»Tja… na ja.«

»Was willst du eigentlich von Mustermann?«

»Heißt er wirklich Mustermann?«

»Natürlich nicht«, Schmitti machte ein wichtiges Gesicht, »aber seinen richtigen Namen darf ich dir nicht verraten.«

»Ich brauche einen Ausweis.«

»Ehrlich?!« Schmittis Augen leuchteten auf. »Planst du wieder was?«

»Nein.«

»Aber warum...«

»Darum.«

»He, du traust mir doch?«

»Klar, Schmitti. Aber ich plane nun mal nichts.«

»Aber der Ausweis...?«

»Macht dieser Mustermann denn überhaupt falsche Ausweise?«

»Tja, also eigentlich darf ich dir das gar nicht... Aber weshalb wärst du sonst hier?«

»Wie wär's, Schmitti, du läßt das alles mal meine und Mustermanns Sache sein?«

»Okay, okay. Ich wollte ja nur sagen, daß du dich hundertprozentig auf mich verlassen kannst.«

Sie traten aus der Tür im Erdgeschoß und liefen über einen mit Kleinlastern, Fahrrädern und kaputten Möbeln vollgestellten Hinterhof zu einer schmalen, versteckt gelegenen Außentreppe, die in den Keller führte. Durch einen dunklen Gang leuchtete Schmitti mit einer Taschenlampe, bis sie einen kleinen leeren Raum erreichten und Schmitti auf einen Lichtschalter drückte. Im Schein der Glühbirne waren rußgeschwärzte Backsteinmauern mit Heizungsrohren und Spinnweben zu sehen. Die Tür erkannte Fred erst, als Schmitti sich dagegenlehnte. Eine Holzplatte, auf der eine Schicht Steine befestigt war.

Die Tür öffnete sich schwerfällig, und helles Neonlicht strahlte heraus. Für einen Augenblick sah Fred eine Druckmaschine, dann schob sich ein Haufen Haare davor. Der Mann konnte zwischen dreißig und sechzig jedes Alter haben. Durch dunkelblonde Kopf- und Barthaare, die in verklebten Locken bis über die Brust hingen, sah man nur seine Augen und ahnte seine Lippen, aus denen eine selbstgedrehte Zigarette hing. Er trug Jeans, Clogs und ein speckiges oranges T-Shirt.

»Sind Sie der Mann für den Ausweis?« fragte er Fred.

Fred nickte.

»Sie sind spät dran.«

»Ihr Kontaktmann hat mich zum Dachboden geschickt und...«

»Haben Sie die Fotos?«

Fred gab sie ihm.

»Das Geld?«

»Ja.«

Der Mann machte eine Geste Richtung Schmitti, und Schmitti samt Hund zog sich in den dunklen Gang zurück.

»Zeigen Sie's mir«, sagte der Mann.

Fred zögerte einen Moment, dann griff er in die Jackett-Innentasche und zog zehntausend Mark raus. Er fächerte die Scheine auf, und der Mann nickte.

»In Ordnung. In 'ner halben Stunde können Sie sich das Ding abholen.«

»Was für einen Namen kriege ich?«

»Mal sehen, was ich dahabe. Ich sag Ihnen gleich, Polizeikontrollen überstehen sie damit kaum.«

»Ich will auf einem Schiff anheuern.«

»Dafür wird's schon reichen.«

Der Mann verschwand, und die Tür schloß sich wieder. Fred steckte sich eine Zigarette an und wollte sich gerade auf eine Kiste in der Ecke setzen, als Schmitti zurückkam.

»He, du willst doch nicht die ganze Zeit hier warten? Komm, wir gehen zu mir, und ich mach uns 'n Tee.«

»Ja... weißt du, vielleicht muß er mich noch was fragen, und...«

»Quatsch, das ist schon okay! Na los, ist doch viel gemütlicher!«

Die Wände und die Decke des Altbauzimmers waren mit lila Sternen und Parolen besprüht, Fünfziger-Jahre-Stehlampen sorgten für gelbes Licht, am Fenster standen zwei Schultische voll Kaktusse, und es roch nach Terpentin und dreckigem Hund. Der Dielenboden verschwand unter einer lila Lackschicht. In einem ebenfalls lila gestrichenen Korb lag Antifa und knabberte an einem Plastikknochen.

Fred hockte auf einer grauen Matratze vor einem flachen Holztisch, während Schmitti in der Ecke Schallplatten durchblätterte. Schmittis Tee schmeckte grauenhaft. Fred stellte die Tasse ab und las die Parolen an den Wänden.

»Die guten alten Doors?« fragte Schmitti über die Schulter.

Als sie sich kurz darauf bei schwermütigen Klängen gegenübersaßen, fragte sich Fred, ob Jim Morrisons Boden auch lila gewesen war.

Riders on the storm, riders on the storm...

Schmitti hatte die Beine zum Schneidersitz gekreuzt und wippte mit dem Kopf. »Wie findest du meine Bude?«

»Tja, toll.«

»Jeder hat hier sein Zimmer, und jeder kann draus machen, was er will. War 'ne Menge Arbeit. Hast ja gemerkt, in welchem Zustand das Haus ist.«

»Hmhm.«

»Hast du schon meine Kaktussammlung gesehen?«

»Ja«, antwortete Fred hastig.

Schmitti nahm zufrieden einen Schluck Tee, und sein Kopf wippte noch eine Spur stärker, als er sagte: »Ich freu mich total, daß du da bist – ehrlich! Noch 'n Schluck Tee?«

»Danke, hab noch.«

»Willst du gar nicht wissen, wie wir hier so miteinander leben und arbeiten?«

»Ich kann's mir denken.«

»Bist nicht sehr politisch, was?«

Fred zuckte die Schultern, dabei guckte er unauffällig auf die Uhr. Erst fünfzehn Minuten...

Schmitti hob die Augenbrauen und wiegte den Kopf, als wollte er sagen, wenn das mal gutgeht. »Für das Land, in dem man lebt, sollte man sich schon ein bißchen interessieren.«

»Ich denke«, Fred deutete auf Schmittis T-Shirt, »es soll verrecken?«

»Aber dafür muß man was tun!«

»Tja... Ich tu lieber was für mich. Apropos, sollten wir nicht langsam...«

»Wenn jeder so denken würde! Ich meine, politische Arbeit ist nicht alles, aber ohne politische Arbeit ist alles nichts!«

»Vielleicht, Schmitti, aber mir ist das zu hoch. Außerdem

fahre ich in einer Woche weg, und ob hier alle dran arbeiten sollten, daß was verreckt oder nicht, ist mir völlig egal. Ich würde jetzt gerne...«

»Dir ist egal, ob der Faschismus vor der Tür steht?!« Schmittis Stimme überschlug sich fast.

»Ich hab keine Tür.«

Eine Pause entstand. Schmitti starrte Fred wütend an.

»...Du nimmst das also alles nicht ernst?! Wiedervereinigung, brennende Asylantenheime, Neonazis, Terror auf den Straßen, Nichtdeutsche, die sich nicht mehr trauen, zu Fuß zu gehen?! Am Anfang sind es immer nur die anderen, aber wenn es irgendwann dich erwischt?! Oder einen deiner Freunde?!«

Meine Freunde verschlucken sich höchstens an Reispampe, dachte Fred und stand auf.

»Danke für den Tee, ich möchte jetzt wieder runtergehen.«

»...Das hätte ich wirklich nicht gedacht, daß du auch bloß ein ganz normaler Spießer bist! Nur deinen Vorgarten im Auge, scheißegal, was mit den anderen passiert!«

Fred stutzte. So was Ähnliches hatte er doch heute morgen schon mal gehört...

»...Hör mal Schmitti, ich bin seit zwei Wochen aus'm Knast, und von allen Seiten höre ich Deutschland, Deutschland, und irgendwie hört's sich immer gleich an. Du bist jetzt der dritte, der mir vorwirft, daß ich einfach nur weg will. Ehrlich gesagt, könnt ihr mich alle mal am Arsch lecken!«

Und damit verließ Fred das Zimmer. Er fand zurück in den Keller, und fünf Minuten später öffnete sich die Backsteinmauer, und Fred bekam seinen Ausweis: Hans-Jörg Heim, geboren in Bielefeld, wohnhaft in Berlin Tempelhof.

Als Fred aus dem Keller trat, war der Himmel aufgerissen, und zum ersten Mal, seit Fred in Berlin war, schien der Mond. Er tauchte den Hinterhof in milchiges Licht und ließ das nasse Kopfsteinpflaster glänzen. Fred blieb stehen und atmete tief durch. Zentnerlasten fielen von ihm. …Zugegeben, nicht alles in den letzten Wochen war so gelaufen, wie er es geplant hatte, aber jetzt stand ihm die Welt wieder offen: Er hatte sein Geld und einen Ausweis!…Was war, war, und was kam, konnte endlich wieder er bestimmen!

In der erstbesten Kneipe trank er zwei Gläser Sekt auf sich und seine Zukunft, dann ließ er sich ein Taxi rufen und zurück ins ›Glück‹ fahren.

23

Am nächsten Abend führte Fred Moni zum Essen ins Le Parisien. Ob Annette dasein würde, war ihm egal. Es sollte sein letzter Abend in Berlin sein, und das Le Parisien war das feinste und teuerste Restaurant, das er kannte. Er bestellte Champagner, und Moni, in einer Art Fliegerkostüm aus dunkelrotem Filz und mit einer extra für diesen Anlaß vom Frisör toupierten Hochfrisur, die an eine spitz auslaufende Meeresschnecke erinnerte, übersetzte ihm die Speisekarte. Sie hatte vom Le Parisien als Inbegriff eines Berliner Künstlerrestaurants schon oft gehört, war aber noch nie hier gewesen. Wie Fred war sie von der Ausstattung begeistert. Die anderen Gäste nahmen beide kaum wahr.

Nachdem sie die Speisekarte einmal hoch und runter bestellt hatten und der Kellner – er erkannte Fred im Nadelstreifenanzug und mit neuer Frisur nicht wieder – gegangen war, sprachen sie über Freds Reise. Er wollte über die grüne Grenze nach Holland und in Rotterdam auf ein Frachtschiff, das Passagierkabinen nach Kanada hatte. Im September wollte Moni ihn besuchen.

»…Wenn du kommst, werde ich bestimmt schon ein Haus haben: mit Terrasse zum See und einem Holzsteg mit Boot und Wasserski.«

»Bist du schon mal Wasserski gefahren?«

»Sure… alter Matrosensport!«

Sie lachten und stießen erneut mit Champagner an. Bald

war die erste Flasche leer, und Fred winkte nach der nächsten.

»...Ich stell mir vor, hinterm Haus fängt gleich die Apfelplantage an«, erklärte Fred und zeichnete mit dem Finger auf die Tischdecke, »so groß etwa. Da hinten ist dann die Fabrik, wo der Wein gegoren und in Flaschen abgefüllt wird. Und obendrauf in roten Neonbuchstaben: HOPEMAN'S APPLEWINE!«

»Wie schmeckt Apfelwein eigentlich?«

»Wie saurer Apfelsaft mit einem Schuß Alkohol.«

Moni verzog das Gesicht.

»Aber viel, viel besser!« sagte Fred schnell.

Als der Kellner den Champagner brachte, fragte Fred, ob es auch Apfelwein gebe, worauf der Kellner antwortete, sie hätten einen ausgezeichneten Cidre, doch Fred, der nicht wußte, was das war und ob der Kellner wieder irgendein Probierschlückchen-Spielchen mit ihm vorhatte, winkte ab.

Der Kellner verschwand, und Fred schloß: »Im September ist Ernte, dann wirst du genug probieren können.« Dann hob er den frischgefüllten Champagnerkelch. »Noch drei Monate...«

Moni hob ebenfalls den Kelch und lächelte: »Abgemacht ist abgemacht.«

Fred hielt einen Augenblick inne... Ja, abgemacht ist abgemacht – what a sweet and wonderful princess!

»Auf Kanada!« sagte Moni, und sie tranken.

Nach dem Essen bei Cognac und Kaffee sagte Moni zum ersten Mal, daß sie sich in ihn verliebt habe, und Fred erinnerte sich an eine von Oma Ranunkels Weisheiten: Bei Abreisen werde das Wetter schön.

»...Und ich werde versuchen, in Kanada bei ein paar Ballettkompanien vorzutanzen.«

Fred war sprachlos. Er sah in Monis im Kerzenlicht glitzernde Augen und fühlte sich wie in warmer weicher Sahne versinken. Nach vier Jahren Knast und vier Wochen Enttäuschungen, nach Annette und Nickel, Polizei und Fahndung, nach dem ganzen Scheiß saß er nun im schicksten Restaurant, hatte Geld wie Heu, und die Frau, von der er geglaubt hatte, daß sie hundert tollere Männer als ihn kenne, wollte ihm nach Kanada folgen... Er schüttelte kaum merklich den Kopf: Magic Hoffmann goes lucky!

»...Du wirst die größte Primaballadingsda von ganz Amerika werden!«

Moni lachte. Sie konnte es selbst noch kaum glauben, aber an dem Abend, an dem sie Freds Zimmer wegen seiner blöden Bemerkung über Ballettänzerinnen verlassen und seit langem mal wieder vor der Nähmaschine gesessen hatte, war ihr plötzlich klargeworden: Dieser merkwürdige Bauer mit den Glupschaugen hatte es ihr angetan. Sie wollte nicht, daß er fuhr, doch noch weniger, daß er von der Polizei erwischt wurde, blieb also nur eine Möglichkeit... Moni war überrascht gewesen, wie schnell sie sich an den Gedanken gewöhnte, Berlin zu verlassen. Natürlich war es nur ein Gedanke, und der kostete nichts, aber Moni war keine Träumerin, und an sinnlose Gedanken verschwendete sie keine Zeit.

Zum Abschluß des Abends schlug Fred vor, in Ringos Stübchen noch einen letzten Schnaps zu trinken.

Der Wirt erkannte Fred wieder und freute sich offensichtlich, daß Fred verstanden hatte, daß man in seiner

Kneipe keine Angst vor der Polizei haben mußte. Zwei der Greise waren ebenfalls da, und alle beglückwünschten Fred zu seiner charmanten Begleitung. Mehrere Runden Malt Whiskey gingen über die Theke, und bald waren Moni und Fred endgültig betrunken. Fred erklärte, was für eine großartige Stadt Berlin sei, er wurde gedrängt, bald wiederzukommen, und Moni mußte Rede und Antwort stehen, wieviel Kinder sie mit Fred haben wolle, und ob er sie behandeln würde, wie's ein so »hübsches, aufgewecktes Kindchen« verdiente.

Zum Abschied umarmten sich alle, dann wankten Fred und Moni nach Hause. Der Mond schien, und sie küßten sich in Hauseingängen.

»Vielleicht komme ich doch schon im August.«

»Oder im Juli?«

»Warum nicht gleich im Juni?«

»Ja, warum nicht?«

»Dann laß mich los, ich muß schnell nach Hause und packen.«

Sie lachten.

»Hauptsache, du kommst«, sagte Fred.

»Ich komme«, schwor Moni.

Die frische Luft machte sie wieder nüchtern. Sie erreichten das Hotel und stiegen hinauf in Monis Zimmer. Es war ihre letzte Nacht, und erst als die Vögel zu zwitschern begannen, schliefen sie erschöpft Arm in Arm ein.

Am nächsten Tag schien zum ersten Mal seit Freds Ankunft die Sonne, und ganz Berlin schien sich hübsch gemacht zu haben. An den Bäumen längs der Straße leuchtete das erste

Grün, Fenster standen offen, Musik wehte heraus, Männer in bunten, leichten Hemden und Frauen mit luftigen Blusen bevölkerten die Bürgersteige, und die Cafés hatten Tische rausgestellt. Oma Ranunkels Weisheit stimmte also.

Das Taxi, das vorm Hoteleingang hielt, hatte die Fenster runtergekurbelt, und der Arm des Fahrers hing lässig in der Sonne. Fred warf seinen Koffer hinten rein und setzte sich mit Moni auf die Rückbank.

»Zum Bahnhof Zoo, bitte.«

Der Fahrer drehte sich um. »Soll das 'n Witz sein? Die paar Meter?«

Fred gab ihm einen Zwanzigmarkschein. Er war verkatert, und je näher die Abreise rückte, desto trauriger wurde er. Immer wieder hatte er überlegt, ein paar Tage länger zu bleiben, aber das Risiko, doch noch von der Polizei erwischt zu werden, war zu groß. Moni hatte ein Kopftuch umgebunden und ihr Gesicht hinter einer riesigen Sonnenbrille versteckt. Wegen der letzten zwei Abschiedstage war sie noch nicht dazu gekommen, mit den siebentausend Mark, die ihr Fred gegeben hatte, ihre Schulden zurückzuzahlen, und hatte Angst, ausgerechnet jetzt ihren Gläubigern zu begegnen. Selbst mit Geld würde das keine schöne Szene, und sowieso hatte sie an diesem Morgen Wichtigeres im Kopf.

»Du schreibst mir deine Adresse?«

Fred nickte. »Sobald ich eine habe.«

Moni beugte sich an sein Ohr: »Laß dir Zeit an der holländischen Grenze! Notfalls nimmst du dir ein Hotel und guckst dich erst mal um.«

»Das wird schon.«

»Und ruf mich an, wenn du in Rotterdam bist!«

»Natürlich.«

Das Taxi hielt vorm Bahnhofseingang, und sie stiegen aus. In der Bahnhofshalle blieb Moni mit Freds Koffer an einem Imbiß stehen.

»Bis gleich«, sagte Fred und wollte schon weiter, als Moni ihn festhielt und an sich zog. Die dabeistehenden Imbißgäste schmunzelten.

Nach einem langen Kuß lösten sie sich voneinander, und Fred ging schweren Herzens zum Fahrkartenschalter. Sein Zug fuhr in einer halben Stunde. Während er in der Schlange stand, verfluchte er das Café Budapest. Wie wunderbar wäre es, jetzt in Berlin bleiben zu können! Wo die Sonne schien, wo alles herrlich war! Er mußte sich zusammenreißen. Noch drei Monate, bis Moni ihre Schule beendet hatte... Drei kleine, beschissene Monate... Er würde alles vorbereiten: das Haus einrichten, einen großen Ballettsaal für Monis Training bauen, ein Segelboot kaufen...

Plötzlich wurden die Türen zum Schalterraum aufgestoßen, und eine Gruppe Glatzen mit Springerstiefeln und Bomberjacken marschierte herein. Fred fuhr zusammen und wandte sich schnell ab. Dann guckte er unauffällig, ob es seine Bekannten aus der U-Bahn waren. Vielleicht, vielleicht nicht – bei ihrer Aufmachung waren Unterschiede schwer festzustellen. Jetzt nur keinen Ärger, dachte Fred. Und als hätten sie seinen stummen Ruf erhört, gingen die Glatzen freundlich lächelnd herum und verteilten Flugblätter mit der Überschrift: ›Damit später niemand sagen kann, er habe von nichts gewußt!‹

Dazu erhielten die Reisenden von den Glatzen, als eine Art Werbegeschenk, Baseballmützen mit der Aufschrift auf der Stirnseite, ›Ob rot, ob schwarz, ob braun – Deutsche für deutschen Raum!‹ Das Flugblatt erklärte, daß, wissenschaftlich errechnet, im Jahre 2020 voraussichtlich zehn Milliarden Menschen auf der Erde leben würden und daß es nichts mit Nationalismus oder Rassismus zu tun hätte, wenn man sage, Deutschland sei soviel wert wie zum Beispiel Simbabwe. Alle Völker und Kulturen seien gleich, aber überleben täte in solcher Situation nun mal der Stärkere – und der Stärkere sei, wer zusammenhalte. ›Denken Sie an Ihre Kinder und Enkel, an Ihren Mann oder Freund, an Ihre Frau oder Freundin – denken Sie an die Menschen, die Sie lieben!‹

Fred nahm Flugblatt und Baseballmütze entgegen und atmete auf, als die Glatzen den Schalterraum wieder verließen. Um ihn herum wurden die Flugblätter gelesen, wurde getuschelt, gelacht und der Kopf geschüttelt. Die Baseballmützen wurden eilig in Taschen und Jacken gestopft. Einige guckten angestrengt empört in Richtung der zugeschlagenen Türen und schleuderten für alle gut sichtbar mit plötzlich aufkommender Verachtung Flugblatt wie Baseballmütze zu Boden. Nur ein paar Kinder setzten sich die Mützen tatsächlich auf.

Fred bezahlte seine Fahrkarte, trat aus dem Schalterraum und ging zu den Schließfächern. Er sah die Glatzen durch die Bahnhofshalle schwärmen. Mit einem Blick versicherte er sich, daß Moni noch am Imbiß stand.

Er steckte den Schlüssel ins Schließfachschloß und zog die Klappe auf. Bevor er den schwarzen Geldkoffer herausnahm, schaute er sich kurz um. Niemand beobachtete ihn. Aber etwas anderes ließ ihn innehalten: Eine zweite Gruppe Stiefelträger stürmte durch den Haupteingang in die Halle, stoppte auf Kommando und formierte sich mit Knüppeln und Ketten zu einem Angriffskeil. Im Unterschied zu den Glatzen trugen sie Lederjacken und bunte Himmelfahrtsfrisuren.

»Ach du Scheiße!« murmelte Fred, nahm schnell den Koffer und warf die Klappe zu.

Etwa zwanzig geballte Fäuste reckten sich in die Luft, und wie ein einziger greller Schrei tönte es durch die Bahnhofshalle: »Rotfront! Nazis raus!«

Die Parole verklang, und für einen Moment schien die Zeit anzuhalten. Der Keil stand provozierend, während Glatzen, Reisende und anderes Publikum verwirrt, furchtsam oder fassungslos verharrten. Stille legte sich über die Halle, nur die Zugansage war noch zu hören. Dann klatschten die ersten Flugblätter auf den Boden, und die Glatzen zogen Baseballschläger aus ihren Jacken. Der Imbiß, an dem Moni wartete, befand sich ziemlich genau in der Mitte zwischen den beiden Stiefelgruppen.

Fred rannte los. Als er Moni erreichte, marschierten die Glatzen »Rotfront verrecke!« skandierend auf den Keil zu. Die Umstehenden zogen sich hastig zurück, und in der Mitte der Bahnhofshalle bildete sich eine Art Kampfarena. Am Rand stand ein einzelner Polizist und flüsterte hektisch in sein Funkgerät.

»Schnell!« zischte Moni, die ihr Kopftuch abgestreift hatte, und zog Fred zum Ausgang. Doch plötzlich brach der Keil auseinander und rannte mit Geheul auf die Glatzen zu. Ehe sich Moni und Fred versahen, befanden sie sich mitten im Kampfgeschehen. Um sie herum sausten Knüppel und

Baseballschläger, wurden Ketten geschwungen, traten Stiefel, klatschten Fäuste, wurde vor Schmerzen und Haß gebrüllt, und überall warfen sich ihnen Kämpfende in den Weg. Ein ohrenbetäubendes, wütendes, viehisches Chaos. Die ersten Schläge konnte Fred, der Moni hinter seinen Rücken gezerrt hatte, mit dem Koffer noch abwehren, doch dann tauchte eine Glatze direkt vor ihnen auf, schrie »Rote Sau!« und schlug Fred den Koffer aus der Hand.

»Wir haben damit nichts zu tun! Wir sind nur Reisende!« rief Fred und wollte noch zum Beweis ihrer Neutralität die Hände heben, als er einen Tritt in den Magen bekam. Fred strauchelte, und einen Augenblick wurde ihm schwarz vor den Augen. Dann hörte er mitten im Getümmel ein seltsames, dumpfes Geräusch...

Als Fred sich umdrehte, lag Moni schon am Boden. Fred fuhr zusammen, dann blieb er wie versteinert stehen. Monis Gesicht war nur noch Blut. Ein zweiter Hieb mit dem Baseballschläger hatte ihren Schädel zertrümmert.

Freds Mund öffnete sich, aber es kam kein Ton raus. Während um ihn herum der Kampf weiter tobte, plumpste er vor Moni auf die Knie, nahm ihren Kopf und hob ihn in seinen Schoß.

So saß er noch, als sämtliche Stiefelträger längst verschwunden waren, sich eine Gruppe Fassungsloser um ihn gebildet hatte und Polizei und Krankenwagen eintrafen.

Zwei Krankenpfleger beugten sich zu Fred und redeten ihm zu, Monis Kopf loszulassen, doch er schien nichts zu hören. Seine heraustretenden Augen guckten wie blind. Behutsam hob einer Freds Hände zur Seite, während der andere die

Leiche unter den Schultern packte. Sie hoben sie auf eine Bahre und trugen sie weg.

Dann ging ein Polizist neben Fred in die Hocke, nahm seinen Arm und bat ihn aufzustehen. Fred gehorchte willenlos. Er ließ sich zum Imbiß führen und auf einen Hocker setzen. Der Polizist verschwand, um kurz darauf mit einer Flasche Schnaps wiederzukommen.

Nachdem er Fred einen Plastikbecher voll eingeflößt hatte, fragte er: »Tut mir leid, aber... könnten Sie uns vielleicht den Namen des Opfers sagen?«

Er hatte sich neben Fred auf einen weiteren Hocker gesetzt, und seine Hand ruhte auf Freds Schulter. Fred zu belästigen war ihm sichtlich unangenehm.

Nach einer Weile antwortete Fred tonlos: »Moni Sergejew.«

Der Polizist nahm die Hand von der Schulter und notierte in einen Block.

»Und Ihr Name?«

Fred reagierte nicht.

»...Bitte, verstehen Sie, wir brauchen Sie als Zeugen... Sie wollen doch auch, daß die Täter so schnell wie möglich gefaßt und verurteilt werden...?« Der Polizist hielt inne. »Na, lassen Sie mal«, sagte er und erhob sich vom Hocker, »das können wir selbstverständlich auch später machen.«

Doch er irrte. Während er Fred noch mal hilflos die Schulter drückte, kam ein zweiter Polizist, offenbar der Vorgesetzte, und befahl: »Ihren Namen bitte!« Und als Fred wieder nichts sagte, drohte er: »Sonst nehmen wir Sie mit zur Wache! Es ist unsere Pflicht, die Namen der Zeugen festzustellen!«

Fred hob langsam den Blick und starrte den Vorgesetzten ausdruckslos an.

»...Hans-Jörg Heim.«

»Dürften wir bitte Ihren Ausweis sehen?«

Fred griff in seine Tasche und gab ihm die Plastikkarte. Zwei Minuten später erhielt der Polizist durchs Funkgerät den Bescheid: »Gestohlen.«

»Tja, Herr Heim! Da scheint wohl etwas nicht ganz korrekt zu sein! Wir müssen Sie leider zwecks genauerer Überprüfung mitnehmen.« Er deutete auf Freds Gepäck. »Sind das Ihre Sachen?«

Fred sah kurz zu dem schwarzen Aktenkoffer, in dem sein Geld lag, dann zuckte er leicht die Schultern und nickte.

24

Dreieinhalb Jahre später schneite es in Dieburg zur Weihnachtszeit. Am vierundzwanzigsten Dezember lag ein halber Meter Schnee auf der Stadt, und die weißen Flocken hörten nicht auf zu fallen. Alle freuten sich, und der Chef des EDEKA-Ladens, Herr Scheibel, stand vor seiner Ladentür und grüßte die Vorbeigehenden mit einem fröhlichen »Dieses Jahr paßt's, was?«.

Als es langsam dunkel wurde, setzte er sich hinter die Kasse und machte seine Tagesabrechnung. Es war kurz nach fünf, und er wollte heute früher schließen. Frau und Kinder warteten. Bis auf leises Scharren aus der Lagerhalle war es still im Verkaufsraum.

Herrn Scheibels Gehilfe ordnete die Getränkekisten. Vier Kerzen brannten über der Kasse und warfen ihren Schein auf den Abrechnungsblock. Heute war ein gutes Geschäft gewesen: Mandelsplitter, Rosinen, Haselnußkerne, Vanillezucker, Rum – Weihnachten gingen die Leute lieber in den kleinen Laden an der Ecke als in den Supermarkt vor der Stadt.

Halb sechs, Herr Scheibel wollte gerade die Tür abschließen, als ein junger Mann in den Laden stürzte und nach Zitronat fragte. Kurz darauf klingelte die Türglocke erneut, und eine junge Frau wollte Kochschokolade. Als der Mann und die Frau sich ansahen, sagten beide wie aus einem Mund: »Nein!«

Annette und Nickel gingen aufeinander zu, und nach kurzem Zögern umarmten sie sich.

»Was machst du hier?« fragte Annette lachend.

»Weihnachten«, erwiderte Nickel, »was soll man machen? Die alten Herrschaften bestehen drauf!«

Annette nickte. »So isses! Und wir tun ihnen den Gefallen, was?!«

Nickel grinste. »Solange wir drüberstehen!«

Als Herr Scheibel mit Zitronat und Schokolade zurück zur Kasse kam, hörte er die Frau fragen: »Und was machst du jetzt als promovierter Germanist?«

»Ich bin so eine Art Generalsekretär in einem Komitee zur Rettung Europas.«

»Zur Rettung Europas…?! Ich dachte, dein Gebiet ist Südamerika?«

»Na ja… früher. Alles zu seiner Zeit. Und du?«

»Ich bin Mutter.«

»Nein…! Wirklich?«

»Mutter und Hausfrau! Ich hätt's nie für möglich gehalten, aber ehrlich gesagt: Es ist toll!«

»Ich weiß! Am Anfang denkt man noch, na ja… aber dann… Lycka sagt dasselbe.«

»Roger – du kennst ihn sicher aus der Serie *Kreuzberg – härter als Stahl* – sagt: Das Wichtigste ist das Nest. Das hört sich im ersten Moment vielleicht ziemlich üblich an, aber nach 'ner Weile merkt man, daß viel Wahrheit drinsteckt.«

»Aber ich wäre der letzte, der ihm widersprechen würde.«

Annette und Nickel lächelten sich an.

»Tja«, sagte Annette und wandte sich an Herrn Scheibel:

»Ich brauche dann noch drei Flaschen Cola«, und zu Nickel: »Roger ist nämlich colasüchtig – völlig verrückt!«

Nickel schüttelte amüsiert den Kopf. »So was!«

Herr Scheibel rief zur Lagerhalle: »Kiste Cola, Hoffmann!«

Annette und Nickel schauten sich an. Dann nickten sie sich wissend zu.

Fred trat durch die grauen Plastiklappen, die die Lagerhalle vom Verkaufsraum trennten, hielt einen Moment inne und musterte die Kundschaft. Dann brachte er die Getränkekiste zur Kasse, blieb daneben stehen und sah zu Boden.

Annette und Nickel beeilten sich. »Wieviel kriegen Sie?«

Scheibel kassierte, und Annette und Nickel murmelten »Fröhliche Weihnachten«, und verließen den Laden.

Als die Türglocke verstummte, wandte sich Scheibel zu seinem Gehilfen um und musterte ihn stirnrunzelnd. »... Irgendwas falsch, Hoffmann?«

Fred behielt den Blick am Boden und sagte mit ruhiger Stimme: »Call me Hopeman, Scheibel! I told you a hundred times: Call me Hopeman!«

Jakob Arjouni im Diogenes Verlag

Happy birthday, Türke!

Ein Kayankaya-Roman

»Privatdetektiv Kemal Kayankaya ist der deutsch-türkische Doppelgänger von Phil Marlowe, dem großen Kollegen von der Westcoast. Nur weniger elegisch und immerhin so genial abgemalt, daß man kaum aufhören kann zu lesen, bis man endlich weiß, wer nun wen erstochen hat und warum und überhaupt.
Kayankaya haut und schnüffelt sich durch die häßliche Stadt am Main, daß es nur so eine schwarze Freude ist. Als in Frankfurt aufgewachsener Türke mit deutschem Paß lotst er seine Leserschaft zwei Tage und Nächte durch das Frankfurter Bahnhofsmilieu, von den Postpackern zu den Loddels und ihren Damen bis zur korrupten Polizei und einer türkischen Familie.
Daß *Happy birthday, Türke!* trotzdem mehr ist als ein Remake, liegt nicht nur am eindeutig hessischen Großstadtmilieu, sondern auch an den bunteren Bildern, den ganz eigenen Gedankensaltos und der Besonderheit der Geschichte. Wer nur nachschreibt, kann nicht so spannend und prall erzählen.«
Hamburger Rundschau

»Er ist noch keine fünfundzwanzig Jahre alt und hat bereits zwei Kriminalromane geschrieben, die mit zu dem Besten gehören, was in den letzten Jahren in deutscher Sprache in diesem Genre geleistet wurde. Er ist ein Unterhaltungsschriftsteller und dennoch ein Stilist. Die Rede ist von einem außerordentlichen Début eines ungewöhnlich begabten Krimiautors: Jakob Arjouni. Verglichen wurde er bereits mit Raymond Chandler und Dashiell Hammett, den verehrungswürdigsten Autoren dieses Genres. Zu Recht. Arjouni hat Geschichten von Mord und Totschlag zu erzählen, aber auch von deren Ursachen, der Korruption durch Macht und Geld, und er tut dies knapp, amüsant und mit bösem Witz. Seine auf das Nötigste abgemagerten Sätze fassen viel von dieser schmutzigen Wirklichkeit.« *Klaus Siblewski/Neue Zürcher Zeitung*

Verfilmt von Doris Dörrie, mit Hansa Czypionka, Özay Fecht, Doris Kunstmann, Lambert Hamel, Ömer Simsek und Emine Sevgi Özdamar in den Hauptrollen.

Mehr Bier

Ein Kayankaya-Roman

Vier Mitglieder der ›Ökologischen Front‹ sind wegen Mordes an dem Vorstandsvorsitzenden der ›Rheinmainfarben-Werke‹ angeklagt. Zwar geben die vier zu, in der fraglichen Nacht einen Sprengstoffanschlag verübt zu haben, sie bestreiten aber jegliche Verbindung mit dem Mord. Nach Zeugenaussagen waren an dem Anschlag fünf Personen beteiligt, aber von dem fünften Mann fehlt jede Spur. Der Verteidiger der Angeklagten beauftragt den Privatdetektiv Kemal Kayankaya mit der Suche nach dem fünften Mann…

»Jakob Arjouni: der jüngste und schärfste Krimischreiber Deutschlands!«
Wiener Deutschland, München

Ein Mann, ein Mord

Ein Kayankaya-Roman

Ein neuer Fall für Kayankaya. Schauplatz: die (noch immer) einzige deutsche Großstadt: Frankfurt. Genauer: Der Kiez mit seinen eigenen Gesetzen, die feinen Wohngegenden im Taunus, der Frankfurter Flughafen.
Kayankaya sucht Sri Dao, ein Mädchen aus Thailand: sie ist in jenem gesetzlosen Raum verschwunden, in

dem Flüchtlinge, die in Deutschland um Asyl nachsuchen, unbemerkt und ohne Spuren zu hinterlassen, ganz leicht verschwinden können – wen interessiert ihr Verschwinden schon.
Was Kayankaya – Türke von Geburt und Aussehen, Deutscher gemäß Sozialisation und Paß – dabei über den Weg und in die Quere läuft, von den heimlichen Herren Frankfurts über die korrupten Bullen und die fremdenfeindlichen Beamten auf den Ausländerbehörden bis zu den Parteigängern der Republikaner mit ihrer alltäglichen Hetze gegen alles Fremde und Andere, erzählt Arjouni klar, ohne Sentimentalität, witzig, souverän.

»Jakob Arjouni ist von den jungen Kriminalschriftstellern deutscher Zunge mit Abstand der beste. Er hat eine Schreibe, die nicht krampfig vom deutschen Gemüt, sondern von der deutschen Realität her bestimmt ist, das finde ich einmal schon sehr wohltuend; auch will er nicht à tout prix schmallippig sozialkritisch auftreten.« *Wolfram Knorr/Die Weltwoche, Zürich*

Edelmanns Tochter

Theaterstück

Ein Bahnhof im wiedervereinigten Deutschland. Hinz und seine Tochter Ruth sitzen im Hinterzimmer des Bahnhofrestaurants und warten. Nach vier Jahrzehnten kann der Vater sich nicht länger den drängenden Fragen und Ahnungen seiner Tochter entziehen. Im Kampf um eine neue Identität, die es ihm leichter machen soll, Schuld und Schicksal zu verdrängen, hat sich der Alte tief in ein Knäuel aus Lebenslüge, Leere, Hilflosigkeit und Selbstvorwürfen verstrickt.
Ein Stück über gegenseitige Achtung, über eine Vater-Tochter-Beziehung und über die Frage nach den Grenzen von statthafter Einflußnahme. Jakob Arjouni ergreift nicht Partei, er beobachtet Menschen

und keine literarischen Modelle. In prägnanten Sätzen befaßt sich der junge Autor mit dem Phänomen Deutschland: Schuld und Vergangenheit, das Dritte Reich, die Wiedervereinigung und die Tatsache, daß noch gar nichts erledigt ist...

»Arjouni weiß als Dramatiker genauso wie als Krimiautor, wie er Spannung erzielt, ohne platt zu wirken.«
Christian Peiseler/Rheinische Post, Düsseldorf

»Seine Texte haben Qualität. Sie sind ambitioniert, unaufdringlich-provokativ, höchst politisch. Dabei sind sie weder billig-appellativ noch vordergründig, besitzen in jeder Hinsicht Stringenz.«
Barbara Müller-Vahl/Bonner General Anzeiger

Magic Hoffmann

Roman

Fred, Nickel und Annette – sie sind jung, die Welt – nicht die, in der sie leben – steht ihnen offen. Sie träumen gemeinsam einen Traum, und der hat einen Namen: Kanada. Magic Hoffmanns Weg von Dieburg nach Vancouver führt über den Knast in das Berlin nach dem Mauerfall, wo er seine Freunde und sein Geld abholen will – doch *the times they are a-changin'*.

»Der Roman *Magic Hoffmann* trägt die Züge einer Kriminalgeschichte, und jedenfalls ist er so spannend, wie man es von einem Krimi nur verlangen kann. Doch zugleich ist er mehr: ein Roman über die neue Hauptstadt Berlin aus der Sicht eines Underdogs aus der Provinz ... Eine Verbeugung vor dem größten aller Berlin-Romane, Döblins *Berlin Alexanderplatz*, und seinem Helden, dem Haftentlassenen Franz Biberkopf.« *Gustav Seibt/Frankfurter Allgemeine Zeitung*

Hans Werner Kettenbach im Diogenes Verlag

»Schon lange hat niemand mehr – zumindest in der deutschen Literatur – so erbarmungslos und so unterhaltsam zugleich den Zustand unserer Welt beschrieben.« *Die Zeit, Hamburg*

»Hans Werner Kettenbach erzählt in einer eigenartigen Mischung von Zartheit, Humor und Melancholie, aber immer auf erregende Art glaubwürdig.«
Neue Zürcher Zeitung

»Dieses Nie-zuviel-an Wörtern, diese unglaubliche Leichtigkeit und Selbstverständlichkeit... ja, das ist in der zeitgenössischen Literatur einzigartig!«
Visa Magazin, Wien

»Ein beweglicher ›Weiterschreiber‹ nicht nur der Nachkriegsgeschichte, sondern der Geschichte der Bundesrepublik ist Hans Werner Kettenbach. Seine sieben bis acht Romane aus dem bundesrepublikanischen Tiergarten sind viel unterhaltsamer und spitzer als alle Weiterschreibungen Bölls.«
Kommune, Frankfurt

Minnie oder Ein Fall von Geringfügigkeit
Roman

Hinter dem Horizont
Eine New Yorker Liebesgeschichte

Sterbetage
Roman

Schmatz oder Die Sackgasse
Roman

Der Pascha
Roman

Der Feigenblattpflücker
Roman

Davids Rache
Roman

Philippe Djian im Diogenes Verlag

»Djians Sprache und Rhythmus verschlagen einem den Atem und ziehen einen in die Geschichten, als wäre Literatur nicht Folge, sondern Strudel.«
Göttinger Woche

»Djian schreibt glasklar und in einem Tempo, dem ältere Herren wie Grass und Walser schon längst durch Herzinfarkt erlegen wären.« *Plärrer, Nürnberg*

Philippe Djian, geboren 1949, lebt in Bordeaux und Lausanne. Pierre Le Pape über Djians Stil: »Die Puristen mögen getrost grinsen; morgen werden die Schulkinder, sofern sie dann noch lesen, bei Djian lernen, was viele der besten jungen Autoren längst von ihm erhalten haben: eine Lektion in Stilkunde.«

Betty Blue
37,2° am Morgen
Roman. Aus dem Französischen
von Michael Mosblech

Erogene Zone
Roman. Deutsch von Michael Mosblech

Verraten und verkauft
Roman. Deutsch von Michael Mosblech

Blau wie die Hölle
Roman. Deutsch von Michael Mosblech

Rückgrat
Roman. Deutsch von Michael Mosblech

Krokodile
Sechs Geschichten
Deutsch von Michael Mosblech

Pas de deux
Roman. Deutsch von Michael Mosblech

Matador
Roman. Deutsch von Ulrich Hartmann

Ich arbeitete für einen Mörder
Roman. Deutsch von Ulrich Hartmann